The
Oxford Book
of Italian Verse

xiiith Century—xixth Century

The
Oxford Book
of Italian Verse

xiiith Century–xixth Century

Chosen by

St. John Lucas

coll. Univ. Oxon.

Second Edition revised
with xxth Century Supplement by

C. Dionisotti

Professor of Italian at Bedford College
for Women in the University
of London

Oxford

At the Clarendon Press

1952

Oxford University Press, Amen House, London E.C.4

GLASGOW NEW YORK TORONTO MELBOURNE WELLINGTON
BOMBAY CALCUTTA MADRAS KARACHI CAPE TOWN IBADAN

Geoffrey Cumberlege, Publisher to the University

FIRST EDITION 1910
REPRINTED 1912, 1924, 1933

PREFACE TO SECOND EDITION

THE first edition of the *Oxford Book of Italian Verse* appeared in 1910. It included 345 poems by some hundred authors, from St. Francis to Carducci. No poets then living were represented. This second revised edition has been enlarged on the same lines. The addition of twenty-six poems at the end of it is designed to give an idea of how Italian poetry developed in the late 19th and early 20th centuries. A further extension of the chronological limits of the book might have been attempted, were it not that the First World War is rightly considered as being a turning-point in the history of Italian poetry. It is also doubtful whether contemporary writers would find their suitable place in a scheme which is the result, as well as an outline, of the past. As to such a scheme, the interval of more than forty years between the first and the second edition of this book might of itself account sufficiently for some change. In fact, an attempt has now been made to provide a wider and better-balanced choice of significant poems, while retaining as large a proportion of the original book as possible. Consequently, some 90 poems have been substituted for 82, mostly popular and patriotic songs, of the first edition.[1] That also means that thirteen new poets have taken the place of twelve who had to be regretfully

---

[1] Where they numbered: 2, 4, 5, 13, 38–39, 48, 57–58, 90, 94, 99, 108, 111, 116, 118, 122, 131, 133–4, 136, 138–9, 141–5, 149–50, 152–3, 155, 159, 161–2, 165–6, 168–70, 176, 179, 184, 192–3, 196–7, 218–21, 223, 226–7, 233, 235, 237, 247, 249, 254, 259, 264–8, 271–2, 282–4, 288, 291, 301, 322, 324–6, 329, 337, 339.

PREFACE

excluded.[1] It might be remembered that this is a book of Italian verse, that is to say of poems which were written in what is considered to be the Italian language. Italian poets who wrote either in Latin or in one or other of the Italian dialects had to be set aside. Hence the exclusion of Ciullo, or Cielo, d'Alcamo, whose most celebrated *contrasto* (No. **2** of the first edition) would be hardly comprehensible without a full commentary, even to experienced Italian readers. Obviously, this book is not designed to cover the whole field of Italian poetry. It is necessarily confined to lyrical poems. Extracts from the Divine Comedy, or from Ariosto's and Tasso's epics, or even from Poliziano's *Stanze* could not logically be included. This will account for the exclusion of, say, two chapters of Petrarch's *Trionfi* (No. **90** of the first edit.) and of seventeen stanzas, out of fifty, of Molza's *Ninfa Tiberina* (No. **166** of the first edit.). As a rule, poems in the text are complete. An exception has been made for Redi's *ditirambo* (No. **247**); and some lyrical passages and interludes have been extracted from either dramatic or narrative works.

Text and notes have been revised according to the best available sources. The introduction has been left intact.

C. D.

[1] Excluded poets are: Ciullo d'Alcamo, Federico II, Enzo Re, Anselmo da Ferrara, A. Caro, B. Rota, A. Tassoni, F. A. Ghedini, P. Manara, A. Mazza, L. Carrer, F. dall' Ongaro.

NOTE

THE Reviser desires to express his gratitude to the following publishers for permission to reproduce poems of which they control the copyright: Zanichelli, Bologna, for poems by Carducci; Le Monnier, Florence, for poems by Vittoria Aganoor; Garzanti, Milan, for one poem by Carlo Michelstaedter and one by Guido Gozzono; Arnoldo Mondadori, Milan, for poems by Giovanni Pascoli and poems by Gabriele D'Annunzio; Ricciardi, Naples, for two poems by Sergio Corazzini.

NOTE

The present edition is a reprint of the earlier ... edition, ... present to students possible sources ... introductory ... the original Zulu text. Corrections in former ... Alumni, ... South African, and ... There ... Added ... (each ... has for the past by Eric Bald... and ... Guild Consciousness ... Library, for the use ... Chicago, the collected and ... Central Districts, and ... copy by ... Natal, by Robert Chapman.

INTRODUCTION

I

THE earliest Italian poetry which has come down to us was written in Sicily during the brief but extremely important epoch of culture which was inaugurated by the Emperor Frederick II, himself a poet and an enthusiastic patron of all fine art. This poetry, as might be expected, is in some degree tainted with the formal graces of the Court; it lacks the personal note, and its conventions are an inheritance from the Provençal troubadours. Dante tells us in the *Vita Nuova* that the first poet who wrote in *lingua volgare*—in the spoken language that existed all through the early Middle Ages side by side with the sadly degraded Latin of the priests—employed that lowly medium in order to be understood by the lady whom he addressed; but the Sicilian school of poets probably made use of the *volgare* for a less interesting reason—it had become the fashion, or, possibly, the custom of writing it was encouraged by the Emperor because his ambition to unite the various Italian cities against the Pope made him realize the importance of cultivating a language which, except for a few local variations, was common to them all. In spite of a certain conventionality, however, there is a freshness and delicacy in the little garland of Sicilian court-poetry which is intrinsic, owing nothing to the art of Provence; the note of irony in the *Tenzone* of Ciullo d'Alcamo is new and real, and the other poets of the group occasionally achieve effects which are never found in completely derivative literature. To call them the Sicilian group does not imply that they were all Sicilians; there were many Tuscans, and probably many Lombards, at the Court of Frederick II, and thus the new art would be disseminated throughout Italy.

Provençal influence not only found its way into the country through Sicily; the *gai saber* was cultivated in Genoa, in the Trevisan March, and especially at the Court of Bonifazio di Monferrato, the friend of Raimbaut di Vaqueiras. Many Italians, Sordello amongst them, wrote in Provençal. The poetry of the *langue d'oc* was essentially 'courtly', but the epics of chivalry which were written in the *langue d'oïl* and were brought into Italy by wandering minstrels (who eventually became a public nuisance, in the manner of certain modern alien artists) had a more popular quality; the pig-headed paladins and bloodthirsty archbishops who ravened in those interminable *laisses* would no doubt seem singularly lifelike to a humble audience in that most troubled time. Besides the epic of chivalry, didactic poems in the manner of the 'Romance of the Rose' were popular; various versions of the Arthurian legends were recited both in the piazza and the Court, MS. copies of which (amongst them the famous book which Paolo and Francesca read together in the garden at Rimini) existed in the palace of every great noble. These poems in the *langue d'oïl* very soon lost their distinctively French quality, and borrowed many dialectic peculiarities of the provinces where they became popular. The book which Paolo and Francesca read was probably written in a jargon compounded of the *langue d'oïl* and the *volgare* of the Adriatic seaboard.

Not only French and Provençal, but the parent language itself, which remained alive in the Church and the Schools,

viii

influenced the earliest Italian writers. There was a school of 'Latinizing' poets at Pisa in the thirteenth century, and the work of Guittone of Arezzo and the scholastic bards of the University of Bologna derived much of its antique gravity, and lost all the spontaneous vigour that is the life of lyric poetry, from its attempt to adapt classical form. But all these are purely external, one may almost add pedantic influences. Italian poetry was not born in Rome or Paris or Toulouse, and the development of lyrical art in the thirteenth century was not the sudden cry of a voice which, like the voice of Virgil in Hell, through long silence had grown hoarse. All Italians sing—more or less melodiously—and there was singing in Italy long before the days of Frederick II, but the words of the songs were not written down; they come to us as fragments quoted by Dante, by Villani, by the religious chroniclers. The singers of this popular poetry are not chained in the vicious circle of courtly mannerisms; the whole of life—family, municipal, national—is their province; they are satiric, amorous, obscene, patriotic, burlesque and elegiac; most important of all, they are completely spontaneous. It is in them, and not in the haughty masters of the *gai saber*, that we find the germ of the Italian lyric, and poems so completely different as the *Lament for the Crusades* of Rinaldo d'Aquino and the *Crucifixion* of Jacopone da Todi are direct continuations of the popular songs—of the early poetry of Italy which you may still hear as it rises from the sunburnt vineyards of Tuscany, or breaks the dreamy silence of the Campagna.

About the time when Frederick and Ciullo and the unhappy Pier' delle Vigne were writing, we find a group of poets in Florence, where there was no court and therefore no courtly affectation. Their poems, of which the *Tenzone* by Ciacco d'Anguillaja is a good example, were remarkable for a sober simplicity, the appropriate language of the good old time extolled by Cacciaguida, when

> Fiorenza dentro dalla cerchia antica . . .
> Si stava in pace, sobria e pudica.

At Bologna, where the dreadful shade of Aristotle hovered over the University, a school of philosophical poetry flourished; Guido Guinizelli sang, or rather reasoned, of love in the detached and scholastic manner that is the privilege of the learned; whilst Umbria was the centre of the religious poetry, the *laudi* and the *sacra rappresentazione*.

Such were the antecedents of the *dolce stil nuovo* and of the Divine Comedy. The evolutionary view of literature has of late been advanced to painful extremes, for certainly nothing can be drearier than to regard any great work of art as the punctual flower on a particular branch of a vast genealogical tree. Yet it is well to remember that we may find one, at any rate, of the many keys which 'unlock the heart' of a great poet hidden away amid even the rubbish and lumber left by his predecessors—that a knowledge of the intellectual and artistic tendencies of his age may give us a fuller insight into his own mental processes, enabling us to distinguish between that which is vital in his work and that which is excrescent, and showing us exactly where he broke free from old conventions and became unique. Much of the lyric poetry of Dante, especially that of the *Vita Nuova*, itself Provençal in form, is overweighted with the scholasticism of Bologna and has more than a trace of the Troubadour conventions, and an Englishman who reads, for instance, the intricate *Tre donne intorno al cor mi son venute* which troubled Coleridge for so long, may be forgiven if he finds the style *nuovo* rather than *dolce*. But a comparison of the lyrics of Caval-canti and Dante with those of their contemporaries and immediate forerunners will convince him that the *dolce stil* was really a new voice that arose from the tentative confusion of the Middle Ages—a voice that had found the appropriate expression of real and often deep emotion. It would be unkind, of course, to deny that the learned men of Bologna were capable of emotion, but certainly their method of expressing it often strangely resembled a lecture on the Syllogism. Just as the work of a very young writer changes when, after imitating the whole tribe of modern poets, he discovers at last that he actually possesses an inner voice which says nothing resembling the words of these masters, but yet has a note of startling reality which seems, to his partial ear, to have escaped them utterly, so the poetry of Italy ceased to be an elegant experiment and became a vivid expression of deep feeling. This is the real miracle wrought by the poets of the *dolce stil nuovo*, and the *Divina Commedia* is its deathless memorial. With Dante, an art which had seemed capable of expressing only the trivial loves and conventions of courtiers and shepherdesses becomes the medium for presenting the vast and chaotic pageant of the Middle Ages, the depth of Hell and the height of Heaven, the angelic doctrine of St. Thomas Aquinas and the greed of a glutton. The blood lust, the loves and hates, the arid pedantry, the grim dogma of damnation and salvation, the wild prejudices of a time when men were masters of logic but seldom reasonable, and saints were fiercer than sinners, and Christ's Vicars on Earth went armed in complete steel—all this weltering life is enshrined for ever in the Divine Comedy by one who often judged his age and his fellows, as we may think now, harshly, pedantically, sometimes even cruelly, but who had keener vision and felt more deeply than any one since the great Greek dramatists, and lends us his heart and his eyes. Dante expresses his time because he has the vision of genius; every aspect of the Middle Ages is of burning interest to him, and he is able to give his idea complete expression in the 'fair new style' which was partially discovered by his almost forgotten forerunners.

Whilst Dante follows the 'comedy' of the soul's progress towards heavenly wisdom from the *selva oscura* of ignorance and sensuality, he does not attempt to analyse the actual life of the soul, with its phantom fears and inexplicable yearnings—all that intricate history which every one of us is compiling day by day. Man, for him, is an individual only in the external sense; the soul of man is not an active agent possessing all Hell and Heaven within itself, but simply the object of divine grace, and is differentiated from other souls mainly by its capacity for receiving or rejecting that heavenly gift. And although the poem, in one of its aspects, is the history of his soul's progress from darkness to light, his allusions to his own emotions during that strange journey are brief; he is absorbed in a drama of which he is primarily a spectator, only indirectly an actor. He gazes on the torments of Hell with the eyes of a judge, and on the mystic rose of Heaven with the eyes of a child, but in Hell it is of Florence rather than of himself that he is ever thinking, and in Paradise all that he loved on earth is forgotten in the contemplation of 'the love which moves the sun and other stars'. The ancient flame which had burnt him so long sears his heart again when Beatrice appears at last to him in Purgatory, but when they pass together into Heaven she seems to have become merely a guide—a somewhat didactic guide, more potent and more austere than the *dolcissimo padre*, Virgil. His minor poems are harmonious expressions of tranquil and beautiful thought, not vivid revelations of a mood; the great personality that is involuntarily self-revealed in the Commedia is far less intense in the Canzoni; for the deep analysis of the mystery of the solitary soul and the noble expression of that analysis we must turn to the poet who stands first in the dawn of the Renaissance—to Petrarch.

In the Trecento, which was inaugurated triumphantly by the Jubilee of Boniface VIII, the figures of Dante, Petrarch, and Boccaccio are the pre-eminent types of three aspects in the development of Italian civilization. Dante exemplifies the religious movement of the time, Petrarch the humanistic, and Boccaccio is the realist, the observer of the visible world who laughs at priestly inconsistencies between precept and practice and exalts the presentment of human folly and frailty to the height of fine art. Dante's learning is the old wisdom of the schools, but Petrarch is the modern scholar; with him the cult of classical literature becomes a passion which drives him to roam the world in quest of ancient MSS., to learn Greek in his old age, to live in a mental solitude thronged with the ghosts of Athens and Rome. His enthusiasm compels him to attempt, not only treatises such as Dante wrote, but works of art in Latin; and if he had never happened to meet the mysterious lady of Avignon who became the empress of his soul for so many years, he would be remembered, if he were remembered at all, merely as one of the obscure toilers who laid the foundations of modern enlightenment. But the *Canzoniere*, which he thought quite inferior to his paralysing epic on the Second Punic War, is immortal because it is the first record of all the secret melancholy of a human soul—a soul full of wistful desires and subtle changefulness, with an exquisite feeling for beauty and a poignant sense of the fleeting nature of all fair things—a soul, indeed, possessing all the delicate sensitiveness which we are accustomed to regard as characteristic of modernity. We may say, even, that it was the humanist in him which created the lover, for this student who was intent only on living the visionary life of the mind was for that reason master of an enchanted garden where any scarcely-seen earthly Laura might descend and abide, transfigured and immortalized by his imagination. The perfect lover, of course, is one who never wholly ceases to dream. It was humanism, too, which made him regard Italy as the rightful heir of the authority of ancient Rome, and inspired his enthusiasm for Cola di Rienzi's luckless efforts to revive the traditions of the Republic; it was humanism that made him hate the Papal secession to Avignon, for he realized that this miserable anticlimax to the rejoicings of the Jubilee must inevitably prolong the barbarous dissensions of his epoch and blind men's eyes to the new light. But though humanism made a patriot of this citizen of the world, it was love that made him a meditative poet, and the two aspects of his genius are revealed respectively in his Latin and vernacular writings: in the first, the scholarly enthusiast, the calm and self-confident king of learning who was crowned laureate on the Capitol; in the second, the man of a hundred moods, the victim of a restless melancholy which makes him oscillate perpetually between solitude and the city, and finds expression in that splendid sequence of sonnets and canzoni—*nugae vulgares*, according to Petrarch the scholar—the intimate history of a troubled soul narrated in language of unsurpassable beauty.

The renaissance of civilization in Italy began with the first years of the Trecento. The eager flame of humanistic enthusiasm pierced through the old mist of scholastic learning, the dissensions between Pope and Emperor lost much of their importance, a literary language was formed, and the long-divided cities began to recognize a common bond in their descent from the Romans. Florence was the metropolis of this revival, but in all parts of the country—in the suzerainties of the north, the republics of the centre, and the monarchy of the south—life, for the moment, became fairer and more tranquil, and Guelfs and Ghibellines ceased to rage furiously together. The Republic of which Cola di Rienzi dreamed—a confederation of all the Italian cities with Rome at its head—seemed within the bounds of possibility. But the instinct for unity was lacking in a race so long divided against itself, so long agitated by the incessant machinations of an esurient Papacy; Rienzi was murdered in Rome; Galeazzo and Bernabo Visconti, most bestial of tyrants, became lords of Lombardy; mercenaries began to infest the whole country, and an antipope elected by the French cardinals invoked the aid of foreign arms against Naples. The triumphs of the Trecento were intellectual and artistic, not political; it is well to forget the Popes and the Visconti, and to remember the great churches that were built, the great Universities that began to flourish, the schools of painting in Tuscany and Umbria, the *Divina Commedia* and the *Canzoniere*.

INTRODUCTION

II

At the end of the Trecento Italian poetry already possessed a variety of verse-forms. The *canzone*, the *canzonetta*, the *ballata*, the *sonetto* and the *terza rima* were completely evolved, the *ottava rima* of Boiardo, Pulci and Ariosto was in existence, and the *rispetto* of popular poetry was about to become a literary form in Tuscany and Umbria. The first half of the Quattrocento, however, produced no lyric poet of importance; the delightful songs of Franco Sacchetti, that indefatigable writer of short stories, closed the great epoch of Dante and Petrarch; Fazio degli Uberti, with his mediocre *Dittamondo*, was influenced, but certainly not inspired, by the Divine Comedy, and the various disciples of Petrarch merely prove the unapproachable excellence of the *Canzoniere*. The poet gives place to the humanist, and when the humanist becomes a poet, his songs, in spite of all their delicate charm, have a note of conscious art and a profusion of ornament which give the reader a premonition of the horrors of stucco and tinsel that belong to the seventeenth century.

The Italian humanists of the Quattrocento were the pioneers of modern European culture, and their work, accomplished at a time when France, Germany, and England were only beginning to emerge into the new light, bore fruit in a civilization as brilliant as it was unhappily brief. The capture of Constantinople by the Turks sent a crowd of Greek scholars to Italy, and the 'uneasy memories', in Symonds' phrase, of Greece and Rome which had haunted the Middle Ages became marvellous reality. The world ceased to be a sombre antechamber of Heaven or Hell; man was no longer merely one of God's silly sheep, but an individual heir of ages of culture, free of will, aroused at last from the long nightmare of priestly or tyrannical authority; and his life, instead of being a narrow prison, became an intellectual adventure in which all his faculties were free to range. The Renaissance was no mere enthusiasm for coins and inscriptions; it was the reawakening of the curiosity of a world.

With this new enthusiasm came scepticism—a distrust of the Church which had darkened counsel for so long, clutching the key of knowledge as tightly as the keys of Heaven and Hell; an ironical toleration of the Popes who were so often masters of all dubious arts. A more or less strict observance of the outward forms of faith existed side by side with the most hearty paganism; we find Lorenzo de' Medici, whose brilliant and useful life was certainly not limited within the bounds of the Christian conception of virtue, writing *Laudi* and a very good *Sacra rappresentazione*, and perhaps a certain spirit of indifference is manifest in the fact that religious songs were sung to airs which were usually associated with effusions of quite another character. The graver spirits of the age attempted to prove that the Pagan and Christian doctrines were essentially the same; Ficino and Pico della Mirandola discovered Moses in Plato—but the general attitude was hedonistic: a blend of the sacred thirst for learning, for speculative inquiry which was a pleasure in itself quite apart from its result as a guide to living, and an eager intention to enjoy the *bel viver italiano* without fear or scruple.

The centre of this *bel viver* was Florence, that loveliest of cities where the spirit of the Quattrocento seems chiefly to linger, in spite of the annual horde of invaders and the

atrocious *bric-à-brac* of modern shop-windows. And the
central figure of all that comely life was the Magnificent
Lorenzo de' Medici, a wise ruler, a fervent lover of all
that was fine in scholarship and art, and almost a great
poet. We are not concerned here with his political qualities or defects, but it may be noted that probably far too
much stress has been laid by stern moralists on his alleged
deliberate debauchery of the Florentines with pageants
and festivities; even if the charge were true, his early
experience when the Pazzi daggers were gleaming in
Santa Maria del Fiore was enough to excuse him for
employing any method to strengthen his own position and
to keep his hot-headed subjects in a state of tranquillity;
and at least he preserved the balance of power in Italy
until his death. His enthusiasm for scholarship had been
awakened by the men who were his masters in early
youth—by Agiropoulos, Landino, and Ficino. All the wise
of Italy were his friends—Politian, Pico della Mirandola,
Pulci, Alberti, and young Michelangelo—and with them
he held high discourse in the Platonic Academy which
Gemisthus Plethon founded for Cosimo, or rode on hunt-
ing expeditions such as he described in *La Caccia col
Falcone*, or wandered in the cool gardens of the Rucellai,
enjoying that delightful existence of scholarly friendship
and emulation in a perfect environment for which the
modern student who perspires in a hotel on the Lung' Arno
or nurses a headache amid the vapours of the British
Museum must sigh in vain.

Lorenzo and Politian were not only enthusiastic Plato-
nists; they wrote a large amount of poetry in Italian,
imitating Petrarch, yet bringing a distinctly new note to
their country's literature. When he was only eighteen

years old, Lorenzo had compiled a Codex of the old Italian poetry for his friend Frederick of Aragon, and in his *Comento* to his own poetry he gives his reasons for writing love sonnets and urges the claims of the Italian language as a vehicle of expression. His admiration for Petrarch did not prevent him from realizing the charm and freshness in the songs of the countryside; his *canzoni a ballo* have all the gaiety of the popular poetry; even his *Sacra Rappresentazione di San Giovanni e Paolo* is written in the fluent octave stanzas—*rispetti continuati*—which were sung throughout Italy to the music of lute and viol. In the *Nencia di Barberino*, that most delightful of Quattrocento idylls, the ardours of the rustic lover are revealed to us in his own language, yet seen through the eyes, half ironical, half sympathetic, of the highly cultured citizen of Florence, giving us the first really artistic example of that sense of the burlesque which was afterwards to become so important a factor in Italian poetry. Politian, too, the famous humanist and *alter ego* of Lorenzo, wrote *rispetti continuati* and *spicciolati* of great beauty, and his tragedy of *Orfeo* is a sequence of octave stanzas interspersed with brief songs. Lorenzo and Politian are sophisticated poets, perhaps, and their spirit, when they are themselves and not disciples of Petrarch, is the spirit of Boccaccio—of slightly ironical but quite good-natured realism; but though we may search their poetry in vain for high passion and great emotion, at its best it has a spontaneous gaiety, a keen delight in the comeliness of life and the earth, and, with Politian especially, an unerring tact in expression; it is the faithful mirror of the *bel viver* that was so soon to cease.

Whilst Lorenzo and Politian adapted to their own ends

all that was best in the popular art of their time, Pulci was content to elaborate the popular Florentine conception of chivalry—a somewhat squalid conception, but one which was natural to a people whose troubles always began at home, and who had little sympathy to spare for crusaders and love-sick paladins. There is no idealism in the *Morgante Maggiore*; it is obviously written by a bourgeois for bourgeois; its innumerable characters are for the most part rogues—even Charlemagne is a besotted old dotard—and its events have no dramatic sequence. The importance of the *Morgante* lies in the fact that it is the first document in the long proof that the romance of Chivalry, as Germanic nations understand it, did not exist for the Italian. These ponderous and unique Italian poems are packed with all the paraphernalia of romance, enchanted islands, magicians, devils and hippogriffs—and in spite of it all there is not a single note of mystery, of the vague terror of the unseen, of the pathos of man's struggle with supernatural elements, from the first line to the last. The realization of this defect need not make us blind to the frequent beauty of description which adorns both the *Morgante* and the *Orlando Innamorato*, especially the latter. The Court of Ercole d'Este at Ferrara was a more favourable field for the growth of the chivalrous epic than the democratic piazzas of Florence; and though Boiardo is concerned with events rather than with character, the personages of his poem are real knights-errant, not ruffians and imbeciles. Throughout the poem, however, we are conscious that he never takes them seriously; the whole work is a pleasant fairy tale which he has constructed without any larger aim than the amusement of an indolent audience and the glorification of the House of Este. This ironical treatment of the heroes of the old French epics is a most remarkable development in the Italian genius; we find it a short time later rising to the utmost limit of art in the *Furioso*.

The *Innamorato* was never finished; and the last lines of its 79th canto have a strange pathos for the student of Italian history:—

> Mentre ch'io canto, O Dio Redentore,
> Vedo l'Italia tutta a fiamma e foco
> Per questi Galli, che con gran valore
> Vengon per desertar non so che loco . . .

The dark storm-cloud of reality sweeps across the skies of fairyland, and the voice of the singer is forgotten amid the rumours of war. The selfish folly of Lodovico Sforza, 'Il Moro', made him invite Charles VIII of France to enter Italy and to occupy Naples as heir of the Angevins who had formerly reigned there. The weakness or indolence of the Italian states became obvious to Europe; Charles met with little opposition during his sinister progress through the country; only, in Florence, Piero Capponi dared to defy him, tearing the scroll containing his conditions of treaty to pieces, and crying 'Voi sonerete le vostre trombe e noi soneremo le nostre campane'. The avenger whose coming Savonarola had foretold was amongst them; 'the sword has descended, the scourge has fallen; the Lord leads these armies'. The armies in question had to retire from Italy not long afterwards, but the days of her liberty were numbered. Alexander VI Borgia was elected Pope in 1494.

For a while, however, the tempest held aloof, and in the Cinquecento we see the spectacle of a splendid artistic and intellectual achievement which reaches its zenith in the last hours of Italy's freedom, amid a general corruption of all qualities but fine taste, that ultimate heritage of a morally bankrupt people. The accession of Leo X to the kingdom which had been founded for him by Cesare Borgia and Julius II marks the beginning of an epoch when Italy seems to spent the whole store of her Renaissance capital in a few years; painting reaches its climax in Michelangelo and Raphael; Bembo and Sadoleto are the high priests of the last refinement in scholarship; the Papal Court becomes the home of all elegance and luxury. Machiavelli in Florence, Ariosto and Tasso in Ferrara, are the supreme figures amid the innumerable writers of the Cinquecento.

The lyric poetry of the epoch is, however, disappointing. A careful study of Petrarch and a highly polished form are its chief characteristics; the spontaneous grace which Lorenzo learnt from the popular songs has disappeared, and instead we find an immense output of sonnets which, for all their melodious charm, make us wonder if it is altogether an advantage for a poet to possess an extremely musical language as his native speech. It is a relief to turn from the fluent elegance of Molza and della Casa to the rugged strength of Michelangelo, whose poems, in that age, seem like the cry of a giant breaking into a symphony of tuneful but expressionless voices. Even the lyrics of Ariosto, with the exception of one canzone, are not remarkable; it is in the *Furioso* and the satires that his unique irony, his insight into character, and his wealth of imagination find full scope.

It is idle to speculate as to what the result of this studied cultivation of language might have been if Italian liberty had not perished; actually, the last flower of the Cinquecento died in a wilderness of arid conceits, and two lyric forms only preserved any vestige of vitality: the ode of Bernardo Tasso, and the idyll which was developed in the pastoral dramas that followed Sannazaro's famous and tedious *Arcadia*. The fond resuscitation of the golden age —the idyllic existence of song and simplicity—is the natural solace of cultivated minds condemned to exist in a world of strife or tyranny; and it was to this enchanted precinct that the poets of Italy fled for refuge in the gloomy closing years of the Cinquecento.

> O bella età dell' oro
> Quand' era cibo il latte
> Del pargoletto mondo, e culla il bosco . . .

The idyllic *genre* soon became as anaemic and affected as every other kind of poetry in Italy during the Seicento, but at any rate it rose to its finest height in the *Aminta* of Tasso, and its elegiac element is conspicuous throughout the *Gerusalemme*. Guarini's *Pastor Fido*, which resembles the *Aminta* in being a lyric recited by various characters rather than a drama of action, is the other famous memorial of this idyllic form of poetry.

The burlesque verses of Berni and his followers are remarkable for the perfection of their style and for their unblushing obscenity; the spirit of Boccaccio is still alive in them and in the 'macaronic' poetry of Folengo—the Merlinus Coccaius whose effusions were so well known to Rabelais. Elsewhere, the *sorriso italiano*, the ironical smile that dawned upon the lips of Ariosto even while he wrote his most pathetic or heroic lines, forsakes literature for the popular song and the pasquinade, and we look for it in vain in the 'epic' of the Jesuit-trained Tasso.

Meanwhile, Italy had become the battlefield for Charles-

Quint and Francis I, for Giovanni delle Bande Nere and Frundsberg. Rome was sacked in 1527; Florence, after a heroic resistance under Ferrucci for ten months, was captured by the combined armies of Pope and Emperor in 1530; Milan fell into the latter's hands in 1535; Lombardy, Naples, Sicily and Sardinia became Spanish provinces; proud Siena was humbled to the status of a small provincial town. Plague, famine, and the Holy Office of the Inquisition followed as gleaners in the rear of the invading armies, and by the end of the century the flame of Italian liberty had been quenched—for ever, as it seemed—by the careful hands of foreign viceroys, by the Pope and the Society of Jesus.

O bella età dell' oro!

III

To the lover of lyric poetry the seventeenth century in Italy is almost destitute of interest. The extinction of political liberty under the Spaniard and the swift development of priestcraft that was the sequel of the Council of Trent combined to produce an atmosphere fatal to real poetic impulse; and the swarm of little writers who followed in the flowery path where Marini led the way with his sugared *Adone* found a substitute for inspiration in every possible refinement of vile taste. The gregarious instinct that is usually an attribute of feeble natures led them to form various cliques and academies—hotbeds of antitheses, strained metaphors, and mutual admiration, where might be seen grave gentlemen in full-bottomed wigs masquerading as Daphnis and Thyrsis; writing odes to Alexis and to Christina of Sweden; declaiming panegyrics on French chocolate and the General of the Jesuits. They assumed the most remarkable names—*apatisti, malinconici, negletti, gelati*—but they were never poets; their verses, at best, have only the mild charm that belongs to frivolous pedantry. At their worst, they have an indefinable nastiness which afflicts the nerves like stale scent, or the paintings of Carlo Dolci, or the stucco rotundities of Baroque cherubs. *Non ragioniam di lor, ma guarda e passa.*

The excesses of the Seicento have been regarded by various writers as another aspect of the literary movement which produced Euphuism in England. But the conceits of *Euphues* and *Love's Labour's Lost* possess, even when most absurd, a certain quality of youthfulness, a hearty joy in the delightful exercise of testing the resources of a newly discovered medium of expression to its uttermost limit, which we look for vainly in Marini and his satellites. The laborious Italian elegance is that of an old and tired person who poses painfully as young; it is wily, not exuberant, and the sensual note that is the chief characteristic of its material has no virile quality. The patriotic enthusiasm that finds its voice in art was dead in Italy; she was already, in Metternich's grim phrase, nothing but a geographical expression. Religious ardour was equally lacking; the base Jesuit sentimentalism spread from the pulpit to the academies; Gesù Bambino was the patron of the Arcadians; even Chiabrera, who at least possessed a power of language and a poetic ambition that were denied to his complacent contemporaries, stooped to the most miserable depths in his religious poetry.[1] Meanwhile, Galileo was

---

[1] Cf. his description of the martyrdom of St. Sebastian, where he invokes the Muses to sing the praises of the Saint:—

> Tendete, Arciere d'ammirabil canto,
> Musici dardi al saettato Santo.

persecuted, Campanella was tortured by the Spaniards, and Giordano Bruno was burnt alive—*ut quam clementissime et citra sanguinis effusione puniretur*—after seven years' imprisonment in the dungeons of the Holy Office.

The Arcadia was founded in 1690 as a protest against bad taste in general and the Marinesque absurdities in particular; unfortunately, its founders, with the exception of Gravina, were persons of mediocre intelligence, and the hand of the Jesuits was heavy on the new society from the moment of its birth. The bombastic fustian of Marini and his tribe, whose one burning aim was to astonish their unfortunate admirers, gave place to the emasculated prettiness of Maggi, of Frugoni, of Zappi—the sentimental Zappi who yearned so ardently to be the lap-dog of his mistress—to all the *celebratissima letteraria fanciullaggine* that Baretti loathed so heartily. To reproach the poor Arcadians, however, for their lack of all poetical qualities would be as foolish as to fly into a passion over the morals of the later Caesars; they were the result, and not the cause, of the general corruption of taste in Italy; they did no good, but very little harm, and when their countrymen awoke once more to reality they retired gracefully into oblivion.

Three names only are eminent above the dead level of the epoch, but they belong to writers who were masters of rhetoric rather than lyric poets. Chiabrera imitated Pindar, the most dangerous of literary divinities, but his pompous odes to successful athletes and other heroes have no real dignity; they are fluent, but quite frigid and colourless. Testi, who was praised so highly by Leopardi, contrives occasionally—the *ruscelletto orgoglioso* is the best example of his success—to achieve rhetorical vigour, but for the most part his poems are damned by their verbose exuberance, their tortured circumlocutions, their utter lack of simplicity and a sense of the real. Filicaia was more successful in breaking free from the bonds of garish ornament, but he, too, has a fatal fluency; all his rhetorical thunder is apt to fail suddenly—to change into the feeblest kind of falsetto; he 'cracks a weak voice on too lofty a note'. Even in the vigorous, though slightly forced canzone entitled 'Per l'assedio di Vienna' he breaks off to address the 'vero Giove' in this strain:—

> Che s'egli è pur destino,
> E ne' volumi eterni ha scritto il fato,
> Che deggia un dì all' Eusino
> Servir l'ibera e l'alemanna Teti
> E 'l suol cui parte l'Appenin gelato,
> A' tuoi santi decreti
> Pien di timore e d'umiltà m'inchino.
> Vinca, se così vuoi,
> Vinca lo Scita, e 'l glorioso sangue
> Versi l'Europa esangue
> Da ben mille ferite. I voler tuoi
> Legge son ferma a noi:
> Tu sol se' buono e giusto . . .

From the point of view of piety, of course, such a sentiment is admirable, but it is perhaps slightly inappropriate to a patriotic poem. No doubt it pleased the Jesuits; it is in their best manner. Filicaia's sonnets are far finer than his attempts in larger forms, though many of them are marred by his irritating habit of asking half a dozen rhetorical questions in as many lines.

In this epoch of unreality and convention the intellectual progress of Italy seems to have halted completely—*e pur si muove.* The spiritual energy which was denied by force of circumstances to art and letters becomes intense in the philosopher, the scientist, and the historian—in Bruno and Campanella, in Galileo, in Vico and Sarpi—lonely and persecuted figures who are the pioneers of the reaction against all the hideous errors that arise from confused thought, wilfully obscured knowledge, and tyranny masquerading as religion. In the midst of a civilization that was content to feed on shams and lies and to stop its ears to the voice of reality they follow the forgotten feet of truth—the truth that is mighty and must prevail at last—probing the secrets of the infinite universe, exploring the infinite labyrinths of the human mind and revealing the God within it. To contemplate reality, reverently but without fear, unbiased by superstition and tradition, was the aim of these *uomini nuovi*; the method applied to the exact sciences by Galileo and his followers was identical with the method employed by Descartes in his metaphysical researches; observation and experiment were their instruments; fantastic hypothesis was contemptuously discarded. Ignorance of self and ignorance of life were the two supreme evils; the wise man was the deliverer of a world:—

> S'ei vive, perdi, e s'ei muore, esce un lampo
> Di Deità dal corpo per te scisso,
> Che le tenebre tue non han più scampo.

Lyric poetry during the first half of the eighteenth century is still dominated by the Arcadians; with Metastasio Italian reaches the climax of melodious utterance, and then dies away in music; the lyric is lost in the opera libretto. His dramas, in spite of all their melodious felicity of diction, really continue the worship of shadows inaugurated by the poets of the Seicento; their aim is to amuse, not to stir the deeper emotions of the audience; they end gently and happily, and their villains are far too mild to horrify even the heart of an Arcadian. They are still pleasant to read, but the note of reality is entirely absent from their pages. After 1750, however, there are many signs of a general recrudescence of mental vigour in Italy. Her people began to mix more freely with other nations—to share the general spirit of unrest that was beginning to agitate Europe. They read Voltaire and Condillac, Locke and Pascal. Baretti returned from London a Shakespearian enthusiast; Cesarotti translated poor discredited Ossian; Young's melancholy *Night Thoughts* were greatly admired. Besides these foreign influences, there was a revival of interest in Dante, whom the Arcadians had voted vulgar; a fierce literary strife raged about the *Divina Commedia*, of which Gaspare Gozzi was the most redoubtable protagonist. The great dramatists of France and the earliest poets of the Romantic revival in England became popular, and at last, fostered by influences as different from each other as those of Molière and Thomson, reality revives in the comedy of Goldoni and Gozzi and the poetry of Parini.

In the serenity, the absence of all affectation, of 'words for words' sake', that are the distinctive qualities of his verse, Parini bears a certain resemblance to Wordsworth. Like the English poet, he has a wide love of nature and humanity, his mind is essentially meditative, and his inspiration is certainly the fruit of emotion remembered in tranquillity. Like Wordsworth, too, he occasionally descends to the commonplace. He has no quality, however, resembling the deep sense of tragedy that we find, for instance, in *The Affliction of Margaret*, nor does the natural loveliness of the world haunt him 'like a passion'; in compensation, he has a remarkable power of wise irony which shines in *Il Giorno* like an accusing light amid the dull artificialities that made up the life of a Milanese *giovanotto* of his time. His lyric poems are the simple and exactly appropriate expression of his own sensations; he is content to abjure all the tropes and flourishes of the languishing Arcadia and to be completely individual. The Arcadians, like the Matthew Arnold of a famous caricature, were never wholly serious; Parini is always quietly in earnest, and his poetry, with its complete freedom from strained and pompous diction and foolish conceits, is a perfect and dignified protest against the moribund dynasty of the verbose.

With Alfieri the ironical spirit develops into savage hatred, so that his voice becomes harsh or shrill, and he seems to threaten the tyrants and fools of his world with wild and passionate gestures. He, too, is intensely in earnest about life, about himself—his pride in his own attitude of Prometheus defying the Zeus of despotism is akin to that of Byron.

> Tiene il Ciel da' ribaldi, Alfier da' buoni.

The tranquillity of mind and all-embracing sympathy of a Shakespeare or a Molière were denied him; the artist in him is again and again lost in the fanatic; so that his dramas, the first tragedies in Italy, too often become special pleas against priests and oppressors, and the intricate action of character on character had little interest for his impatient soul. But his defects as a dramatist were his strength as a lyric poet; his intense, one-sided individualism finds true expression in his shorter verses, and the melancholy which seems forced and unnatural in the plays becomes real and profound. He has been reproved by professors of literature for his style, but as de Sanctis, a very wise professor, has pointed out, the asperity of his diction is exactly appropriate to the surging fury of emotion that it releases; it is convulsive, harsh, and intensely full of vitality. His epigram against the pedants who derided his verses is the conclusion of the whole matter:—

> Vi paion strani?
> *Saran Toscani.*
> Son duri duri,
> Disaccentati ...
> *Non son cantati.*
> Stentati, oscuri,
> Irti, intralciati ...
> *Saran pensati.*

Monti, the student and imitator of Dante, is in every respect the opposite of Alfieri. He possesses an extraordinary power of language, but mentally he is the plaything of every wind that blows, and, though he is the enthusiast of liberty, his formula for that desirable gift of Heaven changes incessantly. His *Bassvilliana*, which assails France with every species of vituperation, is followed by panegyrics on Napoleon, and, when Napoleon falls, the restored Austrian government in Italy becomes the target for his adulatory shafts. Critics of Italian literature unite in affirming that this master of the palinode was sincere in all his startling changes of attitude, and continued to worship liberty under many dubious aspects. At any rate, he had a remarkable gift of expression and infused new life into various outworn forms of verse. He reflects faithfully the mental oscillations of a people in travail; whether or no an individual should sway in this manner is a question that does not concern us here.

IV

When the zealous Milanese burnt the *Bassvilliana* in their Piazza del Duomo, a young man named Ugo Foscolo wrote a vigorous essay in defence of its author. A year or two later this young man published a series of letters purporting to be written by a certain Jacopo Ortis, and was thenceforward able to enjoy the distinction of having produced one of the most melancholy works in any literature. *Le Ultime Lettere di Jacopo Ortis* has often been called an imitation of Goethe's *Werther,* and certainly resembles that youthful indiscretion in many points; actually, however, Foscolo seems to have read the notorious German chronicle of sentimentalism after the greater part of *Ortis* had been written, and it is to Rousseau—the Rousseau of the *Nouvelle Héloïse*—that he is indebted for the plan and the spirit of his book.

In spite of its inherited vices this very morbid and mournful *cauchemar de jeunesse* is interesting because it expresses an important aspect of the time in which it was written; it is the first note in that cry of disillusion which eventually reaches its full extent in the despairing voice of Leopardi. But whereas in Leopardi the agony is that of a mature mind which suffers the more because it is too clear-sighted to be duped by transient joys, in *Ortis* the despair is born of the sudden shattering of all the cloud-castles of youth; an extreme of exaltation changes instantly to an extreme of pessimism. Napoleon, the god from whom the great miracle of national liberty was expected, has sold Venice to the Austrians; freedom, friendship, love, and life are empty dreams; suicide is the only solution of a hideous tangle of misery. This depressing attitude of mind is not continued in Foscolo's poetry. The famous *Sepolcri* represents a reaction,—one may almost say a religious reaction—against his earlier manner and against the wild fever of revolt that inspired Alfieri; he finds consolation and encouragement in contemplating the splendid legacy bequeathed by the heroic and famous dead, and the hectic voice of Ortis mellows into noble music.

Foscolo regarded himself as the enemy of the Romantic movement in poetry. In his admiration of all that was fine in antiquity and his desire to write in grave and noble forms he is certainly classical. Probably he hated the ephemeral side of the romantic idea that arose in Germany—all that sombre medley of wicked barons and dwarfs and Gothic castles which captivated the French poets so completely and even penetrated to Italy. But romanticism, in its more violent aspects, found only a small degree of favour; and the furious conflicts between its adherents and the Classicists were really political rather than literary. The Classicists were accused of Paganism, and the Romantics of Feudalism; the Romantics were traitors to their country and enemies of the Pope; the Classicists were secretly in alliance with Austria, and so forth. All the issues of this wordy strife become hopelessly confused, and it is extremely probable that none of the combatants had a very clear idea of the principle which he was honouring with his support. In reality, the Romantics were retrogressive when they turned to Mediaeval Europe for inspiration whilst modern Europe was convulsed with amazing dramas, and progressive in their hatred of convention and longing for novelty, in their desire

Au fond de l'inconnu découvrir le nouveau;

the Classicists were retrogressive in their idea of imposing hard and fast rules on art, progressive in their attempt to enrich and to dignify a language which had been enervated by a century and a half in the air of Arcadia. Eventually the furious combatants were united in a common enthusiasm for the heroic realities of Italy's redemption; the pedants became patriots, and the feudal tyrants beloved of romance were no longer mere lay figures in armour, but incarnate Austria, most thinly disguised. The *Cori* from Manzoni's dramas, with their immense dignity of expression and untrammelled lyrical freedom, are excellent examples of the happy reconciliation between the two schools.

After reading Alfieri, the poems of Manzoni have the effect of the still small voice that follows the cry of a frenzied prophet. Manzoni's patriotism is sincere, but so calm that it almost seems cautious, and fiery confidence in man as an individual is replaced in him by patient trust in the power which produces, controls, and finally abolishes that individual when its purpose is accomplished. His religious attitude has been compared with that of Chateaubriand and Lamartine, but he is far less concerned with the aesthetic aspect of faith than either of the French writers. In his serene sense of the reality of life and his complete freedom from all affectation he is the worthy successor of Parini, and the unforced eloquence of his lyrics is extraordinarily fine.

Of the many patriotic poets who watched the dawn of

the Risorgimento with mingled hopes and fears Giusti is the most remarkable. He discards the stereotyped forms of satire, and writes in the popular language of Tuscany, but these innovations in no way impair the ironical power of his invective. He has that first necessity of the satirist, the gift of personal detachment, the capacity of keeping his temper, which Alfieri often lacked; he can be at once completely serious and gaily humorous; he sees life steadily, and his hatred of the foreign tyrants never blinds him to certain grave defects in his own countrymen. After reading his energetic verse it is impossible not to feel a keen regret that he never saw the triumph of freedom, but died soon after the reverse of Novara had apparently ruined the hopes of Italy.

Of Leopardi, the one great modern Italian poet whose work is well known in England, it would be superfluous to write in detail. With him the lyric reaches a climax of beauty never attained since Petrarch, a perfect union of idea and expression that forbids all analysis. He has been solemnly rebuked for wilfully 'living in sadness', for setting a pessimistic example at the moment when his country needed optimism above all things; but this reproof is moral, not aesthetic. After all, the bias of a poet's mind towards joy or sorrow ultimately matters very little; the important thing is the quality, not the kind, of his poetic emotion; the one thing needful is that he should feel deeply and express his feelings perfectly. If optimism was an essential of greatness, the world's literature would be considerably thinned. Leopardi's voice is the voice of disillusion, but even disillusion is one of life's realities; he may not help us along the rough road of the world with the steady hand of Whitman or Browning, but he reveals the secrets of a tormented soul in language of incomparable beauty; touching new chords of emotion in all who read him rightly; arousing the soul, as every great poet must arouse it;—leading it to a keener vitality through the revelation, even, of weakness and despair.

The union of the Classic and Romantic elements is continued in Carducci, the last great poet of the nineteenth century, whose profound knowledge of his country's literature has made every lover of Italy his debtor. He, at any rate, is a shining example of the fact that it is possible to be a professor without becoming a pedant or ceasing to be a poet; his lyrics, from the early extravagances of the *Inno a Sathanas* to the experiments in classical form of his last volumes, possess a most unacademic vigour and originality. With him this brief survey of the most obvious tendencies of the art that he loved may appropriately close, for the exuberant genius of Gabriele D'Annunzio is still happily in mid-career. At the present time, Italian poetry, like that of other European nations, seems, to the doubtful eye of a contemporary, to have called a halt in its progress. Optimists, however, who believe that the art will survive even the rivalry of science and the popular novel, will look with confidence towards Italy—the most beautiful and in a sense the youngest of our neighbours, but one which is dowered with the most ancient and glorious tradition.

ST. JOHN LUCAS

London, *February*, 1910

SAN FRANCESCO D'ASSISI

c. 1182 †1226

I *Laudes Creaturarum*

ALTISSIMU onnipotente bon signore,
Tue so le laude, la gloria e l'honore et onne bene-
dictione:
  Ad te solo, altissimo, se confano,
  Et nullu homo ene dignu te mentovare.
Laudatu sie, mi signore, cum tucte le tue creature,
  Spetialmente messer lo frate sole,
  Lo qual è jorno et allumini noi per lui;
  Et ellu è bellu e radiante cum grande splendore:
  De te, altissimo, porta significatione.
Laudato si', mi signore, per sora luna e le stelle;
  In celu l'ài formate clarite et pretiose et belle.
Laudato si', mi signore, per frate vento,
  Et per aere et nubilo et sereno et onne tempo,
  Per lo quale a le tue creature dài sustentamento.
Laudatu si', mi signore, per sor aqua,
  La quale è multo utile et humile et pretiosa et casta.
Laudatu si', mi signore, per frate focu,
  Per lo quale enn' allumini la nocte,
  Ed ello è bello et jocundo et robustoso et forte.
Laudatu si', mi signore, per sora nostra matre terra,
  La quale ne sustenta et governa,
  Et produce diversi fructi con coloriti flori et herba.
Laudato si', mi signore, per quelli che perdonano per lo
    tuo amore,
  Et sostengo infirmitate et tribulatione:
  Beati quelli che'l sosterrano in pace,
  Ca da te, altissimo, sirano incoronati.

Laudatu si', mi signore, per sora nostra morte corporale,
  Da la quale nullu homo vivente po scampare:
  Guai a quelli che morrano ne le peccata mortali;
  Beati quelli che trovarà ne le tue sanctissime voluntati,
  Ca la morte secunda no li farrà male.
Laudate et benedicite mi signore et rengratiate
  Et servìateli cum grande humilitate.

PIETRO DELLA VIGNA

c. 1190–†1249

2

A MORE, in cui disio ed ho speranza,
    Di voi, bella, m'ha dato guiderdone:
  Guardomi in fin che vegna la speranza,
  Pur aspettando bon tempo e stagione.
  Com' om ch'è in mare ed ha spene di gire,
  Quando vede lo tempo, ed ello spanna,
  E giamai la speranza no lo 'nganna,
  Così faccio, madonna, in voi venire.
Or potess' eo venire a voi, amorosa,
  Come larone ascoso, e non paresse!
  Ben lo mi terria 'n gioia aventurosa
  Se l'amor tanto bene mi facesse!
  Sì bel parlante, donna, con voi fôra,
  E direi como v'amai lungiamente,
  Più ca Piramo Tisbia dolzemente,
  Ed ameraggio, in fin ch'eo vivo, ancora.
Vostro amore è che mi tene 'n disiro
  E donami speranza con gran gioi',
  Ch'eo non curo s'eo doglio od ho martiro,
  Membrando l'ora ched eo vegno a voi.

Ca s'eo troppo dimoro, aulente lena,
    Pare ch'eo pera, e voi mi perderete:
    Adunque, bella, se ben mi volete,
    Guardate ch'eo no mora in vostra spera.
In vostra spera vivo, donna mia,
    E lo mio core adesso a voi dimando,
    E l'ora tardi mi pare che sia
    Che fino amore a vostro cor mi manda,
    E guardo tempo mi sia in piacimento
    E spanda le mie vele inver voi, rosa,
    E prendo porto là 've si riposa
    Lo mio core allo vostro insegnamento.
Mia canzonetta, porta esti compianti
    A quella che 'n balia ha lo meo core,
    E le mie pene contale davanti
    E dille com' eo moro per su' amore;
    E mandimi per suo messaggio a dire
    Com' eo conforti l'amor che lei porto;
    E se ver lei i' feci alcuno torto,
    Donimi penitenza al suo volire.

IACOPO DA LENTINI

Sec. xiii

3

i

Maravigliosamente
    Un amor mi distringe
    E sovenmi ad ogn' ora.
Com' omo che ten mente
In altra parte e pinge
La simile pintura,
Così, bella, facc' eo:

Dentro a lo core meo
Porto la tua figura.
In cor par ch'eo vi porte
Pinta como voi sete,
E non pare di fore.
O Deo, co' mi par forte!
Chè non so se savete
Com' eo v'amo a bon core;
Ca son sì vergognoso
Ch'eo pur vi guardo ascoso
E non vi mostro amore.
Avendo gran disio,
Dipinsi una pintura,
Bella, a voi simigliante;
E quando voi non vio,
Guardo in quella figura
E par ch'eo v'aggia avante;
Sì com' om che si crede
Salvarsi per sua fede,
Ancor non veggia inante.
Al cor m'arde una doglia
Com' om che ten lo foco
A lo suo seno ascoso,
Che quanto più lo 'nvoglia,
Allor arde più loco
E non po stare incluso:
Similemente eo ardo
Quando passo e non guardo
A voi, viso amoroso.
Se siete, quando passo,
In ver voi non mi giro,
Bella, per voi guardare:

Andando ad ogni passo
Gittone uno sospiro
Che mi face angosciare:
E certo bene angoscio
Ch'a pena mi conoscio,
Tanto forte mi pare.
Assai v'aggio laudato,
   Madonna, in tutte parte,
Di bellezze ch'avete;
Non so se v'è contato
Ch'eo lo faccia per arte,
Chè voi ve ne dolete:
Sacciatelo per signa
Ciò che vi dico a lingua
Quando voi mi vedete.
Canzonetta novella,
   Va', e canta nova cosa;
Levati da maitino
Davanti a la più bella,
Fiore d'ogn' amorosa,
Bionda più ch'auro fino:
'Lo vostro amor, ch'è caro,
Donatelo al Notaro
Ch'è nato da Lentino.'

ii

IO m'aggio posto in core a Dio servire,
  Com' io potesse gire in paradiso,
Lo santo loco c'aggio audito dire,
O' si mantien sollazo, gioco e riso.

IACOPO DA LENTINI

Sanza mia donna non vi vorria gire,
    Quella c'à blonda testa e claro viso,
    Chè sanza lei non poteria gaudire,
    Estando da la mia donna diviso.
Ma no lo dico a tale intendimento
    Perch' io pecato ci volesse fare,
    Se non veder lo suo bel portamento
E 'l bello viso e 'l morbido sguardare;
    Chè 'l mi terria in gran consolamento
    Veggendo la mia donna in gloria stare.

RINALDO D'AQUINO

Sec. xiii

5

GIAMAI non mi conforto
    Nè mi vo' rallegrare:
    Le navi sono al porto,
    E vogliono collare.
    Vassene lo più gente
    In terra d'oltra mare:
    Oimè, lassa dolente,
    Como deg' io fare?
Vassi in altra contrata
    E nol mi manda a dire:
    Io rimagno ingannata,
    Tanti son li sospire
    Che mi fanno gran guerra
    La notte co' la dia;
    Nè 'n cielo ned in terra
    Non mi par che io sia.

6

RINALDO D'AQUINO

O santus santus Deo
  Che 'n la Vergin venisti,
  Tu guarda l'amor meo,
  Poi da me 'l dipartisti:
  Oi alta potestate
  Temuta e dottata,
  Il dolze mi' amore
  Ti sia raccomandata!
La croce salva la gente,
  E me face disviare:
  La croce mi fa dolente,
  Non mi val Dio pregare.
  Oi croce pellegrina,
  Perchè m'hai sì distrutta?
  Oi me, lassa tapina,
  Ch'i' ardo e 'ncendo tutta!
Lo 'mperador con pace
  Tutto 'l mondo mantene,
  Ed a me guerra face,
  Chè m'à tolta mia spene.
  Oi alta potestate
  Temuta e dottata,
  Lo mio dolze amore
  Vi sia raccomandata!
Quando la croce pigliao,
  Certo nol mi pensai,
  Quei che tanto m'amao,
  Ed i' lui tanto amai,
  Che i' ne fui battuta
  E messa in pregionia
  E 'n celata tenuta
  Per tutta vita mia.

RINALDO D'AQUINO

Le navi so' a le colle:
  In bon' or' possan andare,
  E lo mio amor con elle,
  E la gente che v'ha andare.
  O Padre criatore,
  A porto le conduce,
  Che vanno a servidore
  De la tua santa cruce!
Però priego, Dolcetto,
  Che sai la pena mia,
  Che me ne facci un sonetto
  E mandilo in Soria:
  Ch'io non posso abentare
  La notte nè la dia:
  In terra d'oltremare
  Istà la vita mia!

GIACOMINO PUGLIESE

6

Sec. xiii

MORTE, perchè m'hai fatta sì gran guerra,
Che m'hai tolta Madonna, ond' io mi doglio?
La fior delle bellezze mort' hai in terra,
Perchè lo mondo non amo nè voglio.
Villana morte, che non hai pietanza,
Disparti amore e togli la allegranza
E dài cordoglio;
La mia allegranza hai posta in gran tristanza,
Chè m'hai tolto la gioia e l'allegranza
Ch'avere soglio.

8

Solea aver sollazzo e gioco e riso
  Più che null' altro cavalier che sia.
  Or n'è gita Madonna in Paradiso:
  Portonne la dolce speranza mia,
  Lasciommi in pene e con sospiri e pianti,
  Levommi da lo gioco e da li canti
  E compagnia.
  Or non la veggio, nè le sto davanti,
  E non mi mostra li dolzi sembianti,
  Come solia.

Oi Deo! perchè m'hai posto in tale iranza?
  Ch'io son smarrito, nè so ove mi sia;
  Chè m'hai levato la dolce speranza,
  Partit' hai la più dolce compagnia,
  Che sia in nulla parte, ciò m'è aviso;
  Madonna, chi lo tiene, lo tuo viso,
  In sua balia?
  Lo vostro insegnamento dond' è miso?
  E lo tuo franco cor chi mi l'à priso,
  Madonna mia?

Ov' è Madonna e lo suo insegnamento,
  La sua bellezza e la gran conoscianza,
  Lo dolce riso e lo bel parlamento,
  Gli occhi e la bocca e la bella sembianza,
  Lo adornamento e la sua cortesia?
  Madonna, per cui stava tuttavia
  In allegranza,
  Or non la veggio nè notte nè dia,
  E non m'abbella, sì com' far solia,
  In sua sembianza.

Se fosse mio 'l reame d'Ungaria
  Con Grecia e la Magna infino in Franza,

9

GIACOMINO PUGLIESE

Lo gran tesoro di Santa Sofia,
Non poria ristorar sì gran perdanza,
Come fu in quella dia che si n'andao
Madonna, e d'esta vita trapassao
Con gran tristanza:
Sospiri e pene e pianti mi lasciao,
E giamai nulla gioia mi mandao
Per confortanza.
Se fosse il meo voler, Donna, di voi,
Direste a Dio Sovran, che tutto face,
Che notte e giorno istessimo ambondoi.
Or sia il voler di Dio, dacchè a lui piace.
Membro e ricordo quand' era con meco,
Sovente m'appellava dolce amico,
Et or nol face,
Poi Dio la prese e menolla con seco.
La sua vertute sia, Bella, con teco,
E la sua pace.

ODO DELLE COLONNE

Sec. xiii

7

OI lassa 'namorata
Contar vo' la mia vita
E dire ogne fiata
Come l'Amor m'invita,
Chè io son, senza peccata,
D'assai pene guernita
Per uno, ch'amo e voglio,
E noll' agio in mia bàglia

10

Sì com' avere soglio;
Però pato travaglia;
Ed or mi mena orgoglio,
Lo cor mi fende e taglia.
Oi lassa tapinella,
come l'Amor m'ha prisa!
Chè lo suo amor m'appella,
Quello che m'ha conquisa:
La sua persona bella
Tolto m'ha gioco e risa,
Ed hami messa in pene
Ed in tormenti forte.
Mai non credo aver bene
Se non m'accorre Morte:
Aspettola che vene,
Traggami d'este sorte.
Lassa! chè mi dicia,
Quando m'avea in celato,
'Di te, oi vita mia,
Mi tegno più pagato
Che s'io avesse in balia
Lo mondo a segnorato';
Ed or m'ha a disdegnanza,
E fami scanoscenza:
Par ch'agia d'altr' amanza.
O Dio, chi lo m'intenza
Mora di mala lanza
E senza penitenza!
O ria ventura e fera,
Trâmi d'esto penare!
Fa' tosto, che io non pera,
Se non mi degna amare

ODO DELLE COLONNE

Lo mio sire, chè m'era
Dolze lo suo parlare!
Ed hami 'namorata
Di sè oltre misura;
Ora lo cor cangiat' ha:
Sacciate, se m'è dura!
Sì come disperata,
Mi metto a la ventura.
Va', canzonetta fina,
al buono aventuroso,
Ferilo a la corina
Se 'l truovi disdegnoso;
Nol ferir di rapina,
Chè sia troppo gravoso:
Ma ferila chi 'l tene,
Aucidela sen' fallo.
Poi saccio ch'a me vene
Lo viso del cristallo,
Eo sarò fuor di pene,
E avrò allegrezza e gallo.

MAZZEO DI RICCO

Sec. xiii

8

GIOIOSAMENTE eo canto,
E vivo in allegranza,
Chè per la vostra amanza,
Madonna, gran gioi sento.
S'eo travagliai cotanto,
Or aggio riposanza:

Ben aggia disianza
Che viene a compimento;
Chè tutto mal talento — torna in gioi
Quandunque la speranza vien di poi.
Ond' io m'allegro di grande ardimento:
Un giorno viene che val più di cento.
Ben passa rosa e fiore
    La vostra fresca cera,
    Lucente più che spera;
    E la bocca aulitusa
    Più rende aulente audore
    Che non fa una fera
    C'ha nome la pantera,
    Che in India nasce ed usa.
    Sovr' ogn' altra amorusa — mi parete
Fontana, che m'ha tolta ognunque sete;
Perch' io son vostro più leale e fino,
Che non è al suo signore l'Assassino.
Come fontana piena
    Che spande tutta quanta,
    Così lo mio cor canta;
    Sì fortemente abbonda
    De la gran gioi, che mena
    Per voi, madonna, spanta,
    Che certamente è tanta,
    Non ha dove s'asconda;
    E più che augello in fronda — son gioioso,
E ben posso cantare più amoroso
Che non canta giamai null' altro amante
Uso di ben amare, o trapassante.
Ben mi deggio allegrare
    D'Amor, che 'mprimamente

13

Ristrinse la mia mente
D'amar voi, donna fina.
Ma più deggio laudare
Voi, donna conoscente,
Donde lo mio cor sente
La gioi che in voi non fina.
Chè se tutta Messina — fosse mia,
Senza voi, donna, niente mi saria.
Quando con voi a sol mi sto, avvenente,
Ogn' altra gioia mi par che sia niente.
  La vostra gran beltate
M'ha fatto, donna, amare;
E lo vostro ben fare
M'ha fatto cantadore.
Chè s'io canto la state
Quando lo fior appare,
Non poria ubriare
Di cantare al freddore.
Così me tene Amore — 'l cor gaudente,
Chè voi siete la mia donna valente.
Sollazzo e gioco mai non vene mino:
Così v'adoro, come servo, e 'nchino.

CIACCO DELL' ANGUILLAIA

Sec. xiii

9

Amante. O GEMMA lezïosa,
      Adorna villanella,
    Che se' più virtudiosa
    Che non se ne favella,

14

Per la virtude c'hai
Per grazia del Signore,
Aiutami, che sai
Che son tuo servo, amore.

Madonna. Assai son gemme in terra,
Ed in fiume ed in mare,
C'hanno virtude in guerra
E fanno altrui allegrare.
Amico, io non son essa
Di quelle tre nessuna:
Altrove va per essa,
E cerca altra persona.

Amante. Madonna, tropp' è grave
La vostra risponsione:
Chè io non aggio nave,
Nè non son marangone
Ch'io sappia andar cercando
Colà ove mi dite.
Per voi perisco amando
Se non mi soccorrite.

Madonna. Se perir tu dovessi
Per questo cercamento,
Non crederia che avessi
In te innamoramento.
Ma s' tu credi morire
Innanzi ch'esca l'anno
Per te fo messe dire,
Come altre donne fanno.

CIACCO DELL' ANGUILLAIA

Amante. O villanella adorna,
        Fa' sì ch'io non perisca:
        Chè l'uom morto non torna
        Per far poi cantar messa.
        Di voi mi dà conforto,
        Madonna, non tardare:
        Quand' odi ch'io sia morto
        Non far messa cantare.

Madonna. Se morir non ti credi,
        Molto hai folle credenza,
        Se quanto in terra vedi
        Trapassa per sentenza.
        Ma tu sei dio terreni?
        Non ti posso scampare:
        Guarda che legge tieni,
        Se non credi all' altare.

Amante. Per l'altar mi richiamo,
        Che adoran li cristiani:
        Però mercè vi chiamo,
        Poi sono in vostre mani.
        Pregovi in cortesia
        Che m'aitate per Dio,
        Perchè la vita mia
        Da voi conosca in fio.

Madonna. Sì sai chieder mercede
        Con umiltà piacente,
        Giovar de' ti la fede,
        Sì ami coralmente.

CIACCO DELL' ANGUILLAIA

> Haimi tanto predicata,
> E sì saputo dire,
> Ch'io mi sono accordata:
> Dimmi, che t'è in piacire?

Amante. Madonna, a me non piace
> Castella nè monete:
> Fatemi far la pace
> Con quel che voi sapete.
> Questo adimando a vui,
> E facciovi finita:
> Donna siete di lui
> Ed egli è la mia vita.

GUITTONE D'AREZZO

c. 1225–†*c.* 1294

(*A Firenze, dopo la rotta di Montaperti*)

10

AHI lasso! or è stagion di doler tanto
A ciascun uom che ben ama ragione,
Ch'io meraviglio u' trova guarigione
Che morto no l'aggia corrotto e pianto,
Veggendo l'alta fior sempre granata
E l'onorato antico uso romano,
Che certo per': crudel forte e villano,
S'avaccio ella non è ricoverata;
Chè l'onorata sua ricca grandezza
E 'l pregio quasi è già tutto perito,
E lo valore e 'l poder si disvia.
Ahi lasso! or quale dia
Fu mai tanto crudel dannagio udito?

c

Dio, com' hailo soffrito
Che dritto pera, e torto entri in altezza?
Altezza tanta in la sfiorata Fiore
Fu, mentre ver se stessa era leale,
Che riteneva modo imperiale
Acquistando per suo alto valore
Province e terre, presso e lunge, mante;
E sembrava che far volesse impero,
Sì come Roma già fece, e leggero
Gli era, ch'alcun no i potea star avante.
E ciò gli stava ben certo a ragione,
Chè non se ne penava a suo pro tanto
Come per ritener giustizia e poso:
E poi fulli amoroso
Di fare ciò, si trasse avanti tanto,
Ch'al mondo non è canto
U' non sonasse il pregio del Leone.
Leone, lasso! or non è, ch'io li veo
Tratto l'unghie e li denti e lo valore,
E 'l gran lignaggio suo morto a dolore
Ed in crudel prigion messo a gran reo!
E ciò gli ha fatto chi? quelli che sono
Della gentil sua schiatta stratti e nati,
Che fur per lui cresciuti ed avanzati
Sovra tutt' altri e collocati in bono.
E per la grande altezza ove gli mise
Ennantîr sì, che 'l piagâr quasi a morte.
Ma Dio di guerigion feceli dono
Ed e' fe' lor perdono;
Ed anche il rifedîr poi, ma 'l fu forte
E perdonò lor morte:
Or hanno lui e sue membra conquise.

GUITTONE D'AREZZO

Conquis' è l'alto Comun fiorentino,
   E col Sanese in tal modo ha cangiato,
   Che tutta l'onta e lo danno, che dato
   Gli ha sempre, come sa ciascun latino,
   Li rende, e tolle il pro e l'onor tutto.
   Chè Montalcino have abattuto a forza,
   E Montepulcïan miso in sua forza
   E di Maremma ha la cervia e il frutto.
   San Gemignan, Poggibonize e Colle
   E Volterra e 'l paese a suo tiene,
   E la campana e l'insegne e gli arnesi,
   E gli onor tutti presi
   Have, con ciò che seco avea di bene;
   E tutto ciò gli avviene
   Per quella schiatta ch'è più ch'altra folle.
Foll' è chi fugge il suo pro e cher' danno,
   E l'onor suo fa che in vergogna i torna,
   E di libertà bona, ove soggiorna
   A gran piacer, s'adduce a suo gran danno
   Sotto signoria fella e malvagia,
   E suo signor fa suo grande nemico.
   A voi che siete or in Fiorenza, dico
   Che ciò ch'è divenuto par vi adagia.
   E poi che gli Alamanni in casa avete
   Servite i ben, e fatevi mostrare
   Le spade lor, con che v'han fesso i visi
   E padri e figli uccisi;
   E piacemi che lor deggiate dare,
   Perch' ebbero in ciò fare
   Fatica assai, di vostre gran monete.
Monete mante e gran gioi' presentate
   Ai Conti ed agli Uberti e agli altri tutti

Ch'a tanto grande onor v'hanno condutti
Che miso v'hanno Siena in potestate!
Pistoja e Colle e Volterra fanno ora
Guardar vostre castelle a loro spese,
E 'l conte Rosso ha Maremma e 'l paese,
E Montalcin sta sicur senza mura;
Di Ripafratta teme ora il Pisano,
E 'l Perugin, che 'l lago no i togliate;
E Roma vuol con voi far compagnia:
Onore e signoria
Or dunque par e che ben tutto abbiate;
Ciò che disiavate
Potete far, cioè re del Toscano.
Baron lombardi e romani e pugliesi
E toschi e romagnuoli e marchigiani,
Fiorenza, fior che sempre rinnovella,
A sua corte v'appella,
Chè fare vuol di sè re de' Toscani,
Da poi che li Alamani
Have conquiso per forza e i Sanesi.

JACOPONE DA TODI

c. 1230–†1306

II   (*La Crocifissione*)

Nunzio.   DONNA del Paradiso,
Il tuo figliuolo è priso,
Jesù Cristo beato.

Accorri, Donna, e vide
Che la gente l'allide:
Credo che lo si uccide,
Tanto l'han flagellato.

Vergine. Como essere potria,
  Chè non fe' mai follia,
  Cristo, la spene mia,
  L'avesse omo pigliato?

Nunzio. Madonna, egli è traduto:
  Juda sì l'ha venduto;
  Trenta danar n'ha avuto,
  Fatto n'ha gran mercato.

Vergine. Soccorri, Maddalena,
  Gionta m'è addosso piena:
  Cristo figlio si mena
  Come m'è annunzïato.

Nunzio. Soccorri, Donna, ajuta,
  Ch'al tuo figlio si sputa,
  E la gente lo muta:
  Hanlo dato a Pilato.

Vergine. O Pilato, non fare
  Lo figlio mio tormentare:
  Ch'io ti posso mostrare
  Come a torto è accusato.

Turba. Crucifi', crucifige!
  Uomo che si fa rege
  Secondo nostra lege
  Contraddice al senato.

Vergine. Priego che m'intendiate,
  Nel mio dolor pensate;
  Forse mo' ve mutate
  De che avete pensato.

Turba. Traggiam fuor li ladroni,
   Che sian suoi compagnoni.
   Di spine s'incoroni,
   Chè rege s'è chiamato.

Vergine. O figlio, figlio, figlio,
   Figlio, amoroso giglio,
   Figlio, chi dà consiglio
   Al mio core angustiato?

   O figlio, occhi giocondi,
   Perchè non mi rispondi?
   Figlio, perchè t'ascondi
   Dal petto u' se' lattato?

Nunzio. Madonna, ecco la cruce
   Che la gente l'adduce,
   Ove la vera luce
   Dee essere levato.

Vergine. O cruce, che farai?
   Il figlio mio torrai?
   E che ci apponerai,
   Che non ha in sè peccato?

Nunzio. Corri, o piena di doglia,
   Chè 'l tuo figliuol si spoglia.
   La gente par che voglia
   Che sia in croce chiavato.

Vergine. Se togliete el vestire,
   Lassatelmi vedire,
   Come 'l crudel ferire
   Tutto l'ha insanguinato.

JACOPONE DA TODI

Nunzio. Donna, la man gli è presa
　　　　E nella croce stesa,
　　　　Con un bollon gli è fesa:
　　　　Tanto ci l'han ficcato.

　　　　L'altra mano si prende,
　　　　Nella croce si stende;
　　　　E lo dolor s'accende
　　　　Che più è moltiplicato.

　　　　Donna, li piè se prenno
　　　　E chiavellansi al legno;
　　　　Ogni giuntura aprendo,
　　　　Tutto l'han disnodato.

Vergine. E i' comencio il corrotto.
　　　　Figliuolo, mio diporto,
　　　　Figlio, chi mi t'ha morto,
　　　　Figlio mio dilicato?

　　　　Meglio averieno fatto
　　　　Che 'l cor m'avesser tratto,
　　　　Che nella croce tratto
　　　　Starci descilïato.

Cristo. Mamma, ove sei venuta?
　　　　Mortal mi dài feruta.
　　　　Il tuo pianger mi stuta
　　　　Che 'l veggio sì afferrato.

Vergine. Da me chi t'ha spartito,
　　　　Figlio, patre e marito?
　　　　Figlio, chi t'ha ferito?
　　　　Figlio, chi t'ha spogliato?

JACOPONE DA TODI

Cristo. Mamma, perchè ti lagni?
Voglio che tu rimagni,
Che servi i miei compagni
Ch'al mondo aggio acquistato.

Vergine. Figlio, questo non dire.
Voglio teco morire,
Non me voglio partire
Fin che mo' m'esce il fiato.

Ch'una aggiam sepoltura,
Figlio de mamma scura!
Trovarse in affrantura
Matre e figlio affogato.

Cristo. Mamma, col core afflitto
Entro a le man ti metto
Di Joanne mio eletto:
Sia tuo figlio appellato.

Joanne, ecco mia Mate,
Togliela in caritate;
Aggine pïetate,
Chè lo core ha forato.

Vergine. Figlio, l'alma t'è uscita,
Figlio de la smarrita,
Figlio de la sparita,
Figlio attossicato.

Figlio bianco e vermiglio,
Figlio senza simiglio:
Figlio, a chi m'appiglio?
Figlio, pur m'hai lassato?

JACOPONE DA TODI

Figlio bianco e biondo,
    Figlio, volto giocondo,
    Figlio, perchè t'ha el mondo,
    Figlio, così sprezzato?

Figlio dolce e piacente,
    Figlio de la dolente,
    Figlio, ha te la gente
    Malamente trattato!

Joanne, fi' novello,
    Morto è lo tuo fratello.
    Sentito aggio 'l coltello
    Che fu profetizzato.

Che morto ha figlio e matre,
    De dura morte afferrati.
    Trovaronsi abbracciati
    Madre e figlio a un cruciato.

RUSTICO DI FILIPPO

c. 1235–†*c.* 1295

i

UNA bestiuola ho visto molto fera,
    Armata forte d'una nuova guerra,
A cui risiede sì la cervelliera
Che del lignaggio par di Salinguerra.
Se in fin lo mento avesse la gorgiera,
    Conquisterebbe il mar, non che la terra,
E chi paventa e dotta sua visiera
Al mio parer non è folle, nè erra.

Laida la cera e periglioso ha 'l ciglio
   E buffa spesso a guisa di leone,
   Torrebbe 'l tinto a cui desse di piglio,
E gli occhi ardenti ha via più che dragone.
   De' suoi nemici assai mi maraviglio
   Sed e' non muoion sol di pensagione.

13   *ii*

QUANDO Dio messer Messerin fece
   Ben si credette far gran maraviglia,
Ch'uccello e bestia ed uom ne soddisfece
Chè a ciascheduna natura s'appiglia:
Chè nel gozzo anitrocol contraffece,
   Nelle reni giraffa m'assomiglia,
   Ed uom saria, secondo che si dice,
   Nella piacente sua cera vermiglia.
Ancor risembra corvo nel cantare,
   Ed è diritta bestia nel savere,
   Ed uomo è somigliato al vestimento.
Quando Dio il fece, poco avea che fare,
   Ma volle dimostrar lo suo potere,
   Sì strana cosa fare ebbe in talento.

GUIDO GUINIZELLI

c. 1240–†1276

14   *i*

AL cor gentil ripara sempre amore
   Com' a la selva augello in la verdura,
Nè fe' amore anti che gentil core
Nè gentil core anti che amor natura;

Ch'adesso com' fu il sole
Sì tosto lo splendore fu lucente,
Nè fu davanti il sole;
E prende amore in gentilezza loco
Così proprïamente
Come calore in clarità di foco.

Foco d'amore in gentil cor s'apprende,
Come vertute in pietra prezïosa;
Chè da la stella valor non discende
Anti che 'l sol la faccia gentil cosa.
Poi che n'ha tratto fore
Per sua forza lo sol ciò che lì è vile,
Stella li dà valore:
Così lo cor, ch'è fatto da natura
Schietto, puro, gentile,
Donna, a guisa di stella, lo inamura.

Amor per tal ragion sta in cor gentile,
Per qual lo foco in cima del doppiero:
Splende a lo suo diletto, chiar, sottile:
Non li staria altra guisa, tant' è fero.
Però prava natura
Rincontra amor come fa l'aigua il foco
Caldo per la freddura.
Amore in gentil cor prende rivera
Per suo consimil loco,
Com' adamas del ferro in la minera.

Fere lo sole il fango tutto 'l giorno:
Vile riman, nè 'l sol perde calore.
Dice om altier: 'Gentil per schiatta torno.'
Lui sembro 'l fango, e 'l sol gentil valore.
Chè non de' dare om fede
Che gentilezza sia, for di coraggio,

In degnità di rede,
Se da virtute non ha gentil core,
Com' aigua porta raggio,
E 'l ciel riten le stelle e lo splendore.
Splende in la intelligenza de lo cielo
Deo creator, più ch'in nostri occhi il sole;
Quella che 'ntende 'l suo fatto oltra 'l cielo,
Lo ciel volgendo a lui ubidir tole,
E consegue al primero
Del giusto Deo beato compimento:
Così dar dovria 'l vero
La bella donna, poi che n' gli occhi splende
Del suo gentil talento,
Chi mai da lei ubidir non si disprende.
'Donna, — Deo me dirà — che prosumisti?'
(Stando l'anima mia a lui davanti:)
'Lo ciel passasti e fino a me venisti,
E desti in vano amor me per sembianti;
Ch'a me convien la laude
E a la reina del reame degno,
Per cui cessa ogni fraude.'
Dir li potrò: 'Tenea d'angel sembianza
Che fosse del tuo regno:
Non mi fu fallo s'eo le posi amanza.'

15   *ii*

I' VO' del ver la mia donna laudare,
Ed assembrargli la rosa e lo giglio:
Più che la stella diana splende e pare,
E ciò, ch'è lassù bello, a lei somiglio.

GUIDO GUINIZELLI

Verde rivera a lei rassembro e l'âre,
  Tutti color di fior, giallo e vermiglio,
  Oro e azzurro e ricche gioi' per dare;
  Medesmo Amor per lei raffina miglio.
Passa per via adorna e sì gentile,
  Ch'abassa orgoglio a cui dona salute,
  E fal di nostra fè se non la crede,
E non si può appressar uom che sia vile:
  Ancor vi dico c'ha maggior virtute:
  Null' uom può mal pensar fin che la vede.

COMPIUTA DONZELLA

Sec. xiii

16   *i*

ALLA stagion che il mondo foglia e fiora,
  Accresce gioia a tutti i fini amanti,
  Vanno insieme alli giardini allora
  Che gli augelletti fanno dolci canti,
La franca gente tutta s'innamora,
  Ed in servir ciascun traggesi innanti,
  Ed ogni damigella in gioi' dimora,
  A me n'abbondan marrimenti e pianti.
Chè lo mio padre m'ha messa in errore,
  E tienemi sovente in forte doglia:
  Donar mi vuole, a mia forza, signore,
Ed io di ciò non ho disio nè voglia,
  E in gran tormento vivo a tutte l'ore:
  Però non mi rallegra fior nè foglia.

ii

17

LASCIAR vorria lo mondo, e Dio servire,
    E dipartirmi d'ogni vanitate,
  Però che veggo crescere e salire
  Mattezza e villania e falsitate;
Ed ancor senno e cortesia morire,
  E lo fin pregio e tutta la bontate;
  Ond' io marito non vorria nè sire,
  Nè stare al mondo per mia volontate.
Membrandomi ch'ogn' uom di mal s'adorna,
  Di ciaschedun son forte disdegnosa,
  E verso Dio la mia persona torna.
Lo padre mio mi fa stare pensosa,
  Chè di servire a Cristo mi distorna:
  Non saccio a cui mi vol dar per isposa.

IGNOTO

Sec. **xiii**

18

TAPINA me, ch'amava uno sparviero:
    Amaval tanto ch'io me ne moria!
  A lo richiamo ben m'era manero,
  Ed unque troppo pascer no 'l dovia.
Or è montato e salito sì altero,
  Assai più alto che far non solia;
  Ed è assiso dentro a uno verzero:
  Un' altra donna lo tene in balia.
Isparvier mio, ch'io t'avea nodrito,
  Sonaglio d'oro ti facea portare,

Perchè dell' uccellar fosse più ardito;
Or se' salito sì come lo mare,
   Ed ha' rotti li geti e se' fuggito,
   Quando eri fermo nel tuo uccellare.

CECCO ANGIOLIERI

c. 1260–†*c.* 1312

19

i

S'I' fosse foco, arderei 'l mondo;
  S'i' fosse vento, lo tempesterei;
  S'i' fosse acqua, io l'annegherei;
  S'i' fosse Dio, mandereil' in profondo.
S'i' fosse papa, sare' allor iocondo,
   Chè tutt' i cristïani imbrigherei;
   S'i' fosse emperator, sa' che farei?
   A tutti mozzarei lo capo a tondo.
S'i' fosse morte, andarei da mio padre;
   S'i' fosse vita, fuggirei da lui;
   Similemente faria da mi' madre.
S'i' fosse Cecco com' i' sono e fui,
   Torrei le donne giovani e leggiadre,
   E vecchie e laide lascereile altrui.

20

ii

QUANDO Ner Piccolin tornò di Francia
  Era sì caldo de' molti fiorini
Che gli uomin gli parevan topolini
E di ciascun si facea beffa e ciancia.

31

Ed usava di dir: 'Mala mescianza
  Possa venire a tutt' i miei vicini,
  Quand' e' sono appo me sì picciolini
  Che mi fôra disnor la loro usanza.'
Or è per lo suo senno a tal condotto
  Che non ha niun sì piccolo vicino
  Che non si disdegnasse fargli motto.
Ond' io metterei il cuor per un fiorino
  Che anzi che sien passati mesi otto,
  S'egli avrà pur del pan, dirà: 'buonino!'

21   *iii*

I BUON parenti, dica chi dir vuole,
  A chi ne può aver, sono i fiorini:
  Quei son fratei carnali e ver cugini,
  E padre e madre, figliuoli e figliuole.
Quei son parenti, che nessun se n' dole,
  Bei vestimenti, cavalli e ronzini,
  Per cui t'inchinan Franceschi e Latini,
  Baroni, cavalier, dottor di scuole.
Quei ti fanno star chiaro e pien d'ardire,
  E venir fatti tutti i tuoi talenti,
  Che si pon far nel mondo nè seguire.
Però non dica l'uomo: 'I'ho parenti';
  Chè, s'e' non ha denari, e' può ben dire:
  'Io nacqui come fungo a' tuoni e venti.'

c. 1260–†1300

22   *i*

CHI è questa che ven, ch'ogn' om la mira,
    E fa tremar di claritate l'âre,
    E mena seco Amor, sì che parlare
    Null' omo pote, ma ciascun sospira?
Deh! che rassembla quando li occhi gira!
    Dical Amor, ch'i' nol savria contare:
    Cotanto d'umiltà donna mi pare,
    Che ciascun'altra inver di lei chiam'ira.
Non si porria contar la sua piagenza,
    Ch'a lei s'inchina ogni gentil vertute,
    E la beltate per sua Dea la mostra.
Non fu sì alta già la mente nostra,
    E non si pose in noi tanta salute
    Che propriamente n'abbiam conoscenza.

23   *ii*

AVETE in voi li fiori e la verdura
    E ciò che luce od è bello a vedere;
    Risplende più che sol vostra figura,
    Chi voi non vede mai non può valere.
In questo mondo non ha creatura
    Sì piena di bieltà, nè di piacere:
    E chi d'amor si teme, l'assicura
    Vostro bel viso a tanto in sè volere.
Le donne che vi fanno compagnia
    Assai mi piaccion per lo vostro amore,
    Ed i' le prego, per lor cortesia,
Che, qual più puote, più vi faccia onore,
    Ed aggia cara vostra segnoria,
    Perchè di tutte siete la migliore.

Fresca rosa novella,
  Piacente Primavera,
  Per prata e per riviera
  Gaiamente cantando,
  Vostro fin pregio mando — a la verdura.
Lo vostro pregio fino
  In gioi' si rinovelli
  Da grandi e da zitelli
  Per ciascuno cammino:
  E càntine gli augelli
  Ciascuno in suo latino
  Da sera e da mattino
  Su li verdi arbuscelli.
  Tutto lo mondo canti,
  Poi che lo tempo vene,
  Sì come si convene,
  Vostr' altezza pregiata,
  Chè siete angelicata — criatura.
Angelica sembianza
  In voi, Donna, riposa;
  Dio, quanto avventurosa
  Fu la mia disianza!
  Vostra cera gioiosa,
  Poi che passa e avanza
  Natura e costumanza,
  Ben è mirabil cosa.
  Fra lor le donne dea
  Vi chiaman come siete!
  Tanto adorna parete
  Ch'io non saccio contare:

E chi poria pensare — oltr' a natura?
Oltr' a natura umana
  Vostra fina piacenza
  Fece Dio per essenza,
  Che voi foste sovrana:
  Perchè vostra parvenza
  Ver me non sia lontana,
  Or non mi sia villana
  La dolce provedenza.
  E se vi pare oltraggio
  Ch'ad amarvi sia dato,
  Non sia da voi blasmato:
  Chè solo Amor mi sforza,
  Contra cui non val forza — nè misura.

25   *iv*

IN un boschetto trova' pasturella
  Più che la stella — bella al mi' parere.
Cavelli avea biondetti e ricciutelli
  E gli occhi pien d'amor, cera rosata;
  Con sua verghetta pasturav' agnelli,
  E scalza di rugiada era bagnata;
  Cantava come fosse 'nnamorata;
  Er' adornata — di tutto piacere.
D'amor la salutai immantenente
  E domandai s'avesse compagnia,
  Ed ella mi rispuose dolcemente
  Che sola sola per lo bosco gia,
  E disse: 'Sacci, quando l'augel pia,
  Allor disia — 'l me' cor drudo avere.'

35

Poi che mi disse di sua condizione,
   E per lo bosco augelli audìo cantare,
   Fra me stesso diss' io: 'Or' è stagione
   Di questa pasturella gioi' pigliare.'
   Merzè le chiesi sol che di basciare
   E d'abbracciare — le fosse 'n volere.
Per man mi prese d'amorosa voglia
   E disse che donato m'avea 'l core:
   Menommi sott' una freschetta foglia
   Là dov' i' vidi fior d'ogni colore,
   E tanto vi sentìo gioia e dolzore
   Che dio d'amore — parvemi vedere.

26   *v*

ERA in pensar d'amor quand' i' trovai
   Due foresette nove:
   L'una cantava: 'E' piove
   Gioco d'amore in nui.'
Era la vista lor tanto soave
   E tanto queta, cortese ed umile
   Ch'i' dissi lor: 'Voi portate la chiave
   Di ciascuna vertù alta e gentile.
   Deh! foresette; no m'abbiate a vile
   Per lo colpo ch'io porto:
   Questo cor mi fu morto,
   Poi che 'n Tolosa fui.'
Elle con gli occhi lor si volser tanto,
   Che vider come 'l cor era ferito
   E come un spiritel nato di pianto
   Era per mezzo de lo colpo uscito.

Poi che mi vider così sbigottito,
Disse l'una che rise:
'Guarda come conquise
Forza d'amor costui.'
L'altra pietosa, piena di mercede,
Fatta di gioco, in figura d'Amore,
Disse: ' Il tuo colpo che nel cor si vede
Fu tratto d'occhi di troppo valore,
Che dentro vi lasciaro uno splendore
Ch'i' nol posso mirare:
Dimmi se ricordare
Di quegli occhi ti pûi.'
Alla dura questione e paurosa
La qual mi fece questa foresetta
I' dissi: 'E' mi ricorda che 'n Tolosa
Donna m'apparve accordellata istretta,
La quale Amor chiamava la Mandetta:
Giunse sì presta e forte
Che 'n fin dentro, a la morte,
Mi colpîr gli occhi sui.'
Molto cortesemente mi rispose
Quella che di me prima aveva riso:
Disse: 'La donna che nel cor ti pose
Colla forza d'Amor tutto 'l su' viso
Dentro per li occhi ti mirò sì fiso
Ch'Amor fece apparire.
Se t'è grave 'l soffrire
Raccomandati a lui.'
Vanne a Tolosa, ballatetta mia,
Ed entra quetamente a la Dorata:
Ed ivi chiama che per cortesia
D'alcuna bella donna sia menata

37

Dinanzi a quella, di cui t'hò pregata:
E s'ella ti riceve,
Dille con voce lieve:
'Per merzè vegno a vui.'

27   *vi*

U NA giovane donna di Tolosa,
   Bell' e gentil, d'onesta leggiadria,
Tanto è diritta e simigliante cosa,
   Ne' suoi dolci occhi, de la donna mia,
Ch'è fatta dentro al cor desiderosa
   L'anima in guisa, che da lui si svia
E vanne a lei; ma tant' è paurosa,
   Che non le dice di qual donna sia.
Quella la mira nel su' dolce sguardo,
   Ne lo qual face rallegrar amore,
   Perchè v'è dentro la sua donna dritta.
Poi torna piena di sospir nel core,
   Ferita a morte d'un tagliente dardo
   Che questa donna nel partir li gitta.

28   *vii*

U NA figura della donna mia
   S'adora, Guido, a San Michele in Orto,
Che di bella sembianza, onesta e pia,
   De' peccatori è gran refugio e porto.
E quale a lei divoto s'umilìa,
   Chi più languisce, più n'ha di conforto;
Gl'infermi sana, i Demon caccia via,
   E gli occhi orbati fa vedere scorto.

Sana in pubblico loco gran languori,
    Con reverenza la gente la inchina,
    Di luminara l'adornan di fuori.
La voce va per lontane cammina,
    Ma dicon ch'è idolatra i Fra Minori,
    Per invidia che non è lor vicina.

29   *viii*

LA forte e nova mia disaventura
    M'ha disfatto nel core
  Ogni dolce pensier, ch'i' avea d'Amore.
Disfatto m'ha già tanto de la vita,
    Che la gentil, piacevol donna mia
    Dall' anima distrutta s'è partita;
    Sì ch'io non veggio là, dov'ella sia:
    Non è rimasa in me tanta balìa
    Ch'io de lo su' valore
  Possa comprender nella mente fiore.
Vien che m'uccide un sottile pensiero
    Che par che dica, ch'i' mai no la veggia;
    Questo è tormento disperato e fiero,
    Che strugge e dole e 'ncende ed amareggia.
    Trovar non posso a cui pietate cheggia,
    Mercè di quel signore
  Che gira la fortuna del dolore.
Pieno d'angoscia in loco di paura
    Lo spirito del cor dolente giace,
    Per la fortuna, che di me non cura,
    C'ha volta morte, dov'assai mi spiace;
    E da speranza, ch'è stata fallace,

Nel tempo che si more
M'ha fatto perder dilettevoli ore.
Parole mie disfatte e paurose,
    Là dove piace a voi di gire andate,
    Ma sempre sospirando e vergognose
    Lo nome de la mia donna chiamate.
    Io pur rimango in tant' avversitate,
    Che qual mira di fore
    Vede la morte sotto al mio colore.

30

ix

PERCH' io non spero di tornar giammai,
    Ballatetta, in Toscana,
    Va' tu, leggera e piana,
    Dritt' a la donna mia
    Che per sua cortesia
    Ti farà molto onore.
Tu porterai novelle di sospiri,
    Piene di doglia e di molta paura;
    Ma guarda che persona non ti miri
    Che sia nemica di gentil natura,
    Chè certo per la mia disaventura
    Tu saresti contesa,
    Tanto da lei ripresa,
    Che mi sarebbe angoscia,
    Dopo la morte poscia
    Pianto e novel dolore.
Tu senti, ballatetta, che la morte
    Mi stringe sì che vita m'abbandona,
    E senti come 'l cor si sbatte forte
    Per quel che ciascun spirito ragiona.

40

GUIDO CAVALCANTI

Tanto è distrutta già la mia persona
Ch'i' non posso soffrire:
Se tu mi vuo' servire
Mena l'anima teco,
Molto di ciò ti preco,
Quando uscirà del core.
Deh ballatetta, alla tua amistate
Quest' anima che trema raccomando:
Menala teco nella sua pietate
A quella bella donna a cui ti mando.
Deh! ballatetta, dille sospirando
Quando le se' presente:
'Questa vostra servente
Viene per star con vui,
Partita da colui
Che fu servo d'Amore.'
Tu, voce sbigottita e deboletta,
Ch'esci piangendo de lo cor dolente,
Coll' anima e con questa ballatetta
Va ragionando della strutta mente.
Voi troverete una donna piacente
Di sì dolce intelletto
Che vi sarà diletto
Davanti starle ognora.
Anima, e tu l'adora
Sempre nel su' valore.

GIANNI ALFANI

Seconda metà del sec. xiii

BALLATETTA dolente,
Va' mostrando il mio pianto
Che di dolor mi cuopre tutto quanto.
Tu te n'andrai imprima a quella gioia
Per cui Fiorenza luce ed è pregiata,
E quetamente, che non le sia noia,
La priega che t'ascolti, o sconsolata;
Poi le dirai affannata
Come m'ha tutto infranto
Il tristo bando che mi colse al canto.
S'ella si volge verso te pietosa
Ad ascoltar le pene che tu porti,
Traendo guai, dolente e vergognosa,
Le pingi come gli occhi miei son morti
Per li gran colpi e forti,
Che ricevetter tanto
Da' suoi nel mio partir, ch'or piango in canto.
Poi fa' sì ch'entri nella mente a Guido,
Perch' egli è sol colui che vede Amore,
E mostrali lo spirito ch'un strido
Mi trae d'angoscia dal disfatto core;
E se vedrà 'l dolore
Che 'l distrugge, i' mi vanto
Ched e' ne sospirrà di pièta alquanto.

i

QUESTA rosa novella,
   Che fa piacer sua gaia giovanezza,
  Mostra che gentilezza,
  Amor, sia nata per virtù di quella.
S'io fossi sufficiente
  Di raccontar sua maraviglia nuova,
  Diria come Natura l'ha adornata:
  Ma io non son possente
  Di sapere allegar verace prova:
  Dillo tu, Amor, che sarà me' laudata.
  Ben dico: una fïata
  Levando gli occhi per mirarla fiso,
  Presemi 'l dolce riso,
  E gli occhi suoi lucenti come stella.
Allor bassai li miei
  Per lo tuo raggio che mi giunse al core
  Entro in quel punto ch'io la riguardai.
  Tu dicesti: 'Costei
  Mi piace signoreggi il tuo valore,
  E servo alla tua vita le sarai.'
  Ond' io ringrazio assai,
  Dolce signor, la tua somma grandezza,
  Chè vivo in allegrezza,
  Pensando a cui mia alma hai fatta ancella.
Ballata giovincella,
  Girai a quella c'ha bionda la trezza,
  Ch'Amor per la sua altezza
  M'ha comandato sia servente d'ella.

33

ii

AMOR, eo chero mia donna in domino,
　L'Arno balsamo fino,
　Le mura di Firenze inargentate,
　Le rughe di cristallo lastricate,
　Fortezze alte, merlate,
　Mio fedel fosse ciaschedun latino,
Il mondo in pace, securo 'l cammino,
　Non mi noccia vicino,
　E l'aira temperata verno e state,
　E mille donne e donzelle adornate,
　Sempre d'amor pregiate,
　Meco cantasser la sera e 'l mattino;
E giardin fruttuosi di gran giro
　Con grande uccellagione,
　Pien di condotti d'acqua e cacciagione;
　Bel mi trovasse come fu Assalone,
Sansone pareggiasse e Salomone;
　Servaggi de barone,
　Sonar vïole, chitarre e canzone;
　Poscia dover entrar nel ciel empiro:
Giovine sana allegra e secura
　Fosse mia vita fin che 'l mondo dura.

DINO FRESCOBALDI

c. 1271–†*c.* 1316

34

PER tanto pianger quanto li occhi fanno,
　Lasso! faranno l'altra gente accorta
　Dell' aspra pena, che lo mio cor porta
　Delli rei colpi che ferito l'hanno:

DINO FRESCOBALDI

Chè i miei dolenti spiriti, che vanno
    Pietà caendo, che per loro è morta,
    Fuor della labbia sbigottita e smorta
    Partîrsi vinti, e ritornar non sanno.
Questo è quel pianto, che fa gli occhi tristi
    E la mia mente paurosa e vile,
    Per la pietà che di se stessa prende.
O dispietata saetta e sottile,
    Che per mezzo lo fianco il cor m'apristi,
    Com' è ben morto chi 'l tuo colpo attende!

FOLGORE DA SAN GIMIGNANO

c. 1280–†*c.* 1332

35   (*Aprile*)

D'APRIL vi dono la gentil campagna
    Tutta fiorita di bell'erba fresca,
    Fontane d'acqua, che non vi rincresca,
    Donne e donzelle per vostra compagna,
Ambianti palafren, destrier di Spagna,
    E gente costumata a la francesca,
    Cantar, danzare alla provenzalesca,
    Con istrumenti novi de la Magna.
E d'intorno vi sian molti giardini,
    E giachita vi sia ogni persona:
    Ciascun con reverenza adori e inchini
A quel gentil cui dato ho la corona
    Di pietre prezïose, le più fini
    C'ha il Presto Gianni o il Re di Babilona.

36

(*Maggio*)

DI maggio sì vi do molti cavagli
  E tutti quanti siano affrenatori,
  Portanti tutti, dritti corridori,
  Pettorali e testiere con sonagli,
E bandiere e coverte a molti intagli
  E zendadi di tutti li colori;
  Le targhe a modo degli armeggiatori,
  Vïole, rose e fior, ch'ogni uom abbagli;
E rompere e fiaccar bigordi e lance,
  E piover da finestre e da balconi
  In giù ghirlande e in su melarance,
E pulzellette giovani e garzoni
  Baciarsi ne la bocca e ne le guance:
  D'amor e di goder vi si ragioni.

37

(*Giugno*)

DI giugno sì vi do una montagnetta
  Coverta di bellissimi arboscelli,
  Con trenta ville e dodici castelli
  Che siano intorno ad una cittadetta,
Ch'abbia nel mezzo una sua fontanetta,
  E faccia mille rami e fiumicelli,
  Ferendo per giardini e praticelli,
  E rinfrescando la minuta erbetta.
Aranci, cedri, datteri e lumie,
  E tutte l'altre frutte savorose,
  Impergolate sian per le vie.
E le genti vi sian tutte amorose,
  E faccianvisi tante cortesie,
  Ch'a tutto 'l mondo sieno graziose.

38   *i*

GUIDO, i' vorrei che tu e Lapo ed io
    Fossimo presi per incantamento,
  E messi in un vascel, ch'ad ogni vento
  Per mare andasse a voler vostro e mio;
Sicchè fortuna, od altro tempo rio,
  Non ci potesse dare impedimento,
  Anzi, vivendo sempre in un talento,
  Di stare insieme crescesse il disio.
E monna Vanna e monna Lagia poi,
  Con quella ch'è sul numer delle trenta,
  Con noi ponesse il buono incantatore:
E quivi ragionar sempre d'amore,
  E ciascuna di lor fosse contenta,
  Siccome io credo che saremmo noi.

39   *ii*

DI donne io vidi una gentile schiera
    Quest' Ognissanti prossimo passato,
  Ed una ne venia quasi primiera,
  Veggendosi l'Amor dal destro lato.
Dagli occhi suoi gettava una lumiera,
  La qual pareva un spirito infiammato:
  E i' ebbi tanto ardir, che in la sua cera
  Guardai, e vidi un angiol figurato:
A chi era degno donava salute
  Con gli atti suoi quella benigna e piana,
  E 'mpiva il core a ciascun di virtute.
Credo che de lo ciel fosse soprana,
  E venne in terra per nostra salute:
  Là 'nd' è beata chi l'è prossimana.

iii

U N dì si venne a me Malinconia
   E disse: 'Io voglio un poco stare teco';
  E parve a me ch'ella menasse seco
  Dolore e ira per sua compagnia.
E io le dissi: 'Partiti, va' via';
   Ed ella mi rispose come un greco;
  E ragionando a grande agio meco,
  Guardai e vidi Amore che venia
Vestito di novo d'un drappo nero,
   E nel suo capo portava un cappello;
  E certo lacrimava pur di vero.
Ed io li dissi: 'Che hai, cattivello?'
   Ed ei rispose: 'Io ho guai e pensiero,
  Chè nostra donna muor, dolce fratello.'

iv

A L poco giorno e al gran cerchio d'ombra
   Son giunto, lasso!, ed al bianchir de' colli,
  Quando si perde lo color ne l'erba:
  E 'l mio disio però non cangia il verde,
  Sì è barbato ne la dura petra
  Che parla e sente come fosse donna.
Similemente questa nova donna
   Si sta gelata come neve a l'ombra;
  Che non la move, se non come petra,
  Il dolce tempo che riscalda i colli,
  E che li fa tornar di bianco in verde
  Perchè li copre di fioretti e d'erba.

Quand' ella ha in testa una ghirlanda d'erba,
  Trae de la mente nostra ogn'altra donna;
  Perchè si mischia il crespo giallo e 'l verde
  Sì bel, ch'Amor lì viene a stare a l'ombra,
  Che m'ha serrato intra piccioli colli
  Più forte assai che la calcina petra.
La sua bellezza ha più vertù che petra,
  E 'l colpo suo non può sanar per erba:
  Ch'io son fuggito per piani e per colli
  Per potere scampar da cotal donna;
  E dal suo lume non mi può far ombra
  Poggio nè muro mai nè fronda verde.
Io l'ho veduta già vestita a verde
  Sì fatta, ch'ella avrebbe messo in petra
  L'amor ch'io porto pur a la sua ombra:
  Ond' io l'ho chesta in un bel prato d'erba,
  Innamorata com' anco fu donna,
  E chiuso intorno d'altissimi colli.
Ma ben ritorneranno i fiumi a' colli
  Prima che questo legno molle e verde
  S'infiammi, come suol far bella donna,
  Di me; che mi torrei dormire in petra
  Tutto il mio tempo, e gir pascendo l'erba,
  Sol per veder do' suoi panni fanno ombra.
Quandunque i colli fanno più nera ombra,
  Sotto un bel verde la giovane donna
  La fa sparer, com' uom petra sott' erba.

v

Così nel mio parlar voglio esser aspro,
Com' è negli atti questa bella petra,
La quale ognora impetra
Maggior durezza e più natura cruda;
E veste sua persona d'un dïaspro
Tal, che per lui, o perch' ella s'arretra,
Non esce di faretra
Saetta che giammai la colga ignuda.
Ed ella ancide, e non val ch'uom si chiuda,
Nè si dilunghi da' colpi mortali:
Che, com' avesser l'ali,
Giungono altrui e spezzan ciascun' arme:
Sì ch'io non so da lei, nè posso aitarme.

Non trovo scudo ch'ella non mi spezzi,
Nè luogo che dal suo viso m'asconda;
Chè, come fior di fronda,
Così de la mia mente tien la cima.
Cotanto del mio mal par che si prezzi,
Quanto legno di mar che non leva onda:
E 'l peso, che m'affonda,
È tal, che non potrebbe adeguar rima.
Ahi! angosciosa e dispietata lima,
Che sordamente la mia vita scemi,
Perchè non ti ritemi
Sì di rodermi il core a scorza a scorza,
Com' io di dire altrui chi ti dà forza?

Chè più mi trema il cor, qualora io penso
Di lei, in parte ov' altri gli occhi induca,
Per tema non traluca
Lo mio pensier di fuor sì che si scopra,

Ch'io non fo della morte, che ogni senso
Con li denti d'Amor già mi manduca;
Ciò è che 'l pensier bruca
La lor virtù sì che n'allenta l'opra.
El m'à percosso in terra, e stammi sopra
Con quella spada, ond' egli ancise Dido,
Amore, a cui io grido
Mercè chiamando, ed umilmente il priego:
Ed ei d'ogni mercè par messo al niego.
Egli alza ad or ad or la mano, e sfida
La debole mia vita, esto perverso,
Che disteso a riverso
Mi tiene in terra d'ogni guizzo stanco.
Allor mi surgon nella mente strida;
E 'l sangue, ch'è per le vene disperso,
Fuggendo corre verso
Lo cor, che 'l chiama; ond' io rimango bianco.
Egli mi fiede sotto il braccio manco
Sì forte, che 'l dolor nel cor rimbalza;
Allor dico: 'S'egli alza
Un' altra volta, morte m'avrà chiuso
Prima che 'l colpo sia disceso giuso.'
Così vedess' io lui fender per mezzo
Lo core alla crudele che 'l mio squatra !
Poi non mi sarebb' atra
La morte, ov' io per sua bellezza corro;
Chè tanto dà nel sol, quanto nel rezzo,
Questa scherana micidiale e latra.
Oimè ! perchè non latra
Per me, com' io per lei, nel caldo borro ?
Chè tosto griderei: 'Io vi soccorro';
E fare 'l volentier, siccome quelli,

Che ne' biondi capelli,
Ch'Amor per consumarmi increspa e dora,
Metterei mano e piacere' le allora.
S'io avessi le belle trecce prese
Che fatte son per me scudiscio e ferza,
Pigliandole anzi terza
Con esse passerei vèspero e squille;
E non sarei pietoso nè cortese,
Anzi farei com' orso quando scherza.
E se Amor me ne sferza,
Io mi vendicherei di più di mille.
Ancor ne li occhi, ond' escon le faville
Che m'infiammano il cor, ch'io porto anciso,
Guarderei presso e fiso,
Per vendicar lo fuggir che mi face:
E poi le renderei con Amor pace.
Canzon, vàttene dritto a quella donna,
Che m'ha ferito il core, e che m'invola
Quello ond' io ho più gola:
E dàlle per lo cor d'una saetta;
Chè bell' onor s'acquista in far vendetta.

43   *vi*

TRE donne intorno al cor mi son venute,
    E seggonsi di fore;
Chè dentro siede Amore,
Lo quale è in signoria della mia vita.
Tanto son belle, e di tanta virtute,
Che 'l possente signore,
Dico quel ch'è nel core,
Appena del parlar di lor s'aita.

Ciascuna par dolente e sbigottita,
Come persona discacciata e stanca,
Cui tutta gente manca,
E cui virtute nè beltà non vale.
Tempo fu già, nel quale,
Secondo il lor parlar, furon dilette;
Or sono a tutti in ira ed in non cale.
Queste così solette
Venute son come a casa d'amico,
Chè sanno ben che dentro è quel ch'io dico.
Dolesi l'una con parole molto,
E 'n sulla man si posa
Come succisa rosa;
Il nudo braccio, di dolor colonna,
Sente l'oraggio che cade dal volto;
L'altra man tiene ascosa
La faccia lagrimosa;
Discinta e scalza, e sol di sè par donna.
Come Amor prima per la rotta gonna
La vide in parte che il tacere è bello,
Egli, pietoso e fello,
Di lei e del dolor fece dimanda:
'Oh di pochi vivanda
(Rispose in voce con sospiri mista),
Nostra natura qui a te ci manda.
Io, che son la più trista,
Son suora alla tua madre, e son Drittura;
Povera, vedi, a panni ed a cintura.'
Poichè fatta si fu palese e conta,
Doglia e vergogna prese
Lo mio signore, e chiese
Chi fosser l'altre due ch'eran con lei.

E questa, ch'era sì di pianger pronta,
Tosto che lui intese,
Più nel dolor s'accese,
Dicendo: 'A te non duol degli occhi miei?'
Poi cominciò: 'Siccome saper dêi,
Di fonte nasce il Nilo picciol fiume
Quivi dove 'l gran lume
Toglie alla terra del vinco la fronda:
Sovra la vergin onda
Generai io costei, che m'è da lato,
E che s'asciuga con la treccia bionda.
Questo mio bel portato,
Mirando sè nella chiara fontana,
Generò questa che m'è più lontana.'
Fenno i sospiri Amore un poco tardo;
E poi con gli occhi molli,
Che prima furon folli,
Salutò le germane sconsolate.
E poichè prese l'uno e l'altro dardo,
Disse: 'Drizzate i colli:
Ecco l'armi ch'io volli;
Per non usar, vedete, son turbate.
Larghezza e Temperanza e l'altre nate
Del nostro sangue mendicando vanno.
Però, se questo è danno,
Piangano gli occhi e dolgasi la bocca
Degli uomini a cui tocca,
Che sono a' raggi di cotal ciel giunti;
Non noi, che semo dell' eterna rocca:
Chè, se noi siamo or punti,
Noi pur saremo, e pur tornerà gente,
Che questo dardo farà star lucente.'

Ed io che ascolto nel parlar divino
   Consolarsi e dolersi
   Così alti dispersi,
   L'esilio, che m'è dato, onor mi tegno:
Chè se giudizio, o forza di destino,
   Vuol pur che il mondo versi
   I bianchi fiori in persi,
   Cader co' buoni è pur di lode degno.
   E se non che degli occhi miei 'l bel segno
Per lontananza m'è tolto dal viso,
   Che m'have in fuoco miso,
   Lieve mi conterei ciò che m'è grave.
   Ma questo fuoco m'have
   Già consumato sì l'ossa e la polpa,
   Che morte al petto m'ha posto la chiave:
   Onde, s'io ebbi colpa,
   Più lune ha volto il Sol, poichè fu spenta,
   Se colpa muore perchè l'uom si penta.
Canzone, a' panni tuoi non ponga uom mano,
   Per veder quel che bella donna chiude:
   Bastin le parti nude:
   Lo dolce pomo a tutta gente niega,
   Per cui ciascun man piega.
   Ma s'egli avvien che tu alcun mai truovi
   Amico di virtù, ed e' ti priega,
   Fatti di color nuovi:
   Poi gli ti mostra, e 'l fior che, bel di fuori,
   Fa desiar negli amorosi cuori.
Canzone, uccella con le bianche penne;
   Canzone, caccia con li neri veltri,
   Che fuggir mi convenne
   Ma far mi poterian di pace dono.

Però nol fan, che non san quel che sono:
Camera di perdon savio uom non serra,
Chè 'l perdonare è bel vincer di guerra.

44   *vii*

PER quella via che la bellezza corre,
    Quando a svegliare Amor va ne la mente,
    Passa Lisetta baldanzosamente,
Come colei che mi si crede tôrre.
E quando è giunta a piè di quella torre
    Che s'apre quando l'anima acconsente,
    Odesi voce dir subitamente:
    'Volgiti, bella donna, e non ti porre;
Però che dentro un' altra donna siede,
    La qual di signoria chiese la verga
    Tosto che giunse, e Amor glile diede.'
Quando Lisetta accomiatar si vede
    Da quella parte dove Amore alberga,
    Tutta dipinta di vergogna riede.

45   *viii*

DONNE, ch'avete intelletto d'amore,
    Io vo' con voi della mia donna dire;
    Non perch' io creda sua laude finire,
Ma ragionar per isfogar la mente.
Io dico che, pensando il suo valore,
Amor sì dolce mi si fa sentire,
Che, s'io allora non perdessi ardire,
Farei parlando innamorar la gente.

Ed io non vo' parlar sì altamente,
Che divenissi per temenza vile;
Ma tratterò del suo stato gentile
A rispetto di lei leggeramente,
Donne e donzelle amorose, con vui,
Chè non è cosa da parlarne altrui.
Angelo clama in divino intelletto,
E dice: 'Sire, nel mondo si vede
Meraviglia nell' atto che procede
Da un' anima, che fin quassù risplende.'
Lo cielo, che non have altro difetto
Che d'aver lei, al suo Signor la chiede
E ciascun santo ne grida mercede.
Sola pietà nostra parte difende;
Chè parla Dio, che di madonna intende:
'Diletti miei, or sofferite in pace,
Che vostra speme sia quanto mi piace
Là, ov' è alcun che perder lei s'attende,
E che dirà nell' Inferno: "O malnati,
Io vidi la speranza de' beati." '
Madonna è disiata in sommo cielo:
Or vo' di sua virtù farvi sapere.
Dico: 'Qual vuol gentil donna parere
Vada con lei; chè quando va per via,
Gitta ne' cor villani Amore un gelo,
Per che ogni lor pensiero agghiaccia e pere;
E qual soffrisse di starla a vedere
Diverria nobil cosa, o si morria:
E quando trova alcun che degno sia
Di veder lei, quei prova sua virtute;
Chè gli avvien ciò che gli dona salute,
E sì l'umilia, che ogni offesa obblia.

Ancor le ha Dio per maggior grazia dato,
Che non può mal finir chi le ha parlato.'
Dice di lei Amor: 'Cosa mortale
Come esser può sì adorna e sì pura?'
Poi la riguarda, e fra sè stesso giura
Che Dio ne intenda di far cosa nuova.
Color di perle ha quasi, in forma quale
Conviene a donna aver, non fuor misura:
Ella è quanto di ben può far natura;
Per esempio di lei beltà si prova.
Degli occhi suoi, come ch'ella li muova,
Escono spirti d'amore infiammati,
Che fieron gli occhi a qual che allor la guati,
E passan sì che 'l cor ciascun ritrova.
Voi le vedete Amor pinto nel viso,
Là ove non puote alcun mirarla fiso.
Canzone, io so che tu girai parlando
A donne assai, quando t'avrò avanzata:
Or t'ammonisco, perch' io t'ho allevata
Per figliuola d'Amor giovane e piana,
Che là ove giugni, tu dichi pregando:
'Insegnatemi gir; ch'io son mandata
A quella, di cui laude io so' adornata.'
E se non vuoli andar siccome vana,
Non restare ove sia gente villana:
Ingegnati, se puoi, d'esser palese
Solo con donne o con uomo cortese,
Che ti merranno là per via tostana.
Tu troverai Amor con esso lei;
Raccomandami a lui come tu dêi.

46   *ix*

NEGLI occhi porta la mia donna Amore,
    Per che si fa gentil ciò ch'ella mira:
    Ov' ella passa, ogni uom ver lei si gira,
    E cui saluta fa tremar lo core,
Sicchè, bassando il viso, tutto smuore,
    E d'ogni suo difetto allor sospira:
    Fugge dinanzi a lei superbia ed ira:
    Aiutatemi, donne, a farle onore.
Ogni dolcezza, ogni pensiero umìle
    Nasce nel core a chi parlar la sente;
    Ond' è laudato chi prima la vide.
Quel ch'ella par quand' un poco sorride,
    Non si può dicer, nè tener a mente,
    Sì è nuovo miracolo e gentile.

47   *x*

DONNA pietosa e di novella etate,
    Adorna assai di gentilezze umane,
Ch'era là ov' io chiamava spesso Morte,
Veggendo gli occhi miei pien di pietate,
Ed ascoltando le parole vane,
Si mosse con paura a pianger forte;
Ed altre donne, che si furo accorte
Di me per quella che meco piangia,
Fecer lei partir via,
Ed appressârsi per farmi sentire.
Qual dicea: 'Non dormire';
E qual dicea: 'Perchè sì ti sconforte?'
Allor lasciai la nuova fantasia,
Chiamando il nome della donna mia.

Era la voce mia sì dolorosa,
   E rotta sì dall' angoscia del pianto,
Ch'io solo intesi il nome nel mio core;
E con tutta la vista vergognosa,
Ch'era nel viso mio giunta cotanto,
Mi fece verso lor volgere Amore.
Egli era tale a veder mio colore,
Che facea ragionar di morte altrui:
'Deh consoliam costui',
Pregava l'una l'altra umilemente;
E dicevan sovente:
'Che vedestù, che tu non hai valore?'
E quando un poco confortato fui,
Io dissi: 'Donne, dicerollo a vui.'
Mentre io pensava la mia frale vita,
   E vedea 'l suo durar com' è leggiero,
Piansemi Amor nel core, ove dimora;
Per che l'anima mia fu sì smarrita,
Che sospirando dicea nel pensiero:
'Ben converrà che la mia donna mora.'
Io presi tanto smarrimento allora,
Ch'io chiusi gli occhi vilmente gravati;
E furon sì smagati
Gli spirti miei, che ciascun giva errando.
E poscia imaginando,
Di conoscenza e di verità fuora,
Visi di donne m'apparver crucciati,
Che mi dicean pur: 'Morra'ti, morra'ti.'
Poi vidi cose dubitose molte
   Nel vano immaginare, ov' io entrai;
Ed esser mi parea non so in qual loco,
E veder donne andar per via disciolte,

Qual lagrimando, e qual traendo guai,
Che di tristizia saettavan foco.
Poi mi parve vedere a poco a poco
Turbar lo sole ed apparir la stella,
E pianger egli ed ella;
Cader gli augelli volando per l'âre,
E la terra tremare;
Ed uom m'apparve scolorito e fioco,
Dicendomi: 'Che fai? non sai novella?
Morta è la donna tua, ch'era sì bella.'
Levava gli occhi miei bagnati in pianti,
E vedea (che parean pioggia di manna)
Gli angeli che tornavan suso in cielo,
Ed una nuvoletta avean davanti,
Dopo la qual gridavan tutti: 'Osanna';
E s'altro avesser detto, a voi dire' lo.
Allor diceva Amor: 'Più nol ti celo;
Vieni a veder nostra donna che giace.'
L'imaginar fallace
Mi condusse a veder mia donna morta,
E quando io l'avea scorta,
Vedea che donne la covrian d'un velo;
Ed avea seco umilità verace,
Che parea che dicesse: 'Io sono in pace.'
Io diveniva nel dolor sì umìle,
Veggendo in lei tanta umiltà formata,
Ch'io dicea: 'Morte, assai dolce ti tegno;
Tu dêi omai esser cosa gentile,
Poichè tu se' nella mia donna stata,
E dêi aver pietate, e non disdegno.
Vedi che sì desideroso vegno
D'esser de' tuoi, ch'io ti somiglio in fede.

Vieni, chè 'l cor ti chiede.'
Poi mi partia, consumato ogni duolo;
E quando io era solo,
Dicea, guardando verso l'alto regno:
'Beato, anima bella, chi ti vede!'
Voi mi chiamaste allor, vostra mercede.

48   *xi*

IO mi sentii svegliar dentro allo core
  Un spirito amoroso che dormia,
  E poi vidi venir da lungi Amore
  Allegro sì, che appena il conoscia,
Dicendo: 'Or pensa pur di farmi onore';
  E 'n ciascuna parola sua ridia.
  E, poco stando meco il mio signore,
  Guardando in quella parte, ond' ei venia,
Io vidi monna Vanna e monna Bice
  Venire inver lo loco là ov' i' era,
  L'una appresso dell' altra meraviglia:
E sì come la mente mi ridice,
  Amor mi disse: 'Questa è Primavera,
  E quella ha nome Amor, sì mi somiglia.'

49   *xii*

TANTO gentile e tanto onesta pare
  La donna mia, quand' ella altrui saluta,
Ch'ogni lingua divien tremando muta,
E gli occhi non l'ardiscon di guardare.
Ella si va, sentendosi laudare,
  Benignamente d'umiltà vestuta;

62

E par che sia una cosa venuta
Da cielo in terra a miracol mostrare.
Mostrasi sì piacente a chi la mira,
Che dà per gli occhi una dolcezza al core,
Che intender non la può chi non la prova.
E par che della sua labbia si muova
Un spirito soave pien d'amore,
Che va dicendo all' anima: 'sospira'.

50   xiii

GLI occhi dolenti per pietà del core
Hanno di lagrimar sofferta pena,
Sì che per vinti son rimasi omai.
Ora s'io voglio sfogar lo dolore,
Che a poco a poco alla morte mi mena,
Convenemi parlar traendo guai.
E perchè mi ricorda ch'io parlai
Della mia donna, mentre che vivia,
Donne gentili, volentier con vui,
Non vo' parlare altrui,
Se non a cor gentil che 'n donna sia;
E dicerò di lei piangendo, pui
Che se n'è gita in ciel subitamente,
Ed ha lasciato Amor meco dolente.
Ita n'è Beatrice in l'alto cielo,
Nel reame ove gli angeli hanno pace,
E sta con loro, e voi, donne, ha lasciate.
Non la ci tolse qualità di gelo,
Nè di calore, come l'altre face;
Ma solo fu sua gran benignitate.

Chè luce della sua umilitate
Passò li cieli con tanta virtute,
Che fe' maravigliar l'eterno Sire,
Sì che dolce disire
Lo giunse di chiamar tanta salute,
E félla di qua giù a sè venire;
Perchè vedea ch'esta vita noiosa
Non era degna di sì gentil cosa.
Partissi della sua bella persona
Piena di grazia l'anima gentile,
Ed èssi gloriosa in loco degno.
Chi non la piange, quando ne ragiona,
Core ha di pietra sì malvagio e vile,
Ch'entrar non vi può spirito benegno.
Non è di cor villan sì alto ingegno,
Che possa imaginar di lei alquanto,
E però non gli vien di pianger doglia:
Ma vien tristizia e voglia
Di sospirare e di morir di pianto,
E d'ogni consolar l'anima spoglia,
Chi vede nel pensiero alcuna volta
Qual ella fu, e com' ella n'è tolta.
Dannomi angoscia li sospiri forte,
Quando il pensiero nella mente grave
Mi reca quella che m'ha il cor diviso
E spesse fiate pensando alla morte,
Vienemene un desio tanto soave,
Che mi tramuta lo color nel viso.
Quando l'imaginar mi vien ben fiso,
Giugnemi tanta pena d'ogni parte,
Ch'i' mi riscuoto per dolor ch'io sento;
E sì fatto divento,

Che dalle genti vergogna mi parte.
Poscia piangendo, sol nel mio lamento
Chiamo Beatrice, e dico: 'Or se' tu morta?'
E mentre ch'io la chiamo, mi conforta.
Pianger di doglia e sospirar d'angoscia
Mi strugge il core ovunque sol mi trovo,
Sì che ne increscerebbe a chi m'audesse:
E qual è stata la mia vita, poscia
Che la mia donna andò nel secol nuovo,
Lingua non è che dicer lo sapesse:
E però, donne mie, pur ch'io volesse,
Non vi saprei io dir ben quel ch'io sono;
Sì mi fa travagliar l'acerba vita,
La quale è sì invilita,
Ch'ogni uom par che mi dica: 'Io t'abbandono',
Vedendo la mia labbia tramortita.
Ma qual ch'io sia, la mia donna sel vede,
Ed io ne spero ancor da lei mercede.
Pietosa mia canzone, or va' piangendo,
E ritrova le donne e le donzelle,
A cui le tue sorelle
Erano usate di portar letizia;
E tu, che sei figliuola di tristizia,
Vatten disconsolata a star con elle.

51   *xiv*

V ENITE a intender li sospiri miei,
   O cor gentili, chè pietà il desia;
   Li quai disconsolati vanno via,
   E s'e' non fosser, di dolor morrei:

Perocchè gli occhi mi sarebber rei
   Molte fïate più ch'io non vorria,
   Lasso! di pianger sì la donna mia,
   Che sfogasser lo cor, piangendo lei.
Voi udirete lor chiamar sovente
   La mia donna gentil, che se n'è gita
   Al secol degno della sua virtute;
E dispregiar talora questa vita
   In persona dell' anima dolente,
   Abbandonata dalla sua salute.

52   *xv*

QUANTUNQUE volte, lasso! mi rimembra
   Ch'io non debbo giammai
Veder la donna, ond' io vo sì dolente,
Tanto dolore intorno al cor m'assembra
La dolorosa mente,
Ch'io dico: 'Anima mia, che non te n' vai?
Chè li tormenti, che tu porterai
Nel secol che t'è già tanto noioso,
Mi fan pensoso di paura forte';
Ond' io chiamo la Morte,
Come soave e dolce mio riposo;
E dico: 'Vieni a me', con tanto amore,
Ch'io sono astioso di chiunque muore.
E' si raccoglie ne li miei sospiri
   Un suono di pietate,
   Che va chiamando Morte tuttavia.
   A lei si volser tutti i miei desiri,
   Quando la donna mia

Fu giunta dalla sua crudelitate:
Perchè il piacere della sua beltate
Partendo sè dalla nostra veduta,
Divenne spirital bellezza grande,
Che per lo cielo spande
Luce d'amor, che gli angeli saluta,
E lo intelletto loro alto e sottile
Face maravigliar, sì v'è gentile.

53 *xvi*

E RA venuta nella mente mia
　Quella donna gentil, cui piange Amore,
　Entro quel punto, che lo suo valore
　Vi trasse a riguardar quel ch'io facìa.
Amor, che nella mente la sentìa,
　S'era svegliato nel distrutto core,
　E diceva a' sospiri: 'Andate fuore';
　Per che ciascun dolente si partìa.
Piangendo uscivan fuor de lo mio petto
　Con una voce, che sovente mena
　Le lagrime dogliose agli occhi tristi.
Ma quei, che n'uscìan fuor con maggior pena,
　Venìan dicendo: 'O nobile intelletto,
　Oggi fa l'anno che nel ciel salisti.'

54 *xvii*

L ASSO! per forza di molti sospiri,
　Che nascon de' pensier che son nel core,
　Gli occhi son vinti, e non hanno valore
　Di riguardar persona che li miri.

E fatti son, che paion due disiri
   Di lagrimare e di mostrar dolore,
   E spesse volte piangon sì, ch'Amore
   Li cerchia di corona di martiri.
Questi pensieri, e li sospir ch'io gitto,
   Diventano nel cor sì angosciosi,
   Ch'Amor vi tramortisce, sì glien duole;
Perocch' elli hanno in lor, li dolorosi,
   Quel dolce nome di Madonna scritto,
   E della morte sua molte parole.

55 *xviii*

DEH peregrini, che pensosi andate
   Forse di cosa che non v'è presente,
   Venite voi da sì lontana gente,
   Come alla vista voi ne dimostrate,
Che non piangete, quando voi passate
   Per lo suo mezzo la città dolente,
   Come quelle persone, che neente
   Par che intendesser la sua gravitate?
Se voi restaste, per volerlo udire,
   Certo lo cor de' sospiri mi dice,
   Che lagrimando n'uscireste pui.
Ella ha perduta la sua Beatrice;
   E le parole, ch'uom di lei può dire,
   Hanno virtù di far piangere altrui.

56 *xix*

OLTRE la spera, che più larga gira,
  Passa il sospiro ch'esce del mio core:
  Intelligenza nuova, che l'Amore
  Piangendo mette in lui, pur su lo tira.
Quand' egli è giunto là, dove desira,
  Vede una donna, che riceve onore,
  E luce sì, che per lo suo splendore
  Lo peregrino spirito la mira.
Vedela tal, che, quando il mi ridice,
  Io non lo intendo, sì parla sottile
  Al cor dolente, che lo fa parlare.
So io che parla di quella gentile,
  Perocchè spesso ricorda Beatrice,
  Sicch' io lo intendo ben, donne mie care.

57 *xx*

VOI che intendendo il terzo ciel movete,
  Udite il ragionar ch'è nel mio core,
  Ch'io nol so dire altrui, sì mi par novo.
  Il ciel che segue lo vostro valore,
  Gentili creature che voi siete,
  Mi tragge nello stato ov' io mi trovo;
  Onde 'l parlar della vita ch'io provo,
  Par che si drizzi degnamente a vui:
  Però vi priego che lo m'intendiate.
  Io vi dirò del cor la novitate,
  Come l'anima trista piange in lui,
  E come un spirto contro a lei favella,
  Che vien pe' raggi della vostra stella.

Suol esser vita dello cor dolente
    Un soave pensier, che se ne gìa
    Molte fïate a' piè del vostro Sire;
    Ove una Donna gloriar vedìa,
    Di cui parlava a me sì dolcemente,
    Che l'anima diceva: 'I' men vo' gire.'
    Or apparisce chi lo fa fuggire,
    E signoreggia me di tal virtute,
    Che il cor ne trema sì, che fuori appare.
    Questi mi face una Donna guardare,
    E dice: 'Chi veder vuol la salute,
    Faccia che gli occhi d'esta Donna miri,
    S'egli non teme angoscia di sospiri.'
Trova contraro tal, che lo distrugge,
    L'umil pensiero che parlar mi suole
    D'un' angiola che 'n cielo è coronata.
    L'anima piange, sì ancor le n' duole,
    E dice: 'Oh lassa me, come si fugge
    Questo pietoso che m'ha consolata!'
    Degli occhi miei dice quest' affannata:
    'Qual ora fu, che tal donna gli vide!
    E perchè non credeano a me di lei?
    Io dicea: "Ben negli occhi di costei
    De' star colui che le mie pari uccide."
    E non mi valse ch'io ne fossi accorta
    Che non mirasser tal, ch'io ne son morta.'
'Tu non se' morta, ma se' ismarrita,
    Anima nostra, che sì ti lamenti',
    Dice uno spiritel d'amor gentile;
    'Chè quella bella Donna, che tu senti,
    Ha trasmutata in tanto la tua vita,
    Che n'hai paura, sì se' fatta vile.

Mira quant' ella è pietosa ed umìle,
Saggia e cortese nella sua grandezza,
E pensa di chiamarla Donna omai:
Chè, se tu non t'inganni, tu vedrai
Di sì alti miracoli adornezza,
Che tu dirai: "Amor, signor verace,
Ecco l'ancella tua; fa' che ti piace." '
Canzone, i' credo che saranno radi
Color che tua ragione intendan bene,
Tanto la parli faticosa e forte:
Onde se per ventura egli addiviene
Che tu dinanzi da persone vadi,
Che non ti paian d'essa bene accorte,
Allor ti priego che ti riconforte,
Dicendo lor, diletta mia novella:
'Ponete mente almen com' io son bella.'

CINO DA PISTOIA

c. 1270–†1336

58

i

TUTTO ch'altrui aggrada, me disgrada,
Et èmmi a noia e spiace tutto 'l mondo.
'Or dunque che ti piace?' I' ti rispondo:
Quando l'un l'altro spessamente agghiada.
E piacemi veder colpi di spada
Altrui nel volto, e nave andare a fondo;
E piacerebbemi un Neron secondo,
E ch'ogni bella donna fosse lada.
Molto mi spiace allegrezza e sollazzo,
E la malinconia m'aggrada forte,
E tutto 'l dì vorrei seguire un pazzo;

E far mi piaceria di pianto corte,
  E tutti quelli ammazzar ch'io ammazzo
  Nel fier pensier là dove io trovo morte.

59   *ii*

IO fui 'n su l'alto e 'n sul beato monte,
  Ch'io adorai baciando il santo sasso,
  E caddi 'n su di quella pietra lasso,
  Ove l'onestà pose la sua fronte,
E che là chiuse d'ogni virtù 'l fonte
  Quel giorno che di morte acerbo passo
  Fece la donna de lo mio cor, lasso!,
  Già piena tutta d'adornezze conte.
Quivi chiamai a questa guisa Amore:
  'Dolce mio dio, fa' che qui mi traggia
  La morte a sè, chè qui giace il mio core.'
Ma, poi che non m'intese il mio signore,
  Mi dipartii pur chiamando Selvaggia;
  L'alpe passai con voce di dolore.

60   *iii*

LA dolce vista e 'l bel guardo soave
  De' più begli occhi che lucesser mai,
Che perdut' ho, mi fa parer sì grave
La vita mia, ch'io vo traendo guai;
E 'n vece di pensier leggiadri e gai
  Ch'aver solea d'Amore,
  Porto desii nel core
  Che son nati di Morte,
Per la partenza sì me ne duol forte.

Ohimè! Amor, perchè nel primo passo
   Non mi feristi sì ch'io fussi morto?
   Perchè non dipartisti da me, lasso,
   Lo spirito angoscioso ched io porto?
   Amor, al mio dolor non è conforto;
   Anzi, com' io più guardo,
   A sospirar più m'ardo,
   Trovandomi partuto
   Da quei begli occhi ov' io t'ho già veduto.
Io t'ho veduto in quei begli occhi, Amore,
   Tal che la rimembranza me ne occide
   E fa sì grande schiera di dolore
   Dentro a la mente, che l'anima stride
   Sol perchè Morte, ohimè, non la divide
   Da me, come diviso
   M'ha dal gioioso riso
   E d'ogni stato allegro
   Lo gran contrario ch'è dal Bianco al Negro.
Quando per gentil atto di salute
   Ver bella donna levo gli occhi alquanto,
   Sì tutta si disvìa la mia vertute,
   Che dentro ritener non posso il pianto,
   Membrando di madonna, cui son tanto
   Lontan di veder lei.
   O dolenti occhi miei,
   Non morrete di doglia?
   'Sì per nostro voler, pur che Amor voglia.'
Amor, la mia ventura è troppo cruda,
   E ciò ch'a li occhi incontra più m'attrista:
   Dunque, mercè! che la tua man li chiuda
   Da c'ho perduto l'amorosa vista.
   E quando vita per morte s'acquista,

Gioioso è lo morire:
Tu sai là 've de' gire
Lo spirito mio pui,
E sai quanta pietà s'arà di lui.
Amor, ad esser micidial pietoso
T'invita il mio tormento:
Secondo c'ho talento,
Dammi di morte gioia,
Che ne vada lo spirito a Pistoia.

iv

61   (*A Dante*, in morte di Beatrice)

AVVEGNA ched el m'aggia più per tempo
   Per voi richiesto Pietate e Amore
Per confortar la vostra grave vita,
Non è ancor sì trapassato il tempo,
Che 'l mio sermon non trovi il vostro core
Piangendo star con l'anima smarrita
Fra sè dicendo: 'Già siete in ciel gita,
Beata gioia, com' chiamava il nome!
Lasso me! quando e come
Vedervi potrò io visibilmente?';
Sì che ancora a presente
Vi posso fare di conforto aita:
Dunque m'udite, poi ch'io parlo a posta
D'Amor, a li sospir ponendo sosta.
Noi provamo che 'n questo cieco mondo
   Ciascun si vive in angosciosa noia,
Chè in ogni avversità ventura 'l tira:
Beata l'alma che lassa tal pondo

E va nel ciel ov' è compiuta gioia,
Gioioso il cor for di corrotto e d'ira!
Or dunque di che il vostro cor sospira,
Che rallegrar si de' del suo migliore?
Chè Dio nostro signore
Volle di lei, come avea l'angel detto,
Fare il cielo perfetto:
Per nova cosa ogni santo la mira,
Ed ella sta dinanzi a la Salute,
Ed in ver lei parla ogni Virtute.
Di che vi stringe 'l cor pianto ed angoscia,
Che dovreste d'amor sopragioire,
Ch'avete in ciel la mente e l'intelletto?
Li vostri spirti trapassâr da poscia
Per sua virtù nel ciel; tal è il disire,
Ch'Amor là su li pinge per diletto.
O uomo saggio, oh Dio!, perchè distretto
Vi tien così l'affannoso pensiero?
Per suo onor vi chiero
Ch'allegramente prendiate conforto,
Nè aggiate più il cor morto,
Nè figura di morte in vostro aspetto:
Perchè Dio l'aggia locata fra i suoi,
Ella tutt' ora dimora con voi.
Conforto, già, conforto l'Amor chiama,
E Pietà prega: 'Per Dio, fate resto':
Or inchinate a sì dolce preghiera,
Spogliatevi di questa veste grama,
Da che voi siete per ragion richiesto;
Chè l'uomo per dolor more e dispera.
Com' voi vedreste poi la bella ciera,
Se vi cogliesse morte in disperanza?

Di sì grave pesanza
Traete il vostro core omai, per Dio!
Che non sia così rio
Ver l'alma vostra, che ancora spera
Vederla in cielo e star nelle sue braccia:
Dunque di speme confortar vi piaccia.
Mirate nel piacer, dove dimora
    La vostra donna, ch'è in ciel coronata;
    Ond' è la vostra speme in paradiso
    E tutta santa ormai vostr' innamora,
    Contemplando nel ciel mente locata.
    Lo core vostro, per cui sta diviso,
    Che pinto tiene in sè beato viso?
    Secondo ch'era qua giù meraviglia,
    Così lassù somiglia,
    E tanto più quanto è me' conosciuta.
    Come fu ricevuta
    Dagli angioli con dolce canto e riso,
    Li spirti vostri rapportato l'hanno,
    Che spesse volte quel vïaggio fanno.
Ella parla di voi con li beati,
    E dice loro: 'Mentre che io fui
    Nel mondo, ricevetti onor da lui,
    Laudando me ne' suoi detti laudati':
    E prega Dio, lo signor verace,
    Che vi conforti, sì come vi piace.

FRANCESCO PETRARCA

1304–†1374

i

MOVESI il vecchierel canuto e bianco
    Del dolce loco ov' ha sua età fornita,
  E da la famigliuola sbigottita
  Che vede il caro padre venir manco;
Indi traendo poi l'antiquo fianco
  Per l'estreme giornate di sua vita,
  Quanto più pô col buon voler s'aita,
  Rotto da gli anni e dal cammino stanco;
E viene a Roma, seguendo 'l desio,
  Per mirar la sembianza di colui
  Ch'ancor lassù nel ciel vedere spera.
Così, lasso !, talor vo cercand' io,
  Donna, quanto è possibile, in altrui
  La disiata vostra forma vera.

ii

SOLO e pensoso i più deserti campi
    Vo misurando a passi tardi e lenti,
  E gli occhi porto, per fuggire, intenti,
  Ove vestigio uman l'arena stampi.
Altro schermo non trovo che mi scampi
  Dal manifesto accorger de le genti,
  Perchè negli atti d'allegrezza spenti
  Di fuor si legge com' io dentro avampi:
Sì ch'io mi credo omai che monti e piagge
  E fiumi e selve sappian di che tempre
  Sia la mia vita, ch'è celata altrui.

Ma pur sì aspre vie nè sì selvagge
   Cercar non so, ch'Amor non venga sempre
   Ragionando con meco, et io con lui.

64   *iii*

NE la stagion che 'l ciel rapido inchina
   Verso occidente e che 'l dì nostro vola
A gente che di là forse l'aspetta,
Veggendosi in lontan paese sola
La stanca vecchiarella pellegrina
Raddoppia i passi e più e più s'affretta;
E poi così soletta,
Al fin di sua giornata
Talora è consolata
D'alcun breve riposo, ov' ella oblia
La noia e 'l mal de la passata via.
Ma, lasso!, ogni dolor che 'l dì m'adduce,
Cresce qualor s'invia
Per partirsi da noi l'eterna luce.
Come 'l sol volge le 'nfiammate rote
   Per dar luogo a la notte, onde discende
Da gli altissimi monti maggior l'ombra,
L'avaro zappador l'arme riprende,
E con parole e con alpestri note
Ogni gravezza del suo petto sgombra;
E poi la mensa ingombra
Di povere vivande,
Simili a quelle ghiande
Le qua' fuggendo tutto 'l mondo onora.

Ma chi vuol si rallegri ad ora ad ora;
  Ch'i' pur non ebbi ancor, non dirò lieta,
  Ma riposata un' ora,
  Nè per volger di ciel nè di pianeta.
Quando vede 'l pastor calare i raggi
  Del gran pianeta al nido ov' egli alberga,
  E 'nbrunir le contrade d'oriente,
  Drizzasi in piedi e co l'usata verga,
  Lassando l'erba e le fontane e i faggi,
  Move la schiera sua soavemente;
  Poi lontan da la gente
  O casetta o spelunca
  Di verdi fronde ingiunca:
  Ivi senza pensier s'adagia e dorme.
  Ahi, crudo Amor, ma tu allor più m'informe
  A seguir d'una fera che mi strugge
  La voce e i passi e l'orme,
  E lei non stringi, che s'appiatta e fugge.
E i naviganti in qualche chiusa valle
  Gettan le membra, poi che 'l sol s'asconde,
  Sul duro legno e sotto a l'aspre gonne.
  Ma io, perchè s'attuffi in mezzo l'onde,
  E lasci Ispagna dietro a le sue spalle
  E Granata e Marrocco e le Colonne,
  E gli uomini e le donne
  E 'l mondo e gli animali
  Aquetino i lor mali,
  Fine non pongo al mio obstinato affanno;
  E duolmi ch'ogni giorno arroge al danno,
  Ch'i' son già pur crescendo in questa voglia
  Ben presso al decim'anno,
  Nè posso indovinar chi me ne scioglia.

E perchè un poco nel parlar mi sfogo,
   Veggio la sera i buoi tornare sciolti
   Da le campagne e da' solcati colli.
   I miei sospiri a me perchè non tolti
   Quando che sia? perchè no 'l grave giogo?
   Perchè dì e notte gli occhi miei son molli?
   Misero me, che volli,
   Quando primier sì fiso
   Gli tenni nel bel viso,
   Per iscolpirlo, imaginando, in parte
   Onde mai nè per forza nè per arte
   Mosso sarà, fin ch'i' sia dato in preda
   A chi tutto diparte!
   Nè so ben anco che di lei mi creda.
Canzon, se l'esser meco
   Dal mattino a la sera
   T'ha fatto di mia schiera,
   Tu non vorrai mostrarti in ciascun loco;
   E d'altrui loda curerai sì poco,
   Ch'assai ti fia pensar di poggio in poggio
   Come m'ha concio 'l foco
   Di questa viva petra ov' io m'appoggio.

65   *iv*

SPIRTO gentil che quelle membra reggi
   Dentro a le qua' peregrinando alberga
   Un signor valoroso, accorto e saggio;
   Poi che se' giunto a l'onorata verga,
   Con la qual Roma e suoi erranti correggi,
   E la richiami al suo antiquo viaggio;

Io parlo a te, però ch'altrove un raggio
Non veggio di vertù, ch'al mondo è spenta;
Nè trovo chi di mal far si vergogni.
Che s'aspetti non so, nè che s'agogni
Italia, che suoi guai non par che senta;
Vecchia, ozïosa e lenta,
Dormirà sempre, e non fia chi la svegli?
Le man l'avess' io avolto entro i capegli!
Non spero che già mai dal pigro sonno
Mova la testa, per chiamar ch'uom faccia,
Sì gravemente è oppressa e di tal soma:
Ma non senza destino a le tue braccia,
Che scuoter forte e sollevarla ponno,
È or commesso il nostro capo Roma.
Pon man in quella venerabil chioma
Securamente, e ne le treccie sparte,
Sì che la neghittosa esca del fango.
I' che dì e notte del suo strazio piango,
Di mia speranza ho in te la maggior parte:
Che se 'l popol di Marte
Devesse al proprio onor alzar mai gli occhi,
Parmi pur ch'a' tuoi dì la grazia tocchi.
L'antiche mura, ch'ancor teme et ama
E trema 'l mondo, quando si rimembra
Del tempo andato e 'ndietro si rivolve,
E i sassi dove fur chiuse le membra
Di tai, che non saranno senza fama
Se l'universo pria non si dissolve,
E tutto quel ch'una ruina involve,
Per te spera saldar ogni suo vizio.
O grandi Scipïoni, o fedel Bruto,
Quanto v'aggrada, s'egli è ancor venuto

Rumor là giù del ben locato offizio!
Come cre' che Fabrizio
Si faccia lieto udendo la novella!
E dice: 'Roma mia sarà ancor bella.'
E se cosa di qua nel ciel si cura,
L'anime, che lassù son cittadine,
Et hanno i corpi abbandonati in terra,
Del lungo odio civil ti pregan fine,
Per cui la gente ben non s'assecura;
Onde 'l cammin a' lor tetti si serra,
Che fur già sì devoti, et ora in guerra
Quasi spelunca di ladron son fatti,
Tal ch'a' buon solamente uscio si chiude:
E tra gli altari e tra le statue ignude
Ogni impresa crudel par che si tratti.
Deh quanto diversi atti!
Nè senza squille s'incomincia assalto,
Che per Dio ringraziar fur poste in alto.
Le donne lagrimose, e 'l vulgo inerme
De la tenera etate, e i vecchi stanchi
Ch'hanno sè in odio e la soverchia vita,
E i neri fraticelli e i bigi e i bianchi,
Coll' altre schiere travagliate e 'nferme,
Gridan: 'O signor nostro, aita, aita';
E la povera gente sbigottita
Ti scopre le sue piaghe a mille a mille,
Ch'Annibale, non ch'altri, farian pio;
E se ben guardi a la magion di Dio
Ch'arde oggi tutta, assai poche faville
Spegnendo, fien tranquille
Le voglie che si mostran sì 'nfiammate;
Onde fien l'opre tue nel ciel laudate.

Orsi, Lupi, Leoni, Aquile e Serpi
   Ad una gran marmorea Colonna
   Fanno noia sovente, et a sè danno;
   Di costor piange quella gentil donna,
   Che t'ha chiamato a ciò che di lei sterpi
   Le male piante che fiorir non sanno.
   Passato è già più che 'l millesimo anno,
   Che 'n lei mancâr quell' anime leggiadre
   Che locata l'avean là dov' ell' era.
   Ahi nova gente oltra misura altera,
   Irreverente a tanta et a tal madre!
   Tu marito, tu padre:
   Ogni soccorso di tua man s'attende;
   Chè 'l maggior Padre ad altr' opera intende.
Rade volte addivien, ch'a l'alte imprese
   Fortuna ingiurïosa non contrasti,
   Ch'agli animosi fatti mal s'accorda.
   Ora sgombrando 'l passo onde tu intrasti,
   Fammisi perdonar molt' altre offese,
   Ch'almen qui da sè stessa si discorda:
   Però che quanto 'l mondo si ricorda,
   Ad uom mortal non fu aperta la via
   Per farsi, come a te, di fama eterno:
   Che puoi drizzar, s'i' non falso discerno,
   In stato la più nobil monarchia.
   Quanta gloria ti fia
   Dir: 'Gli altri l'aitâr giovane e forte;
   Questi in vecchiezza la scampò da morte!'
Sopra 'l monte Tarpeo, canzon, vedrai
   Un cavalier ch'Italia tutta onora,
   Pensoso più d'altrui che di sè stesso.
   Digli: un, che non ti vide ancor da presso,

Se non come per fama uom s'innamora,
Dice che Roma ogni ora
Con gli occhi di dolor bagnati e molli
Ti chier mercè da tutti sette i colli.

66   v

PADRE del ciel, dopo i perduti giorni,
   Dopo le notti vaneggiando spese
Con quel fero desio ch'al cor s'accese
Mirando gli atti per mio mal sì adorni,
Piacciati omai, col tuo lume, ch'io torni
   Ad altra vita et a più belle imprese;
   Sì ch'avendo le reti indarno tese
Il mio duro avversario se ne scorni.
Or volge, Signor mio, l'undecimo anno
   Ch'i' fui sommesso al dispietato giogo,
   Che sopra i più soggetti è più feroce.
Miserere del mio non degno affanno;
   Reduci i pensier vaghi a miglior luogo;
   Rammenta lor com' oggi fosti in croce.

67   vi

IO son sì stanco sotto 'l fascio antico
   De le mie colpe e de l'usanza ria,
   Ch'i' temo forte di mancar tra via,
E di cader in man del mio nemico.
Ben venne a dilivrarmi un grande amico
   Per somma et ineffabil cortesia;
   Poi volò fuor de la veduta mia,
   Sì ch'a mirarlo indarno m'affatico.

Ma la sua voce ancor qua giù rimbomba:
'O voi che travagliate, ecco 'l camino;
Venite a me, se 'l passo altri non serra.'
Qual grazia, qual amore o qual destino
Mi darà penne in guisa di colomba,
Ch'i' mi riposi, e levimi da terra?

68   vii

ERANO i capei d'oro a l'aura sparsi,
Che 'n mille dolci nodi gli avolgea;
E 'l vago lume oltra misura ardea
Di quei begli occhi, ch'or ne son sì scarsi;
E 'l viso di pietosi color farsi,
Non so se vero o falso, mi parea:
I' che l'esca amorosa al petto avea,
Qual meraviglia se di subit' arsi?
Non era l'andar suo cosa mortale,
Ma d'angelica forma; e le parole
Sonavan altro che pur voce umana.
Uno spirto celeste, un vivo sole
Fu quel ch'i' vidi; e se non fosse or tale,
Piaga per allentar d'arco non sana.

69   viii

QUEL vago impallidir, che 'l dolce riso
D'un' amorosa nebbia ricoperse,
Con tanta maestade al cor s'offerse,
Che li si fece incontr' a mezzo 'l viso.

Conobbi allor sì come in paradiso
   Vede l'un l'altro: in tal guisa s'aperse
   Quel pietoso pensier, ch'altri non scerse,
   Ma vidil' io, ch'altrove non m'affiso.
Ogni angelica vista, ogni atto umile,
   Che già mai in donna, ov' amor fosse, apparve,
   Fôra uno sdegno a lato a quel ch'i' dico.
Chinava a terra il bel guardo gentile,
   E tacendo dicea, com' a me parve:
   'Chi m'allontana il mio fedele amico?'

70   *ix*

CHIARE, fresche e dolci acque,
  Ove le belle membra
   Pose colei che sola a me par donna;
  Gentil ramo, ove piacque
  (Con sospir mi rimembra)
   A lei di fare al bel fianco colonna;
   Erba e fior, che la gonna
   Leggiadra ricoverse
   Co l'angelico seno;
   Aer sacro sereno,
   Ove Amor co' begli occhi il cor m'aperse;
   Date udïenza insieme
   A le dolenti mie parole estreme.
 S'egli è pur mio destino,
  E 'l Cielo in ciò s'adopra,
   Ch'Amor quest' occhi lagrimando chiuda,
  Qualche grazia il meschino
  Corpo fra voi ricopra,
   E torni l'alma al proprio albergo ignuda.

La morte fia men cruda,
Se questa spene porto
A quel dubbioso passo:
Chè lo spirito lasso
Non poria mai in più riposato porto
Nè in più tranquilla fossa
Fuggir la carne travagliata e l'ossa.
Tempo verrà ancor forse,
   Ch'a l'usato soggiorno
   Torni la fera bella e mansueta;
   E là v'ella mi scorse
   Nel benedetto giorno,
   Volga la vista disïosa e lieta,
   Cercandomi: et o pieta!
   Già terra infra le pietre
   Vedendo, Amor l'inspiri
   In guisa che sospiri
   Sì dolcemente che mercè m'impetre,
   E faccia forza al Cielo,
   Asciugandosi gli occhi col bel velo.
Da be' rami scendea,
   (Dolce ne la memoria)
   Una pioggia di fior sovra 'l suo grembo;
   Et ella si sedea
   Umile in tanta gloria,
   Coverta già de l'amoroso nembo.
   Qual fior cadea sul lembo,
   Qual su le treccie bionde,
   Ch'oro forbito e perle
   Eran quel dì a vederle;
   Qual si posava in terra, e qual su l'onde;
   Qual con un vago errore

Girando parea dir: 'Qui regna Amore.'
Quante volte diss' io
    Allor pien di spavento:
    'Costei per fermo nacque in Paradiso!'
    Così carco d'oblio
    Il divin portamento
    E 'l volto e le parole e 'l dolce riso
    M'aveano, e sì diviso
    Dall' immagine vera,
    Ch'i' dicea sospirando:
    'Qui come venn' io, o quando?'
    Credendo esser in ciel, non là dov' era.
    Da indi in qua mi piace
    Questa erba sì, ch'altrove non ho pace.
Se tu avessi ornamenti quant' hai voglia,
    Potresti arditamente
    Uscir del bosco, e gir infra la gente.

71   x

ITALIA mia, benchè 'l parlar sia indarno
    A le piaghe mortali
    Che nel bel corpo tuo sì spesse veggio,
    Piacemi almen che i miei sospir sian quali
    Spera 'l Tevero e l'Arno,
    E 'l Po dove doglioso e grave or seggio.
    Rettor del cielo, io cheggio
    Che la pietà che ti condusse in terra
    Ti volga al tuo diletto almo paese.
    Vedi, Segnor cortese,
    Di che lievi cagion che crudel guerra!
    E i cor, che 'ndura e serra

Marte superbo e fero,
Apri tu, Padre, e 'ntenerisci e snoda:
Ivi fa' che 'l tuo vero
(Qual io mi sia) per la mia lingua s'oda.
Voi, cui Fortuna ha posto in mano il freno
De le belle contrade
Di che nulla pietà par che vi stringa,
Che fan qui tante pellegrine spade?
Perchè 'l verde terreno
Del barbarico sangue si depinga?
Vano error vi lusinga:
Poco vedete, e parvi veder molto:
Chè 'n cor venale amor cercate o fede.
Qual più gente possede,
Colui è più da' suoi nemici avvolto.
O diluvio raccolto
Di che deserti strani
Per inondar i nostri dolci campi!
Se da le proprie mani
Questo n'avene, or chi fia che ne scampi?
Ben provvide Natura al nostro stato,
Quando de l'Alpi schermo
Pose fra noi e la tedesca rabbia:
Ma 'l desir cieco e 'ncontr' al suo ben fermo
S'è poi tanto ingegnato,
Ch'al corpo sano ha procurato scabbia.
Or dentro ad una gabbia
Fiere selvagge e mansuete gregge
S'annidan sì, che sempre il miglior geme:
Et è questo del seme,
Per più dolor, del popol senza legge,
Al qual, come si legge,

Mario aperse sì 'l fianco,
Che memoria de l'opra anco non langue,
Quando, assetato e stanco,
Non più bevve del fiume acqua che sangue.
Cesare taccio, che per ogni piaggia
Fece l'erbe sanguigne
Di lor vene, ove 'l nostro ferro mise.
Or par, non so per che stelle maligne,
Che 'l Cielo in odio n'aggia;
Vostra mercè, cui tanto si commise:
Vostre voglie divise
Guastan del mondo la più bella parte.
Qual colpa, qual giudicio, o qual destino
Fastidire il vicino
Povero, e le fortune afflitte e sparte
Perseguire, e 'n disparte
Cercar gente, e gradire
Che sparga 'l sangue e venda l'alma a prezzo?
Io parlo per ver dire,
Non per odio d'altrui, nè per disprezzo.
Nè v'accorgete ancor per tante prove
Del bavarico inganno,
Ch'alzando 'l dito colla morte scherza.
Peggio è lo strazio, al mio parer, che 'l danno.
Ma 'l vostro sangue piove
Più largamente, ch'altr' ira vi sferza.
Da la mattina a terza
Di voi pensate, e vederete come
Tien caro altrui chi tien sè così vile.
Latin sangue gentile,
Sgombra da te queste dannose some:
Non far idolo un nome

Vano, senza soggetto:
Chè 'l furor di lassù, gente ritrosa,
Vincerne d'intelletto,
Peccato è nostro, e non natural cosa.
Non è questo 'l terren ch'i' toccai pria?
Non è questo 'l mio nido,
Ove nudrito fui sì dolcemente?
Non è questa la patria in ch'io mi fido,
Madre benigna e pia,
Che copre l'un e l'altro mio parente?
Per Dio, questo la mente
Talor vi mova; e con pietà guardate
Le lagrime del popol doloroso,
Che sol da voi riposo
Dopo Dio spera; e pur che voi mostriate
Segno alcun di pietate,
Vertù contra furore
Prenderà l'arme, e fia 'l combatter corto:
Chè l'antico valore
Ne l'italici cor non è ancor morto.
Signor, mirate come 'l tempo vola,
E sì come la vita
Fugge, e la morte n'è sovra le spalle.
Voi siete or qui; pensate a la partita:
Chè l'alma ignuda e sola
Conven ch'arrive a quel dubbioso calle.
Al passar questa valle
Piacciavi porre giù l'odio e lo sdegno,
Venti contrari a la vita serena:
E quel che 'n altrui pena
Tempo si spende, in qualche atto più **degno**
O di mano o d'ingegno,

In qualche bella lode,
In qualche onesto studio si converta:
Così qua giù si gode,
E la strada del ciel si trova aperta.
Canzone, io t'ammonisco
Che tua ragion cortesemente dica,
Perchè fra gente altera ir ti convene;
E le voglie son piene
Già de l'usanza pessima et antica,
Del ver sempre nemica.
Proverai tua ventura
Fra magnanimi pochi, a chi 'l ben piace.
Di' lor: 'chi m'assicura?
I' vo gridando: pace, pace, pace.'

72   xi

DI pensier in pensier, di monte in monte
Mi guida Amor; ch'ogni segnato calle
Provo contrario a la tranquilla vita.
Se 'n solitaria piaggia, rivo o fonte,
Se 'n fra duo poggi siede ombrosa valle,
Ivi s'acqueta l'alma sbigottita;
E, come Amor l'envita,
Or ride or piange, or teme or s'assecura;
E 'l volto, che lei segue ov' ella il mena,
Si turba e rasserena,
Et in un esser picciol tempo dura;
Onde a la vista uom di tal vita esperto
Diria: 'Questo arde, e di suo stato è incerto.'

Per alti monti e per selve aspre trovo
   Qualche riposo; ogni abitato loco
   È nemico mortal degli occhi miei.
   A ciascun passo nasce un penser novo
   De la mia donna, che sovente in gioco
   Gira 'l tormento ch'i' porto per lei.
   Et a pena vorrei
   Cangiar questo mio viver dolce amaro,
   Ch'i' dico: 'Forse ancor ti serva Amore
   Ad un tempo migliore;
   Forse a te stesso vile, altrui se' caro.'
   Et in questa trapasso sospirando:
   'Or potrebbe esser vero? or come? or quando?'
Ove porge ombra un pino alto od un colle,
   Talor m'arresto, e pur nel primo sasso
   Disegno co' la mente il suo bel viso.
   Poi ch'a me torno, trovo il petto molle
   De la pietate; et allor dico: 'ahi lasso,
   Dove se' giunto, et onde se' diviso!'
   Ma, mentre tener fiso
   Posso al primo pensier la mente vaga
   E mirar lei et obliar me stesso,
   Sento Amor sì da presso
   Che del suo proprio error l'alma s'appaga:
   In tante parti e sì bella la veggio,
   Che, se l'error durasse, altro non cheggio.
I' l'ho più volte (or chi fia che m'il creda?)
   Ne l'acqua chiara e sopra l'erba verde
   Veduto viva, e nel troncon d'un faggio,
   E 'n bianca nube, sì fatta che Leda
   Avria ben detto che sua figlia perde,
   Come stella che 'l sol copre col raggio;

E quanto in più selvaggio
Loco mi trovo e 'n più deserto lido,
Tanto più bella il mio pensier l'adombra.
Poi, quando il vero sgombra
Quel dolce error, pur lì medesmo assido
Me freddo, pietra morta in pietra viva,
In guisa d'uom che pensi e pianga e scriva.
Ove d'altra montagna ombra non tocchi,
   Verso 'l maggiore e 'l più espedito giogo
Tirar mi suol un desiderio intenso:
Indi i miei danni a misurar con gli occhi
Comincio, e 'n tanto lagrimando sfogo
Di dolorosa nebbia il cor condenso,
Allor ch'i' miro e penso
Quanta aria dal bel viso mi diparte,
Che sempre m'è sì presso e sì lontano.
Poscia fra me pian piano:
'Che sai tu, lasso? forse in quella parte
Or di tua lontananza si sospira':
Et in questo penser l'alma respira.
Canzone, oltra quell' alpe,
   Là dove il ciel è più sereno e lieto,
Mi rivedrai sovr' un ruscel corrente,
Ove l'aura si sente
D'un fresco et odorifero laureto:
Ivi è 'l mio cor, e quella che 'l m'invola;
Qui veder pôi l'imagine mia sola.

73   *xii*

I N qual parte del ciel, in quale idea
    Era l'essempio, onde Natura tolse
    Quel bel viso leggiadro, in ch'ella volse
    Mostrar qua giù quanto lassù potea?
Qual Ninfa in fonti, in selve mai qual Dea
    Chiome d'oro sì fino a l'aura sciolse?
    Quando un cor tante in sè vertuti accolse?
    Benchè la somma è di mia morte rea.
Per divina bellezza indarno mira
    Chi gli occhi di costei già mai non vide,
    Come soavemente ella gli gira.
Non sa come Amor sana e come ancide,
    Chi non sa come dolce ella sospira,
    E come dolce parla e dolce ride.

74   *xiii*

P ASSA la nave mia colma d'oblio
    Per aspro mare, a mezza notte, il verno,
    Enfra Scilla e Cariddi; et al governo
    Siede 'l signore, anzi 'l nimico mio;
A ciascun remo un penser pronto e rio,
    Che la tempesta e 'l fin par ch'abbi a scherno;
    La vela rompe un vento umido, eterno,
    Di sospir, di speranze e di desio;
Pioggia di lagrimar, nebbia di sdegni
    Bagna e rallenta le già stanche sarte,
    Che son d'error con ignoranzia attorto.
Celansi i duo mei dolci usati segni;
    Morta fra l'onde è la ragion e l'arte,
    Tal ch'i' 'ncomincio a desperar del porto.

95

75 *xiv*

RAPIDO fiume che d'alpestra vena
    Rodendo intorno, onde 'l tuo nome prendi,
  Notte e dì meco disioso scendi
  Ov'Amor me, te sol Natura mena,
Vattene innanzi: il tuo corso non frena
  Nè stanchezza nè sonno; e pria che rendi
  Suo dritto al mar, fiso u' si mostri attendi
  L'erba più verde e l'aria più serena.
Ivi è quel nostro vivo e dolce sole
  Ch'addorna e 'nfiora la tua riva manca:
  Forse (o che spero?) el mio tardar le dole.
Basciale 'l piede o la man bella e bianca;
  Dille, e 'l basciar sie 'n vece di parole:
  'Lo spirto è pronto, ma la carne è stanca.'

76 *xv*

O CAMERETTA, che già fosti un porto
  A le gravi tempeste mie diurne,
  Fonte se' or di lagrime notturne,
  Che 'l dì celate per vergogna porto!
O letticciuol, che requie eri e conforto
  In tanti affanni, di che dogliose urne
  Ti bagna Amor, con quelle mani eburne,
  Solo ver me crudeli a sì gran torto!
Nè pur il mio secreto e 'l mio riposo
  Fuggo, ma più me stesso e 'l mio pensero,
  Che, seguendol, talor levommi a volo;
E 'l vulgo, a me nemico et odioso
  (Chi 'l pensò mai?) per mio refugio chero:
  Tal paura ho di ritrovarmi solo.

77 *xvi*

CHI vuol veder quantunque pô Natura
  E 'l Ciel tra noi, venga a mirar costei,
    Ch'è sola un sol, non pur a li occhi miei,
    Ma al mondo cieco, che vertù non cura;
E venga tosto, perchè morte fura
    Prima i migliori, e lascia star i rei:
    Questa, aspettata al regno de li Dei,
    Cosa bella mortal, passa e non dura.
Vedrà, s'arriva a tempo, ogni vertute,
    Ogni bellezza, ogni real costume
    Giunti in un corpo con mirabil tempre.
Allor dirà che mie rime son mute,
    L'ingegno offeso dal soverchio lume:
    Ma, se più tarda, avrà da pianger sempre.

78 *xvii*

QUAL paura ho quando mi torna a mente
  Quel giorno ch'i' lasciai grave e pensosa
    Madonna e 'l mio cor seco! e non è cosa
    Che sì volentier pensi e sì sovente.
I' la riveggio starsi umilemente
    Tra belle donne, a guisa d'una rosa
    Tra minor fior, nè lieta nè dogliosa,
    Come chi teme et altro mal non sente.
Deposta avea l'usata leggiadria,
    Le perle e le ghirlande e i panni allegri
    E 'l riso e 'l canto e 'l parlar dolce umano.
Così in dubbio lasciai la vita mia:
    Or tristi augurj e sogni e penser negri
    Mi danno assalto; e piaccia a Dio che 'n vano.

79

xviii

SOLEA lontana in sonno consolarme
Con quella dolce angelica sua vista,
Madonna; or mi spaventa e mi contrista,
Nè di duol nè di tema posso aitarme:
Chè spesso nel suo volto veder parme
Vera pietà con grave dolor mista,
Et udir cose onde 'l cor fede acquista
Che di gioia e di speme si disarme.
'Non ti soven di quella ultima sera',
Dice ella, 'ch'i' lasciai li occhi tuoi molli,
E sforzata dal tempo me n'andai?
I' non tel potei dir allor nè volli,
Or tel dico per cosa esperta e vera:
Non sperar di vedermi in terra mai.'

80

xix

CHE debb' io far? che mi consigli, Amore?
Tempo è ben di morire,
Et ho tardato più ch'i' non vorrei.
Madonna è morta et ha seco il mio core,
E volendo 'l seguire
Interromper conven quest' anni rei;
Perchè mai veder lei
Di qua non spero, e l'aspettar m'è noia:
Poscia ch'ogni mia gioia,
Per lo suo dipartire, in pianto è volta,
Ogni dolcezza di mia vita è tolta.
Amor, tu 'l senti, ond' io teco mi doglio,

Quant' è 'l danno aspro e grave;
E so che del mio mal ti pesa e dole,
Anzi del nostro; perch' ad uno scoglio
Avem rotto la nave,
Et in un punto n'è scurato il sole.
Qual ingegno a parole
Poria aguagliare il mio doglioso stato?
Ahi orbo mondo ingrato!
Gran cagion hai di dever pianger meco;
Chè quel bel ch'era in te perduto hai seco.
Caduta è la tua gloria, e tu nol vedi:
Nè degno eri, mentr' ella
Visse qua giù, d'aver sua conoscenza,
Nè d'esser tocco da' suoi santi piedi;
Perchè cosa sì bella
Devea 'l ciel adornar di sua presenza.
Ma io, lasso, che senza
Lei nè vita mortal nè me stesso amo,
Piangendo la richiamo:
Questo m'avanza di cotanta spene,
E questo solo ancor qui mi mantene.
Oïmè, terra è fatto il suo bel viso,
Che solea far del cielo
E del ben di lassù fede fra noi.
L'invisibil sua forma è in Paradiso,
Disciolta di quel velo
Che qui fece ombra al fior de gli anni suoi,
Per rivestirsen poi
Un' altra volta e mai più non spogliarsi,
Quando alma e bella farsi
Tanto più la vedrem, quanto più vale
Sempiterna bellezza che mortale.

Più che mai bella e più leggiadra donna
   Tornami innanzi, come
   Là dove più gradir sua vista sente.
   Questa è del viver mio l'una colonna;
   L'altra è 'l suo chiaro nome
   Che sona nel mio cor sì dolcemente.
   Ma, tornandomi a mente
   Che pur morta è la mia speranza, viva
   Allor ch'ella fioriva,
   Sa ben Amor qual io divento, e, spero,
   Vedel colei ch'è or sì presso al vero.
Donne, voi che miraste sua beltate
   E l'angelica vita
   Con quel celeste portamento in terra,
   Di me vi doglia e vincavi pietate;
   Non di lei, ch'è salita
   A tanta pace, e m'ha lassato in guerra,
   Tal che, s'altri mi serra
   Lungo tempo il cammin da seguitarla,
   Quel ch'Amor meco parla
   Sol mi riten ch'io non recida il nodo;
   Ma e' ragiona dentro in cotal modo:
'Pon freno al gran dolor che ti trasporta;
   Chè per soverchie voglie
   Si perde 'l cielo ove 'l tuo core aspira,
   Dove è viva colei ch'altrui par morta,
   E di sue belle spoglie
   Seco sorride e sol di te sospira;
   E sua fama, che spira
   In molte parti ancor per la tua lingua,
   Prega che non estingua,
   Anzi la voce al suo nome rischiari,

Se gli occhi suoi ti fur dolci nè cari.'
Fuggi 'l sereno e 'l verde,
   Non t'appressare ove sia riso o canto,
   Canzon mia, no, ma pianto:
   Non fa per te di star fra gente allegra,
   Vedova sconsolata in vesta negra.

81   *xx*

LA vita fugge e non s'arresta un' ora,
  E la morte vien dietro a gran giornate,
   E le cose presenti e le passate
   Mi danno guerra, e le future ancora;
E 'l rimembrare e l'aspettar m'accora
  Or quinci or quindi sì, che 'n veritate,
   Se non ch'i' ho di me stesso pietate,
   I' sarei già di questi-pensier fora.
Tornami avanti s'alcun dolce mai
  Ebbe 'l cor tristo; e poi da l'altra parte
  Veggio al mio navigar turbati i venti:
Veggio fortuna in porto, e stanco omai
  Il mio nocchier, e rotte arbore e sarte,
  E i lumi bei, che mirar soglio, spenti.

82   *xxi*

NE l'età sua più bella e più fiorita,
  Quando aver suol Amor in noi più forza,
  Lasciando in terra la terrena scorza,
  È l'aura mia vital da me partita,

E viva e bella e nuda al ciel salita:
   Indi mi signoreggia, indi mi sforza.
   Deh! perchè me del mio mortal non scorza
   L'ultimo dì, ch'è primo a l' altra vita?
Chè, come i miei pensier dietro a lei vanno,
   Così leve, espedita e lieta l'alma
   La segua, et io sia fuor di tanto affanno.
Ciò che s'indugia è proprio per mio danno,
   Per far me stesso a me più grave salma.
   O che bel morir era oggi è terzo anno!

83   *xxii*

SE lamentar augelli, o verdi fronde
   Mover soavemente a l'aura estiva,
   O roco mormorar di lucide onde
   S'ode d'una fiorita e fresca riva,
Là 'v'io seggia d'amor pensoso, e scriva,
   Lei che 'l ciel ne mostrò, terra n'asconde,
   Veggio et odo et intendo, ch'ancor viva
   Di sì lontano a' sospir miei risponde.
'Deh perchè innanzi 'l tempo ti consume?'
   Mi dice con pietate: 'A che pur versi
   De gli occhi tristi un doloroso fiume?
Di me non pianger tu; ch'e' miei dì fèrsi,
   Morendo, eterni; e ne l'interno lume,
   Quando mostrai di chiuder, gli occhi apersi.'

84

xxiii

GLI occhi di ch'io parlai sì caldamente,
E le braccia e le mani e i piedi e 'l viso
Che m'avean sì da me stesso diviso
E fatto singular da l'altra gente,
Le crespe chiome d'or puro lucente
E 'l lampeggiar de l'angelico riso
Che solean fare in terra un paradiso,
Poca polvere son, che nulla sente.
Et io pur vivo; onde mi doglio e sdegno,
Rimaso senza 'l lume ch'amai tanto,
In gran fortuna e 'n disarmato legno.
Or sia qui fine al mio amoroso canto:
Secca è la vena de l'usato ingegno,
E la cetera mia rivolta in pianto.

85

xxiv

QUAND' io mi volgo indietro a mirar gli anni
C'hanno, fuggendo, i miei pensieri sparsi,
E spento 'l foco ove agghiacciando io arsi,
E finito il riposo pien d'affanni;
Rotta la fè degli amorosi inganni,
E sol due parti d'ogni mio ben farsi,
L'una nel cielo e l'altra in terra starsi,
E perduto il guadagno de' miei danni;
I' mi riscuoto, e trovomi sì nudo
Ch'i' porto invidia ad ogni estrema sorte;
Tal cordoglio e paura ho di me stesso.
O mia stella, o fortuna, o fato, o morte,
O per me sempre dolce giorno e crudo,
Come m'avete in basso stato messo!

86 *xxv*

LEVOMMI il mio penser in parte ov' era
   Quella ch'io cerco e non ritrovo in terra:
Ivi, fra lor che 'l terzo cerchio serra,
La rividi più bella e meno altera.
Per man mi prese e disse: 'In questa spera
   Sarai ancor meco, se 'l desir non erra:
   I' so' colei che ti die' tanta guerra,
   E compie' mia giornata innanzi sera.
Mio ben non cape in intelletto umano:
   Te solo aspetto, e quel che tanto amasti,
   E là giuso è rimaso, il mio bel velo.'
Deh perchè tacque et allargò la mano?
   Ch'al suon de' detti sì pietosi e casti
   Poco mancò ch'io non rimasi in cielo.

87 *xxvi*

ZEFIRO torna, e 'l bel tempo rimena,
   E i fiori e l'erbe, sua dolce famiglia,
E garrir Progne e pianger Filomena,
E primavera candida e vermiglia.
Ridono i prati, e 'l ciel si rasserena;
   Giove s'allegra di mirar sua figlia;
   L'aria e l'acqua e la terra è d'amor piena;
   Ogni animal d'amar si riconsiglia.
Ma per me, lasso, tornano i più gravi
   Sospiri, che del cor profondo tragge
   Quella ch'al ciel se ne portò le chiavi;
E cantar augelletti, e fiorir piagge,
   E 'n belle donne oneste atti soavi,
   Sono un deserto, e fere aspre e selvagge.

88   *xxvii*

ITE, rime dolenti, al duro sasso
  Che 'l mio caro tesoro in terra asconde;
    Ivi chiamate chi dal ciel risponde,
    Benchè 'l mortal sia in loco oscuro e basso.
Ditele ch'i' son già di viver lasso,
  Del navigar per queste orribili onde;
    Ma ricogliendo le sue sparte fronde,
    Dietro le vo pur così passo passo,
Sol di lei ragionando viva e morta,
  Anzi pur viva et or fatta immortale,
    A ciò che 'l mondo la conosca et ame.
Piacciale al mio passar esser accorta,
  Ch'è presso omai; siami a l'incontro, e quale
    Ella è nel cielo, a sè mi tiri e chiame.

89   *xxviii*

LI angeli eletti e l'anime beate
  Cittadine del cielo, il primo giorno
    Che Madonna passò, le fur intorno
    Piene di meraviglia e di pietate.
'Che luce è questa e qual nova beltate?'
  Dicean tra lor; 'perch' abito sì adorno
    Dal mondo errante a quest' alto soggiorno
    Non salì mai in tutta questa etate.'
Ella contenta aver cangiato albergo
  Si paragona pur coi più perfetti;
    E parte ad or ad or si volge a tergo
Mirando s'io la seguo, e par ch'aspetti:
  Ond' io voglie e pensier tutti al ciel ergo,
    Perch' i' l'odo pregar pur ch'i' m'affretti.

90 *xxix*

E' MI par d'or in ora udire il messo
  Che Madonna mi mande a sè chiamando,
Così dentro e di for mi vo cangiando,
E sono in non molt' anni sì dimesso
Ch'a pena riconosco omai me stesso!
  Tutto 'l viver usato ho messo in bando:
  Sarei contento di sapere il quando,
  Ma pur devrebbe il tempo esser da presso.
Oh felice quel dì che, del terreno
  Carcere uscendo, lasci rotta e sparta
  Questa mia grave e frale e mortal gonna;
E da sì folte tenebre mi parta,
  Volando tanto su nel bel sereno
  Ch'i' veggia il mio Signore e la mia donna!

91 *xxx*

V AGO augelletto che cantando vai,
  Ovver piangendo il tuo tempo passato,
Vedendoti la notte e 'l verno a lato,
E 'l dì dopo le spalle e i mesi gai,
Se, come i tuoi gravosi affanni sai,
  Così sapessi il mio simile stato,
  Verresti in grembo a questo sconsolato
  A partir seco i dolorosi guai.
I' non so se le parti sarian pari;
  Chè quella cui tu piangi è forse in vita,
  Di ch'a me Morte e 'l Ciel son tanto avari:
Ma la stagione e l'ora men gradita,
  Col membrar de' dolci anni e de li amari,
  A parlar teco con pietà m'invita.

QUANDO il soave mio fido conforto,
  Per dar riposo a la mia vita stanca,
Ponsi del letto in su la sponda manca
Con quel suo dolce ragionare accorto,
Tutto di pièta e di paura smorto,
Dico: 'Onde vien' tu ora, o felice alma?'
Un ramoscel di palma
Et un di lauro trae del suo bel seno,
E dice: 'Dal sereno
Ciel empireo e di quelle sante parti
Mi mossi, e vengo sol per consolarti.'
In atto et in parole la ringrazio
  Umilemente, e poi demando: 'Or donde
Sai tu il mio stato?' Et ella: 'Le triste onde
Del pianto, di che mai tu non se' sazio,
Coll' aura de' sospir, per tanto spazio
Passano al cielo e turban la mia pace.
Sì forte ti dispiace
Che di questa miseria sia partita
E giunta a miglior vita?
Che piacer ti devria, se tu m'amasti
Quanto in sembianti e ne' tuoi dir mostrasti.'
Rispondo: 'Io non piango altro che me stesso,
  Che son rimaso in tenebre e 'n martire,
Certo sempre del tuo al ciel salire,
Come di cosa ch'uom vede da presso.
Come Dio e Natura avrebben messo
In un cor giovenil tanta vertute,
Se l'eterna salute
Non fusse destinata al tuo ben fare?

Oh de l'anime rare,
Ch'altamente vivesti qui tra noi
E che subito al ciel volasti poi!
Ma io che debbo altro che pianger sempre,
Misero e sol, che senza te son nulla?
Ch'or fuss' io spento al latte et a la culla,
Per non provar de l'amorose tempre!'
Et ella: 'A che pur piangi e ti distempre?
Quanto era meglio alzar da terra l'ali,
E le cose mortali
E queste dolci tue fallaci ciance
Librar con giusta lance,
E seguir me, s'è ver che tanto m'ami,
Cogliendo omai qualcun di questi rami!'
'I' volea demandar — respond' io allora —
Che voglion importar quelle due frondi.'
Et ella: 'Tu medesmo ti rispondi,
Tu la cui penna tanto l'una onora.
Palma è vittoria, et io, giovene ancora,
Vinsi il mondo e me stessa; il lauro segna
Triumfo, ond' io son degna,
Mercè di quel Signor che mi diè forza.
Or tu, s'altri ti sforza,
A lui ti volgi, a lui chiedi soccorso;
Sì che siam seco al fine del tuo corso.'
'Son questi i capei biondi e l'aureo nodo',
Dich' io, 'ch'ancor mi stringe, e quei belli occhi
Che fur mio sol?' 'Non errar con li sciocchi,
Nè parlar — dice — o creder a lor modo.
Spirito ignudo sono, e 'n ciel mi godo:
Quel che tu cerchi, è terra già molt' anni:
Ma per trarti d'affanni

M'è dato a parer tale. Et ancor quella
Sarò, più che mai bella,
A te più cara, sì selvaggia e pia,
Salvando insieme tua salute e mia.'
I' piango; et ella il volto
Co' le sue man m'asciuga; e poi sospira
Dolcemente, e s'adira
Con parole che i sassi romper ponno:
E, dopo questo, si parte ella e 'l sonno.

93   *xxxii*

I' VO piangendo i miei passati tempi,
   I quai posi in amar cosa mortale,
Senza levarmi a volo, avend' io l'ale
Per dar forse di me non bassi esempi.
Tu, che vedi i miei mali indegni et empi,
   Re del cielo, invisibile, immortale,
Soccorri all' alma disviata e frale,
E 'l suo defetto di tua grazia adempi:
Sì che, s'io vissi in guerra et in tempesta,
   Mora in pace et in porto; e se la stanza
Fu vana, almen sia la partita onesta.
A quel poco di viver che m'avanza
   Et al morir degni esser tua man presta:
Tu sai ben che 'n altrui non ho speranza.

94   *xxxiii*

VERGINE bella, che di sol vestita,
   Coronata di stelle, al sommo Sole
Piacesti sì, che 'n te sua luce ascose;
Amor mi spinge a dir di te parole,

Ma non so 'ncominciar senza tu' aita
E di Colui ch'amando in te si pose.
Invoco lei che ben sempre rispose
Chi la chiamò con fede.
Vergine, s'a mercede
Miseria estrema de l'umane cose
Già mai ti volse, al mio prego t'inchina;
Soccorri a la mia guerra,
Bench' i' sia terra, e tu del ciel regina.
Vergine saggia, e del bel numero una
De le beate vergini prudenti,
Anzi la prima e con più chiara lampa;
O saldo scudo de l'afflitte genti
Contr' a' colpi di Morte e di Fortuna,
Sotto 'l qual si triumfa, non pur scampa;
O refrigerio al cieco ardor ch'avvampa
Qui fra i mortali sciocchi;
Vergine, que' belli occhi,
Che vider tristi la spietata stampa
Ne' dolci membri del tuo caro Figlio,
Volgi al mio dubbio stato,
Che sconsigliato a te ven per consiglio.
Vergine pura, d'ogni parte intera,
Del tuo parto gentil figliuola e madre,
Ch'allumi questa vita e l'altra adorni;
Per te il tuo Figlio e quel del sommo Padre,
O fenestra del ciel lucente, altera,
Venne a salvarne in su li estremi giorni;
E fra tutt' i terreni altri soggiorni
Sola tu fosti eletta,
Vergine benedetta,
Che 'l pianto d'Eva in allegrezza torni.

Fammi, che puoi, de la sua grazia degno,
Senza fine o beata
Già coronata nel superno regno.
Vergine santa, d'ogni grazia piena,
Che per vera et altissima umiltate
Salisti al ciel, onde miei preghi ascolti;
Tu partoristi il fonte di pietate,
E di giustizia il sol, che rasserena
Il secol pien d'errori oscuri e folti:
Tre dolci e cari nomi hai in te raccolti,
Madre, figliuola e sposa;
Vergine glorïosa,
Donna del Re che nostri lacci ha sciolti
E fatto 'l mondo libero e felice,
Ne le cui sante piaghe
Prego ch'appaghe il cor, vera beatrice.
Vergine sola al mondo, senza essempio,
Che 'l ciel di tue bellezze innamorasti,
Cui nè prima fu simil, nè seconda;
Santi pensieri, atti pietosi e casti
Al vero Dio sacrato e vivo tempio
Fecero in tua verginità feconda.
Per te può la mia vita esser joconda,
S'a' tuoi preghi, o Maria,
Vergine dolce e pia,
Ove 'l fallo abbondò la grazia abbonda.
Con le ginocchia de la mente inchine
Prego che sia mia scorta,
E la mia torta via drizzi a buon fine.
Vergine chiara e stabile in eterno,
Di questo tempestoso mare stella,
D'ogni fedel nocchier fidata guida;

Pon' mente in che terribile procella
I' mi ritrovo, sol, senza governo,
Et ho già da vicin l'ultime strida.
Ma pur in te l'anima mia si fida:
Peccatrice, i' nol nego,
Vergine; ma ti prego
Che 'l tuo nemico del mio mal non rida.
Ricorditi che fece il peccar nostro
Prender Dio, per scamparne,
Umana carne al tuo virginal chiostro.
Vergine, quante lagrime ho già sparte,
  Quante lusinghe e quanti preghi indarno,
  Pur per mia pena e per mio grave danno!
  Da poi ch'i' nacqui in su la riva d'Arno,
  Cercando or questa et or quell' altra parte,
  Non è stata mia vita altro ch'affanno.
  Mortal bellezza, atti e parole m'hanno
  Tutta ingombrata l'alma.
  Vergine sacra et alma,
  Non tardar, ch'i' son forse a l'ultimo anno.
  I dì miei, più correnti che saetta,
  Fra miserie e peccati
  Sonsen andati, e sol Morte n'aspetta.
Vergine, tale è terra e posto ha in doglia
  Lo mio cor, che vivendo in pianto il tenne,
  E de' mille miei mali un non sapea;
  E, per saperlo, pur quel che n'avvenne
  Fôra avvenuto; ch'ogni altra sua voglia
  Era a me morte et a lei fama rea.
  Or tu, Donna del ciel, tu nostra dea
  (Se dir lice e convensi),
  Vergine d'alti sensi,

Tu vedi il tutto; e quel che non potea
Far altri, è nulla a la tua gran vertute,
Por fine al mio dolore;
Ch'a te onore et a me fia salute.
Vergine, in cui ho tutta mia speranza
Che possi e vogli al gran bisogno aitarme:
Non mi lasciare in su l'estremo passo;
Non guardar me, ma chi degnò crearme;
No 'l mio valor, ma l'alta sua sembianza
Ch'è in me, ti mova a curar d'uom sì basso.
Medusa e l'error mio m'han fatto un sasso
D'umor vano stillante:
Vergine, tu di sante
Lagrime e pie adempi 'l mio cor lasso;
Ch'almen l'ultimo pianto sia devoto,
Senza terrestre limo,
Come fu 'l primo non d'insania vôto.
Vergine umana e nemica d'orgoglio,
Del comune principio amor t'induca;
Miserere d'un cor contrito, umile:
Chè se poca mortal terra caduca
Amar con sì mirabil fede soglio,
Che devrò far di te, cosa gentile?
Se dal mio stato assai misero e vile
Per le tue man resurgo,
Vergine, i' sacro e purgo
Al tuo nome e pensieri e 'ngegno e stile,
La lingua e 'l cor, le lagrime e i sospiri.
Scorgimi al miglior guado,
E prendi in grado i cangiati desiri.
Il dì s'appressa, e non pôte esser lunge,
Sì corre il tempo e vola,

Vergine unica e sola;
E 'l cor or conscïenzia or morte punge.
Raccomandami al tuo Figliuol, verace
Omo e verace Dio,
Ch'accolga 'l mio spirto ultimo in pace.

FAZIO DEGLI UBERTI

95

c. 1305–†*c.* 1368

IO guardo fra l'erbette e per li prati,
E veggio isvarïar di più colori
Gigli, vïole e fiori
Per la virtù del sol che fuor li tira.
E son coperti i poggi, ove ch'io guati,
D'un verde che rallegra i vaghi cori;
E con soavi odori
Giunge l'orezza che per l'aere spira;
E qual prende e qual mira
Le rose, che son nate in su la spina,
E così par ch'Amor per tutto rida;
E 'l desio che mi guida
Però di consumarmi il cor non fina;
Nè farà mai, s'i' non veggio quel viso
Dal qual più tempo son stato diviso.
Veggo gli augelli a due a due volare
E l'un l'altro seguir tra gli arboscelli,
Con far nidi novelli,
Trattando con vaghezza lor natura.
E sento ogni boschetto risonare
De' dolci canti lor, che son sì belli
Che vivi spiritelli
Paion d'amor, creati a la verdura;

Fuggita han la paura
Del tempo, che fu lor cotanto greve,
E così par ciascun viver contento.
Ed io, lasso! tormento
E mi distruggo come al sol la neve;
Perchè lontan mi trovo dalla luce
Che ogni sommo piacer seco conduce.
Simil con simil per le folte selve
Si trovan i serpenti a suon di fischi;
In fino a' basilischi
Seguon l'un l'altro con benigno aspetto;
E i dragoni e l'altre fere belve,
Che sono a riguardar sì pien di rischi,
Punti d'amore e mischi
D'un natural piacer, prendon diletto.
E così par costretto
Ogni animal che in su la terra è scorto
In questo primo tempo a seguir gioia:
Sol io ho tanta noia
Che mille volte il dì son vivo e morto,
Secondo che mi sono o buoni o rei
I subiti pensier ch'io fo per lei.
Surgono chiare e fresche le fontane
L'acqua spargendo giù per la campagna,
Che rinfrescando bagna
L'erbette e i fiori e gli arbori che trova.
E i pesci ch'eran chiusi per le tane,
Fuggendo del gran verno la magagna,
A schiera e a compagna
Giuocan di sopra, sì ch'altrui ne giova:
E così si rinnova
Per tutto l'alto mare e per li fiumi

Fra loro un disio dolce che gli appaga.
E la mia cruda piaga
Ognor crescendo par che mi consumi;
E farà sempre, fin che 'l dolce sguardo
Non la risanerà d'un altro dardo.
Giovani donne e donzellette accorte
Rallegrando si vanno alle gran feste,
D'amor sì punte e deste,
Che par ciascuna che d'amar s'appaghi;
E l'altre in gonnellette appunto corte
Giuocano all' ombra delle gran foreste,
Tanto leggiadre e preste,
Qual solean ninfe stare appresso i laghi;
E i giovinetti vaghi
Veggio seguire, e donnear costoro,
E talora danzare a mano a mano.
Ed io, lasso! lontano
Da quella che parrebbe un sol tra loro,
Lei rimembrando tale allor divegno,
Che pianger fo qual vede il mio contegno.
Canzone, assai dimostri apertamente
Come natura in questa primavera
Ogni animale e pianta fa gioire,
Ed io son sol colui che la mia mente
Porto vestita d'una veste nera,
In segno di dolore e di martire;
Poi conchiudo nel dire,
Che allor termineràn queste mie pene
Che ad occhio ad occhio vederò il bel volto.
Ma vanne omai! ch'io ti conforto bene,
Ch'a ciò non starò molto,
Se gran prigione o morte non mi tiene.

1313–†1375

96   *i*

LEVASI il sol talvolta in orïente
  Senz' alcun raggio e rosso pe' vapori;
  La luna, maculata di colori
  Oscuri, appar men bella e men lucente;
E del cielo ne sono assai sovente
  Dalle nuvole tolti gli splendori;
  E i nostri lumi, vie molto minori,
  Per poco vento diventan nïente.
Ma que' begli occhi splendidi, ne' quali
  Amor fabbrica e tempra le saette,
  Che mi passano il core a tutte l'ore,
Nebbia nè vento curan, ma son tali
  Quai furon sempre, due vive fiammette
  Lucenti più ch'alcuno altro splendore.

97   *ii*

L'ASPRE montagne e le valli profonde,
  I folti boschi e l'acqua e 'l ghiaccio e 'l vento,
  L'alpi selvaggie e piene di spavento,
  E de' fiumi e del mar le torbid'onde,
E qualunque altra cosa più confonde
  Il pover peregrin che mal contento
  Da' suoi s'allunga, non ch'alcun tormento
  Mi desser, tornando io, ma fur gioconde:
Tanta dolce speranza mi recava,
  Spronato dal desio di rivederti,
  Qual ver me ti lasciai, Donna, pietosa.

117

Or, oltr' a quel che io, lasso, stimava,
  Truovo mi sdegni, e non so per quai merti:
  Per che piange nel cor l'alma dogliosa,
E maledico i monti, l'alpi e 'l mare
  Che mai mi ci lasciaron ritornare.

98   iii

IO mi son giovinetta, e volentieri
  M'allegro e canto en la stagion novella,
  Merzè d'amore e de' dolci pensieri.
Io vo pe' verdi prati riguardando
  I bianchi fiori e gialli e i vermigli,
  Le rose in su le spine e i bianchi gigli,
  E tutti quanti gli vo somigliando
  Al viso di colui, che me, amando,
  Ha presa e terrà sempre, come quella
  Ch'altro non ha in disio che' suoi piaceri.
De' quai quand' io ne truovo alcun che sia,
  Al mio parer, ben simile di lui,
  Il colgo e bacio e parlomi con lui,
  E com'io so, così l'anima mia
  Tututta gli apro, e ciò che 'l cor desia:
  Quindi con altri il metto in ghirlandella
  Legato co' miei crin biondi e leggieri.
E quel piacer, che di natura il fiore
  Agli occhi porge, quel simil mel dona
  Che s'io vedessi la propria persona
  Che m'ha accesa del suo dolce amore:
  Quel che mi faccia più il suo odore,
  Esprimer nol potrei con la favella,
  Ma i sospiri ne son testimon veri.

118

Li quai non escon già mai del mio petto,
 Come dell' altre donne, aspri nè gravi,
 Ma se ne vengon fuor caldi e soavi,
 Ed al mio amor se n' vanno nel cospetto,
Il qual, come gli sente, a dar diletto
 Di sè a me si muove, e viene in quella,
 Ch'i' son per dir: 'Deh vien', ch'i' non disperi.'

99
     iv

O REGINA degli angioli, o Maria,
 Ch'adorni il ciel co' tuo' lieti sembianti,
 E, stella in mar, dirizzi i naviganti
 A porto e segno di diritta via,
Per la gloria ove sei, Vergine pia,
 Ti prego guardi a' miei miseri pianti:
 Increscati di me; tòmmi davanti
 L'insidie di colui che mi travìa.
Io spero in te, ed ho sempre sperato:
 Vagliami il lungo amore e riverente,
 Il qual ti porto ed ho sempre portato.
Dirizza il mio cammin; fammi possente
 Di divenire ancor dal destro lato
 Del tuo Figliuol fra la beata gente.

ANTONIO PUCCI
       c. 1310–1388

100   *i*

IO fui iersera, Adrian, sì chiaretto
 Che 'n verità io non vel potrei dire,
 Chè mi parea si volesse fuggire
 Con meco insieme la lettiera e il letto,

E abbracciando il piumaccio molto stretto,
    Dissi: 'Fratel mio, dove vuoi ire?'
    In questa il sonno cominciò a venire
E tutta notte dormii con diletto.
E esser mi pareva alla taverna,
    Là dove Paolo vende el buon trebbiano,
    Che per tal modo molti ne governa,
E avendo un bicchiere di quel sano,
    In su quell' ora che 'l dì si discerna,
    E voi venisti a tòrlomi di mano.
Deh non esser villano!
    Poi che stanotte mi togliesti il mio,
    Vieni a dar ber, chè quello accordai io.

101   *ii*

QUANDO il fanciul da piccolo scioccheggia,
    Castigal con la scopa e con parole;
    E, passati i sett' anni, sì si vuole
Adoperar la ferza e la correggia;
E se, passati i quindici, ei folleggia,
    Fa' col baston, chè altro non gli duole,
    E tante glie ne da', che dove suole
Disubbidirti, perdonanza chieggia.
E se nei venti ancor ben far nimica,
    Deh mettilo in prigion, se te ne cale,
    E quivi un anno di poco il notrica.
E se nei trenta ei facesse pur male,
    Amico mio, non vi durar fatica,
    Ch'uom di trent' anni castigar non vale.
Partil da te, cotale
    Che esser vuol, benchè ti sia gran duolo,
    E fa' ragion ch'ei non sia tuo figliuolo.

c. 1334–†1400

i

INNAMORATO pruno
  Già mai non vidi, come l'altr' ier uno.
Su la verde erba e sotto spine e fronde
    Giovinetta sedea
    Lucente più che stella.
    Quando pigliava il prun le chiome bionde,
    Ella da sè il pignea
    Con bianca mano e bella:
    Spesso ei tornava a quella,
    Ardito più che mai fosse altro pruno.
Amorosa battaglia mai non vidi,
    Qual vidi, essendo sciolte
    Le trecce e punto il viso.
    Oh! quanti in me allor nascosi stridi
    Il cor mosse più volte,
    Mostrando di fuor riso,
    Dicendo nel mio avviso:
    'Volesse Dio ch'io diventassi pruno!'

ii

O VAGHE montanine pasturelle,
  D'onde venite sì leggiadre e belle?
Qual è il paese dove nate siete,
    Che sì bel frutto più che gli altri adduce?
    Crëature d'amor vo' mi parete,
    Tanto la vostra vista adorna luce!
    Nè oro nè argento in voi riluce,
    E mal vestite parete angiolelle. —

'Noi stiamo in alpe presso ad un boschetto:
    Povera capannetta è 'l nostro sito;
    Col padre e con la madre in picciol letto
    Torniam la sera dal prato fiorito,
    Dove natura ci ha sempre nodrito,
    Guardando il dì le nostre pecorelle.'
'Assai si de' doler vostra bellezza,
    Quando tra monti e valli la mostrate;
    Chè non è terra di sì grande altezza
    Dove non foste degne et onorate.
    Deh, ditemi se voi vi contentate
    Di star ne' boschi così poverelle?'
'Più si contenta ciascuna di noi
    Andar dietro alle mandre alla pastura
    Che non farebbe qual fosse di voi
    D'andar a festa dentro a vostre mura.
    Ricchezza non cerchiam nè più ventura
    Che balli e canti e fiori e ghirlandelle.'
Ballata, s'i' fosse come già fui,
    Diventerei pastore e montanino;
    E, prima ch'io il dicesse altrui,
    Sarei al loco di costor vicino;
    Et or direi 'Biondella' et or 'Martino',
    Seguendo sempre dove andasson' elle.

104   *iii*

PASSANDO con pensier per un boschetto,
    Donne per quello givan fior cogliendo,
    'To' quel, to' quel ' dicendo,
    'Eccolo, eccolo.'

'Che è, che è?'
'È fior aliso.'
'Va là per le vïole.'
'O mè, che 'l prun mi punge!'
'Quell' altra me' v'aggiunge.'
'Uh, uh, o che è quel che salta?'
'È un grillo.'
'Venite qua, correte:
Raperonzoli cogliete.'
'E' non son essi.'
'Sì, sono.'
'Colei,
O colei,
Vie' qua, vie' qua pe' funghi:
Costà, costà, pel sermollino.'
'No' starem troppo, chè 'l tempo si turba.'
'E' balena.'
'E' tuona.'
'E vespero già suona.'
'Non è egli ancor nona.'
'Odi, odi:
È l'usignuol che canta:
Più bel v'è,
Più bel v'è.'
'I' sento, e non so che.'
'Ove?'
'Dove?'
'In quel cespuglio.'
Tocca, picchia, ritocca:
Mentre che 'l busso cresce,
Et una serpe n'esce.
'O me trista!' 'o me lassa!'

FRANCO SACCHETTI

'Oimè!'
Fuggendo tutte di paura piene,
Una gran piova viene.
Qual sdrucciola, qual cade,
Qual si punge lo pede:
A terra van ghirlande:
Tal ciò c'ha colto lascia, e tal percuote:
Tiensi beata chi più correr puote.
Sì fiso stetti il dì che lor mirai,
Ch'io non m'avvidi, e tutto mi bagnai.

IGNOTO

Sec. xiv

105

ERA tutta soletta
In un prato d'amore
Quella che ferì il core
Di me co' una saetta.
Quando io vidi colei
Che fior giva cogliendo,
Subito giunsi a lei
E dissi: 'Io mi t'arrendo.'
Ed ella sorridendo
A me tutta si volse,
E a me si ricolse
La vaga giovinetta.
Quando le fu' a lato,
Ella mi prese a dire:
'Tu se' innamorato,
E ciò nol puoi disdire;

IGNOTO

I' veggio il tuo disire
In ver di me acceso.'
Allor fu' io più preso
Di quella pargoletta.
Non sentì mai Achille
Per Pulisena bella
Sì cocenti faville
Quant' io senti' per quella,
Udendo sua favella
Angelica e vezzosa
Parlar sì amorosa
In su la fresca erbetta.
Poi colse di que' fiori
Ch' a lei parean più begli,
Dicendo: 'Agli amadori
Sogliamo andar con egli';
E a' suoi biondi capegli
Se gli giva legando:
E ivi a poco stando
Mi diè la ghirlandetta.
Poi con un bello inchino
Da me prese comiato.
I' rimasi tapino
In su quel verde prato,
Sentendomi legato
Col nodo Salamone.
E per cotal cagione
Fe' questa canzonetta.

CANTANDO un giorno in voce umile e lieve
 Vidi una gittar neve — a chi passava.
Ell' era giovinetta presta e snella,
 Cinta in gonnella, — e negli atti amorosa:
 Ed era sua figura tanto bella,
 Vaga, novella — e tanto grazïosa,
 Che dissi in ver di lei: 'In te si posa
 Ogni beltate.' Ed ella pur cantava.
La vista e 'l suo cantar m'entrava al core,
 Sì che 'n dolzore — ogni senso ridea:
 E uno spiritel chiamato Amore,
 Che non di fuore — ma dentro sedea,
 Di subito feruto entro surgea
 Con gran sospiri. Ed ella pur cantava.
Uscivan fuor del petto e' miei sospiri
 Pien di desiri — con voce planetta,
 Dicendo: 'Io prego te, che alquanto miri,
 Anzi ch'io spiri, — o gaia giovinetta,
 Come feruto son da tua saetta.
 Volgiti alquanto.' Ed ella pur cantava.
Onde l'anima mia, che ciò sentia
 E che vedia — in amor lo cor languire,
 Per gran paura pallida stridia,
 E se ne gia — lasciandomi finire.
 Io gridava merzè, per non morire,
 Piangendo forte. Ed ella pur cantava.
Così tal divenn' io, al ver parlando
 Caduto stando, — nella vista tale,
 Che chi passava giva sospirando

E ragionando: — 'Amor colui assale.'
Ond' io per ricoprir d'amore il male
Partimmi stanco. Ed ella pur cantava.
E, come che si sia, mi son trovato
Poscia passato, — donne mie pietose,
D'un fero dardo, che m'ha divorato
Sì il manco lato, — che nelle amorose
Fiamme, ballata, di' ch'i' son venuto
A fin, s'i' non ho aiuto, — onde mi grava.

IGNOTO

Sec. **xiv**

107

MAMMA, il bel lusignolo
Fra gli arbori a cantare!
Fatto m'ha innamorare
Suoi dolci canti a l'ombra d'un vivuolo.
Pregoti, madre mia,
Che mel vada a cercare
In corte o 'n piazza o 'n via
Dove 'l credi trovare,
Debbilo a me menare,
Chè lo cor mi s'agghiaccia,
Non ho colore in faccia:
Che s'io non l'ho i' mi morrò di duolo. —
— Figlia mia, deh nol dire,
Che tu sia benedetta!
D'amor non dêi sentire,
Che ancor sei piccoletta.
Fatti una ghirlandetta
Di rose e fior novelli
Su' tuoi biondi capelli:

Va' nel giardin, qual più ti piace, e còlo. —
— Io non vo' fior nè fronde,
    Se non quel bell' uccello
    Che lo mio cor nasconde,
    Perchè gli è tanto bello
    Calandro o montanello,
    Madre, chè a me non piace
    Se non l'amor verace:
Che l'amo più che la madre il figliuolo.
Ballata, va' cercando
    Quel mio uccel vezzoso:
    Dira' gli lacrimando,
    Se tu 'l truovi nascoso,
    Ch'i' non arò riposo,
    Ch'io lo vorrei vedere:
    Deh faglilo assapere:
S'i' non lo veggo, i' mi metterò a volo.

IGNOTO

Sec. xiv

108

PIACESSE a Dio che e' non fossi mai nata !
    O lassa dolorosa,
    Fresca son più che rosa,
    E veggome in un vecchio maritata !
Oi me dolente ! son vaga e gioconda
    E d'Amor sento sua dolce saetta:
    Guardandomi nel specchio bianca e bionda
    Me veggo tutta quanta amorosetta,
    Ond' io prego Jesù che gran vendetta
    Faccia a quei che marito
    Me diè, che è già fiorito

IGNOTO

E la sua barba bianca è diventata.
Piacesse a Dio che e' non fossi mai nata!
Mei mi sarebbe ancora essere in casa,
    Parvola poveretta como m'era,
Ch'a esser così d'ogni allegrezza rasa,
Che mai veder non posso primavera!
Piacesse a Dio che e' non fossi mai nata!

IGNOTO

Sec. xiv

LA mi tenne la staffa,
    Et io montai in arcione;
La mi porse la lancia,
    et io imbracciai la targa;
La mi porse la spada,
    La mi calzò lo sprone;
La mi mise l'elmetto,
    Io gli parlai d'amore:
Adio bella sora,
    Ch'io me ne vo a Vignone,
E da Vignone in Francia,
    Per acquistare onore.
S'io fo colpo di lancia,
    Farò per vostro amore;
S'io moro alla battaglia,
    Moro per vostro onore;
Diran le maritate:
    Morto è il nostro amadore;
Diran le pulzellette:
    Morto è per nostro amore;

IGNOTO

Diran le vedovelle:
    Vuolsegli fare onore;
Dove il sotterreremo?
    In santa Maria del fiore;
Di che lo copriremo?
    Di rose e di viole.

IGNOTO

Sec. xiv–xv

110 *(Prosopopea di Dante)*

DANTE Alighieri son, Minerva oscura
    D'intelligenza e d'arte, nel cui ingegno
L'eleganza materna aggiunse al segno
Che si tien gran miracol di natura.
L'alta mia fantasia pronta e sicura
    Passò il tartareo e poi 'l celeste regno,
    E 'l nobil mio volume feci degno
    Di temporale e spiritual lettura.
Fiorenza glorïosa ebbi per madre,
    Anzi matrigna a me pietoso figlio,
    Colpa di lingue scellerate e ladre.
Ravenna fummi albergo del mio esiglio:
    Ed ella ha il corpo, e l'alma il sommo Padre,
    Presso cui invidia non vince consiglio.

LEONARDO GIUSTINIAN

1388–†1446

III   *i*

IL papa ha concesso quindici anni
  De indulgenzia a chi ti può parlare,
Cento e cinquanta a chi ti tocca i panni,
E altri tanti a chi ti può baciare.
E io che per te porto tanti affanni,
Di pena e colpa mi vuol perdonare,
E se baciar potessi il tuo bel viso,
L'anima e 'l corpo mando in paradiso.

ii

SE li arbori sapesser favellare
  E le foglie lor fussero le lengue,
L'inchiostro fusse l'acqua de lo mare,
La terra fusse carta, l'erbe penne,
Le tue bellezze non potria contare.
Quando nascesti, li angioli ci venne,
Quando nascesti, colorito giglio,
Tutti li santi furno a quel consiglio.

iii

SIA benedetto il giorno che nascesti,
  E l'ora e 'l punto che fusti creata!
Sia benedetto il latte che bevesti,
E il fonte dove fusti battezzata!
Sia benedetto il letto ove giacesti,
E la tua madre che t'ha nutricata!
Sia benedetta tu sempre da Dio:
Quando farai contento lo cor mio?

LEONARDO GIUSTINIAN

iv

DIO ti dia bona sera! son venuto,
  Gentil madonna, a veder come stai,
E di bon core a te mando il saluto,
Di miglior voglia che facessi mai.
Tu se' colei che sempre m'hai tenuto
In questo mondo innamorato assai;
Tu se' colei per cui vado cantando,
E giorno e notte mi vo consumando.

v

I' T'HO dipinta in su una carticella,
  Come se fussi una santa di Dio.
Quando mi levo la mattina bella
In genocchion mi butto con desio.
Sì t'adoro, e poi dico: 'Chiara stella,
Quando farai contento lo cor mio?'
Bacioti poi, e stringo con dolcezza;
Poscia mi parto, e vommene a la messa.

vi

NON ti ricordi quando mi dicevi
  Che tu m'amavi sì perfettamente?
Se stavi un giorno che non mi vedevi
Con gli occhi mi cercavi fra la gente,
E risguardando, s'tu non mi vedevi,
Dentro de lo tuo cor stavi dolente.
E mo' mi vedi, e par non mi conosci,
Come tuo servo stato mai non fossi.

PIETRO ANDREA DEI BASSI

c. 1375–†1447

112

RESSURGA da la tumba avara e lorda,
  La putrida toa salma, o Donna cruda,
  Or che di spirto nuda,
  E cieca e muta e sorda,
  Ai vermi dài pastura,
  E da la prima altura
  Da fiera morte scossa
  Fai tuo lecto una fossa.
  Nocte, continua nocte,
  Te devora et inghiocte,
  E la puzza te smembra
  Le sì pastose membra,
  E te stai zitta, zitta per despecto,
  Come animal immondo al laccio strecto.
Vedrai se ognun de te metrà paura,
  E fuggirà, come garzon la sera
  Da l'ombra lunga e nera,
  Che striscia per le mura:
  Vedrai se a la tua vose
  Cedran l'alme piatose,
  Vedrai se al tuo invitare
  Alcun vorrà cascare,
  Vedrai se seguiranti
  Le turbe de gli amanti,
  E se il dì porterai
  Per dove passerai,
  O pur se spargerai tenebre e lezzo,
  Tal che a te stessa verrai in disprezzo.

E tornerai dentro all' immonde bolge,
   Per minor pena della toa baldanza.
   La toa disonoranza
   Allora in te si volge,
   E grida: 'o sciaurata,
   Che fosti sì sfrenata,
   Quest' è il premio che torna
   A chi tanto s'adorna,
   A chi nutre soe carne
   Senza qua giù guardarne,
   Dove tutto se volve
   In cener et in polve,
   E dove non è requie o penitenza,
   Fino a quel dì dell' ultima sentenza.'
Dov' è quel bianco seno d'alabastro,
   Ch'onduleggiava come al margin flucto?
   Ahi, che per tuo disastro
   In fango s'è reducto.
   Dove gli occhi lucenti,
   Due stelle risplendenti?
   Ahi, che son due caverne
   Dove orror sol si scerne.
   Dove 'l labro sì bello
   Che parea di pennello?
   Dove la guanza tonda?
   Dove la chioma bionda?
   E dove simetria di portamento?
   Tutto è smarrito, como nebbia al vento.
Non tel diss' io tante fiate e tante:
   'Tempo verrà che non sarai più bella
   E non parrai più quella,
   E non avrai più amante'?

Or ecco vedi 'l fructo
D'ogni tuo antico fasto.
Cos' è che non sia guasto
Di quel tuo corpo molle?
Cos' è dove non bolle
E verme e putridume,
E puzza e succidume?
Dimmi cos' è, cos' è, che possa piue
Far a' tuoi Proci le figure sue?
Dovevi altra mercè chieder che amore,
Chieder dovevi al Cielo pentimento.
Amor cos' è? un tormento;
Amor cos' è? un dolore;
E tu gonfia e superba,
Ch'eri sol fiore et erba,
Che languon nati appena,
E te credevi piena
De balsamo immortale.
Credevi d'aver l'ale
Da volar su le nubi,
E non eri che Anubi
Adorato in Egypto oggi, e dimane
In la sembianza di Molosso cane.
Poco giovò ch'io ti dicessi: 'Vanne,
Vanne pentita a piè del confessoro.
Digli: "Frate, io moro
Nelle rabbiose sanne
Dell' infernal dracone,
Se tua pietà non pone
Argine al mio fallire.
Io vorrei bene uscire,
Ma sì mi tiene el laccio

Che, per tirar ch'io faccio,
Romper nol posso punto,
Sicchè oramai consunto
Ho lo spirito e l'alma, e tu puoi solo
Togliermi per pietà fuora de duolo." '
Allor sì, che 'l morir non saria amaro,
Chè morte a' giusti è sonno, e non è morte.
Vedestu mai, per sorte,
Putir chi dorme? raro.
Raro chi non s'allevi
Da i sonni anche non brevi.
Tu saresti ora in alto
Sopra il stellato smalto,
E di là ne la fossa
Vedresti le tue ossa
E candide e odorose
Como i gigli e le rose,
E nel dì poi de l'angelica tromba
Volentier verria l'alma a la tua tomba.
Canzon, vanne là dentro
In quell' orrido centro;
Fuggi poi presto, e dille che non spera
Pietà chi expecta a pentirsi da sera.

LEON BATTISTA ALBERTI

1404–†1472

113

IO vidi già seder nell' arme irato
Uom furïoso e pallido tremare;
E gli occhi vidi spesso lacrimare
Per troppo caldo che nel cor è nato;

E vidi amante troppo addolorato
   Poter nè lacrimar nè sospirare;
   Nè raro vidi chi nè pur gustare
   Puote alcun cibo ov'è troppo affamato;
E vele vidi volar sopra l'onde,
   Qual troppo vento le sommerse e scise;
   E veltro vidi, a cui par l'aura ceda,
Per troppo esser veloce perder preda:
   Così tal forza in noi natura immise,
   A cui troppo voler mal corrisponde.

LUCREZIA TORNABUONI DE' MEDICI

1425–†1482

114

ECCO 'l re forte, aprite quelle porte.
  O principe infernale,
   Non fare resistenza;
   Gl' è il re celestiale,
   Che vien con gran potenza;
   Fategli riverenza,
   Levate via le porte: ecco 'l re forte.
Chi è questo potente,
   Che vien con tanta altoria?
   Egli è 'l signor possente,
   Egli è 'l re della gloria;
   Avuto ha la vittoria,
   Et ha vinto la morte: ecco 'l re forte.
Egli ha vinto la guerra
   Durata già molt' anni,
   E fa tremar la terra
   Per cavarne d'affanni;

    Rïempier vuol gli scanni
    Per ristorar sua corte: ecco 'l re forte.
E' vuole el padre antico
    E la sua compagnia:
    Abel vero suo amico,
    Noè si metta in via,
    Moïsè più non stia;
    Venite alla gran corte: ecco 'l re forte.
O Abraam patriarca,
    Seguita 'l gran signore;
    La promessa non varca:
    Venuto è 'l Redentore.
    Vengane 'l gran cantore
    A far degna la corte: ecco 'l re forte.
O Giovanni Battista,
    Orsù senza dimoro,
    Nol perdete di vista
    Su nell' eterno coro;
    E Simeon con loro
    Dietro alle fide scorte: ecco 'l re forte.
O parvoli innocenti,
    Innanzi a tutti gite;
    Or siate voi contenti
    Dell' avute ferite:
    O gemme, o margherite,
    Adornate la corte: ecco 'l re forte.
Venuti siate al regno
    Tanto desiderato,
    Ch'i' comperai in sul legno
    Dov' io fui sì straziato
    Et ho ricomperato
    Tutta l'umana sorte. Ecco 'l re forte.

1441–†1494

115   *i*

IL canto de li augei di frunda in frunda,
  E lo odorato vento per li fiori,
    E lo schiarir di lucidi liquori
    Che rendon nostra vista più jucunda,
Son perchè la natura e il ciel secunda
    Costei che vuol che 'l mondo se inamori;
    Così di dolce voce e dolci odori
    L'aer, la terra è già ripiena e l'unda.
Dovunque e' passi move, o gira il viso,
    Fiamegia un spirto sì vivo d'amore,
    Che avanti a la stagione el caldo mena.
Al suo dolce guardare, al dolce riso,
    L'erba vien verde e colorito il fiore,
    E il mar se aqueta e il ciel se rasserena.

116   *ii*

CANTATE meco, innamorati augelli,
  Poi che vosco a cantare Amor me invita;
    E vui, bei rivi e snelli,
    Per la piaggia fiorita
Tenete a le mie rime el tuon suave.
La beltà, de ch'io canto, è sì infinita,
    Che 'l cor ardir non have
    Pigliar lo incarco solo;
    Chè egli è debole e stanco, e 'l peso è grave.
Vaghi augelletti, vui ne gite a volo,
    Perchè forsi credete
    Che il mio cor senta duolo,

E la gioia ch'io sento non sapete.
Vaghi augelletti, odete;
   Chè quanto gira in tondo
   Il mar, e quanto spira ciascun vento,
   Non è piacer nel mondo
   Che agguagliar si potesse a quel ch'io sento.

117   *iii*

D ATEMI a piena mano e rose e gigli,
   Spargete intorno a me vïole e fiori;
   Ciascun che meco pianse i miei dolori
   Di mia leticia meco il frutto pigli!
Datemi fiori e candidi e vermigli;
   Confanno a questo giorno i bei colori;
   Spargete intorno d'amorosi odori,
   Che il loco a la mia voglia se assimigli.
Perdòn m'ha dato et hammi dato pace
   La dolce mia nemica, e vuol ch'io campi
   Lei, che sol di pietà se pregia e vanta.
Non vi maravigliate perch' io avvampi;
   Chè maraviglia è più che non se sface
   Il cor in tutto d'allegrezza tanta.

118   *iv*

G IÀ vidi uscir dall' onde una mattina
   Il sol, di raggi d'or tutto iubato,
   E di tal luce in faccia colorato,
   Che ne incendeva tutta la marina.
E vidi la rugiada mattutina
   La rosa aprir d'un color sì infiammato,

Che ogni lontan aspetto avria stimato
Che un foco ardesse nella verde spina.
E vidi a la stagion prima e novella
   Uscir la molle erbetta, come sôle
   Aprir le foglie nella prima etate.
E vidi una leggiadra donna e bella
   Su l'erba coglier rose al primo sole,
   E vincer queste cose di beltate.

119   v

FUR per bon tempo meco in compagnia
   Giovani lieti e liete damigelle;
   Piacquerme un tempo già le cose belle,
   Quando con la mia età lo amor fioria.
Or non è meco più quel che solia;
   Solo il languir da me non se divelle,
   E solo al sole, e solo a l'alte stelle
   Vo lamentando de la pena mia.
Ripe di fiumi e poggi di montagne
   Son or con meco; e son fatto selvagio
   Per boschi inculti e inospite campagne.
Qualor al poggio o nel fresco rivagio
   Me assido, del mio mal conven me lagne;
   Chè altro ristor, che lamentar, non agio.

120   vi

LIGIADRO veroncello, ove è colei
   Che de sua luce aluminar te sôle?
   Ben vedo che il tuo damno a te non dole;
   Ma quanto meco lamentar ti dêi!

Chè sanza sua vagheza nulla sei;
    Deserti i fiori e seche le vïole:
    Al veder nostro il giorno non ha sole,
    La notte non ha stelle sanza lei.
Pur mi rimembra che te vidi adorno,
    Tra' bianchi marmi e il colorito fiore,
    De una fiorita e candida persona.
A' toi balconi allor se stava Amore,
    Che or te soletto e misero abandona,
    Perchè a quella gentil dimora intorno.

121   *vii*

— FIOR scoloriti e palide vïole,
    Che sì suavemente il vento move,
    Vostra madona dove è gita? e dove
    È gito il Sol che aluminar vi sôle? —
— Nostra madona se ne gì col sole,
    Che ognor ce apriva di belleze nove;
    E, poichè tanto bene è gito altrove,
    Mostramo aperto quanto ce ne dole. —
— Fior sfortunati e vïole infelici,
    Abandonati dal divino ardore
    Che vi infondeva vista sì serena! —
— Tu dici il vero: e nui nelle radici
    Sentiamo il damno; e tu senti nel core
    La perdita che nosco al fin ti mena. —

viii

IO vidi quel bel viso impalidire
  Per la crudel partita, come sôle
    Da sera o da matina avanti al sole
    La luce un nuvoletto ricoprire.
Vidi il color di rose rivenire
  De bianchi zigli e palide vïole;
    E vidi, e quel veder mi giova e dole,
    Cristallo e perle da quelli occhi uscire.
Dolci parole e dolce lacrimare,
  Che dolcemente me adolcite il core,
    E di dolcezza il fate lamentare,
Con voi piangendo sospirava Amore
  Tanto suave, che nel rammentare
    Non mi par doglia ancora il mio dolore.

PANDOLFO COLLENUCCIO

1444–†1504

(*Canzone alla Morte*)

QUAL peregrin nel vago errore stanco
  De' lunghi e faticosi suoi vïaggi
    Per lochi aspri e selvaggi,
  Fatto già da' pensier canuto e bianco,
    Al dolce patrio albergo
  Sospirando cammina e si rimembra
  Le paterne ossa e sua novella etate:
    Di sè stesso pietate
  Tenera il prende, e le affannate membra
  Posar disia nel loco ove già nacque,
  E il dì prima gli piacque:

Tal io, che ai peggior anni oramai vergo,
In sogni, in fumi, in vanitate avvolto,
A te mie preci volto,
Rifugio singolar, che pace apporte
Alle umane fatiche, inclita Morte.
Qual navigante nelle torbide onde
Tra l'ire di Nettuno e d'Eolo, aggiunto
Quasi allo stremo punto,
Le care merci, per salvarse, effonde,
E il disïato porto
Rimirando, i pericoli raccoglie,
Scorsi, e fatiche tra Cariddi e Scilla,
E vita più tranquilla
Pensa, non tra pirati, venti e scoglie,
Da poi che 'l danno l'have fatto saggio,
Del marittimo oltraggio;
Tal io, che son di mia fortuna accorto,
Macchiato e infetto in questa mortal pece,
A te volgo mie prece,
O porto salutar, che sol conforte
D'ogni naufragio il mal, splendida Morte.
Placidissimo sonno, alta quïete,
Che Stige e l'infocato Flegetonte,
Cocito et Acheronte,
Con le dolci onde del tuo ameno Lete,
Non che tempre, ma estingue,
E levi d'ignoranza il scuro velo,
Sciocco è chi il tuo soccorso non intende.
In tutto al ver contende,
Nè trae sua vista tenebrosa al cielo,
Chi de la tua presenza il don non vede,
Che il gran Fattor ne diede.

Tu se' quella possente che distingue
Il ver dal falso, dal perpetuo il frale,
Da l'eterno il mortale:
Di magnanimi spiriti consorte,
A te mi volgo, generosa Morte.
Candido vien dal ciel, puro e divino,
L'animo immortal nostro in questa spoglia,
Ove in tutto si spoglia
Del lume di sua gloria in suo cammino,
Fra paura e disio,
Dolor, vane letizie, sdegni et ire,
Ove natura pugna e li elementi
Fra li contrarii venti.
Mirabil cosa fia, se mai il Ciel mire,
Gravato dal terrestre infimo pondo
Dell' orbo, ingrato mondo!
Il tuo breve soccorso, onesto e pio,
Gli rende la sua pura libertate;
Da te adunque pietate
Chiedendo aspetto alla mia crudel sorte
Per la tua dolce man, pietosa Morte.
Questa che ha nome vita falso in terra,
Ch'altro è che fatica, affanno e stento,
Sospir, pianto e lamento,
Dolore, infermità, terrore e guerra?
Questa acerba matrigna
Natura in tanti mal questo sol bene
Per pace dette, libertade e porto,
A' più savi diporto:
Il fine attender delle mortal pene;
E dicon: 'Non fia lungi chi ne scioglia
Con generosa voglia.

PANDOLFO COLLENUCCIO

Tu se' quella, tu sei quella benigna
Madre, che i vil pensier dai petti sgombri,
E i nostri mali adombri
Di lunga oblivïon, d'immortal scorte:
Soccormi adunque, o grazïosa Morte.'
Qual di famosi ingegni è maggior gloria,
Ebrei, Greci, Latini, Arabi e Persi,
Di lingue e stil diversi,
Quanti l'antique carte fan memoria,
Te han scritta e disïata:
Felice, disse alcun, chi muore in fasce;
Altri, quando la vita più diletta;
Chi, quando men s'aspetta;
Molti beato disser chi non nasce;
Molti con forte man t'han cerca e tolta,
Grave turba e non stolta!
Tu breve, tu comune e giusta e grata,
Tu facil, natural, pronta, che sepre
Il bel fior dalla vepre,
Nostre calamità prego che ammorte,
Benigna e valorosa, optata Morte.
Ben prego prima Quel che sovra il ligno
La rabbia estinse dell' orribil angue,
Che del suo chiaro sangue
Me asperga e mondi placido e benigno:
Attenda sua pietate,
Non del mio fragil stato il van discorso,
Che sotto il peso delle colpe asconde
Caduca, arida fronde.
Con amaro dolor chiedo soccorso;
Sua infinita bontà mie' errori copra:
Delle sue man sono opra.

PANDOLFO COLLENUCCIO

Fida ministra poi di sua bontate,
Leva suavemente 'l fatal crine,
Et al celeste fine
Apri le sacrosante aurate porte,
Cara, opportuna, disïata Morte.
Canzon, costante e altera, umil ma forte,
Col Tesbite n'andrai, con quel da Tarso;
Quel Signor prega e adora,
Che per non esser di sua grazia scarso,
Dolce e bella morendo fe' la Morte.

LORENZO DE' MEDICI

1449–†1492

124   i

DOLCI pensier, non vi partite ancora:
    Dove, pensier miei dolci, mi lasciate?
Sì ben la scorta a' piè già stanchi fate
Al dolce albergo ove il mio ben dimora?
Qui non Zeffiro, qui non balla Flora,
    Nè son le piagge d'erbe e fiori ornate:
    Silenzi, ombre, terror, venti e brinate,
Boschi, sassi, acque il piè tardano ognora.
Voi vi partite pur, e gite a quella,
    Vostro antico ricetto e del mio core:
    Io resto nell' oscure ombre soletto.
Il cammin cieco a' piedi insegna amore,
    C'ho sempre in me, dell' una e l'altra stella;
    Nè gli occhi hanno altro lume che l'obietto.

125   *ii*

QUANTO sia vana ogni speranza nostra,
    Quanto fallace ciaschedun disegno,
    Quanto sia il mondo d'ignoranza pregno,
    La maestra del tutto, Morte, il mostra.
Altri si vive in canti e 'n balli e 'n giostra;
    Altri a cosa gentil muove l'ingegno;
    Altri il mondo ha e le sue cose a sdegno;
    Altri quel che dentro ha fuor non dimostra.
Vane cure e pensier, diverse sorte,
    Per la diversità che dà natura,
    Si vede ciascun tempo al mondo errante.
Ogni cosa è fugace e poco dura;
    Tanto Fortuna al mondo è mal costante:
    Sola sta ferma e sempre dura Morte.

126   *iii*

LASCIA l'isola tua tanto diletta,
    Lascia il tuo regno delicato e bello,
    Ciprigna dea; e vien sopra il ruscello
    Che bagna la minuta e verde erbetta.
Vieni a quest' ombra, alla dolce auretta
    Che fa mormoreggiar ogni arbuscello,
    A' canti dolci d'amoroso augello;
    Questa da te per patria sia eletta.
E se tu vien tra queste chiare linfe,
    Sia teco il tuo amato e caro figlio;
    Chè qui non si conosce il suo valore.
Togli a Diana le sue caste ninfe,
    Che sciolte or vanno e senz' alcun periglio,
    Poco prezzando la virtù d'Amore.

NON de' verdi giardini ornati e cólti
  Del soave e dolce aere Pestano,
Veniam, Madonna, in la tua bianca mano
Ma in aspre selve e valli ombrose cólti:
Ove, Venere afflitta e in pensier molti
  Pel periglio d'Adon correndo in vano,
  Un spino acuto al nudo piè villano
Sparse del divin sangue i boschi folti.
Noi sommettemmo allora il bianco fiore,
  Tanto che 'l divin sangue non aggiunge
  A terra, onde il color purpureo nacque.
Non aure estive o rivi tolti a lunge
  Noi nutrit' hanno, ma sospir d'Amore
  L'aure son sute, e lacrime fur l'acque.

O BELLA vïoletta, tu se' nata
  Ove già 'l primo mio bel disio nacque:
Lacrime triste e belle furon l'acque
Che t'han nutrita e più volte bagnata.
Pietate in quella terra fortunata
  Nutrì il disio, ove il bel cesto giacque:
  La bella man ti colse, e poi le piacque
Farne la mia per sì bel don beata.
E' mi par ad ognor fuggir ti voglia
  A quella bella man; onde ti tegno
  Al nudo petto dolcemente stretta:
Al nudo petto; chè desire e doglia
  Tiene il loco del cor, che il petto ha a sdegno
  E stassi onde tu vieni, o vïoletta.

129   *vi*

BELLE, fresche e purpuree vïole
Che quella candidissima man colse,
Qual pioggia o qual puro aer produr volse
Tanto più vaghi fior che far non suole?
Qual rugiada, qual terra, ovver qual sole
Tante vaghe bellezze in voi raccolse?
Onde il soave odor natura tolse
O il ciel ch'a tanto ben degnar ne vuole?
Care mie vïolette, quella mano
Che v'elesse tra l'altre, ov' eri, in sorte,
V'ha di tanta eccellenza e pregio ornate;
Quella che il cor mi tolse, e di villano
Lo fe' gentile, a cui siate consorte;
Quella adunque, e non altri, ringraziate.

130   *vii*

O SONNO placidissimo, omai vieni
All' affannato cor che ti desia;
Serra il perenne fonte a' pianti mia,
O dolce obblivïon che tanto peni.
Vieni, unica quiete, quale affreni
Solo il corso al desire; e 'n compagnia
Mena la donna mia benigna e pia
Con gli occhi di pietà dolci e sereni.
Mostrami il lieto riso, ove già fêrno
Le Grazie la lor sede; e 'l desio queti
Un pio sembiante, una parola accorta.
Se così me la mostri, o sia eterno
Il nostro sonno, o questi sonni lieti,
Lasso, non passin per l'eburnea porta.

131   *viii*

CERCHI chi vuol le pompe e gli alti onori,
  Le piazze, i templi e gli edifizi magni,
    Le delizie, il tesor, quale accompagni
    Mille duri pensier, mille dolori.
Un verde praticel pien di bei fiori,
    Un rivolo che l'erba intorno bagni,
    Un augelletto che d'amor si lagni,
    Acqueta molto meglio i nostri ardori;
L'ombrose selve, i sassi e gli alti monti,
    Gli antri oscuri, e le fere fuggitive,
    Qualche leggiadra ninfa paurosa:
Quivi vegg' io con pensier vaghi e pronti
    Le belle luci come fosser vive;
    Qui me le toglie or una or altra cosa.

132   *ix*

CHI non è innamorato
  Esca da questo ballo;
    Chè saria fallo   a stare in sì bel lato.
Se alcuno è qui che non conosca amore,
    Parta di questo loco;
    Perch' esser non potria mai gentil core
    Chi non sente quel foco.
    Se alcun ne sente poco,
    Sì le sue fiamme accenda
    Che ognun lo intenda,   e non sarà scacciato.
Amore in mezzo a questo ballo stia,
    E chi gli è servo, intorno.

E se alcuno ha sospetto o gelosia,
Non faccia qui soggiorno;
Se non, farebbe storno.
Ognun ci s'innamori,
O esca fuori del loco tanto ornato.
Se alcuna per vergogna si ritiene
Di non s'innamorare,
Vergognerassi, s'ella pensa bene,
Più tosto a non lo fare:
Non è vergogna amare
Chi di servire agogna;
Saria vergogna a chi gli fusse ingrato.
Se alcuna ce ne fussi tanto vile,
Che lassi per paura,
Pensi bene che un core alto e gentile
Queste cose non cura.
Non ha dato natura
Tanta bellezza a voi,
Acciò che poi sia il tempo mal usato.

133   x

DONNE belle, i' ho cercato
Lungo tempo del mio core.
Ringraziato sie tu, Amore,
Ch'io l'ho pure al fin trovato.
Egli è forse in questo ballo
Chi 'l mio cor furato avia:
Hallo seco, e sempre arallo,
Quanto fia la vita mia:
Ell' è sì benigna e pia,
Ch'ell' arà sempre il mio core.

LORENZO DE' MEDICI

Ringraziato sie tu, Amore,
Ch'io l'ho pure al fin trovato.
Donne belle, io vi vo' dire
Come il mio cor ritrovai:
Quando mel senti' fuggire,
In più lochi il ricercai;
Poi due begli occhi guardai,
Dove ascoso era il mio core.
Ringraziato sie tu, Amore,
Ch'io l'ho pure al fin trovato.
Questa ladra, o Amor, lega,
O col furto insieme l'ardi.
Non udir s'ella ti priega;
Fa' che gli occhi non le guardi.
Ma se hai saette o dardi,
Fa' vendetta del mio core.
Ringraziato sie tu, Amore,
Ch'io l'ho pure al fin trovato.
Che si viene a questa ladra,
Che il mio core ha così tolto?
Com' ell' è bella e leggiadra,
Come porta amor nel volto!
Non sia mai il suo cor sciolto,
Ma sempre arda col mio core.
Ringraziato sie tu, Amore,
Ch'io l'ho pure al fin trovato.

xi

134   *(Trionfo di Bacco ed Arianna)*

QUANT' è bella giovinezza
   Che si fugge tuttavia!
Chi vuol esser lieto, sia:
Di doman non c'è certezza.

Quest' è Bacco e Arianna,
   Belli, e l'un dell' altro ardenti:
   Perchè 'l tempo fugge e 'nganna,
   Sempre insieme stan contenti.
   Queste ninfe e altre genti
   Sono allegre tuttavia.
   Chi vuol esser lieto, sia:
   Di doman non c'è certezza.

Questi lieti satiretti
   Delle ninfe innamorati
   Per caverne e per boschetti
   Han lor posto cento aguati:
   Or da Bacco riscaldati,
   Ballan, saltan tuttavia.
   Chi vuol esser lieto, sia:
   Di doman non c'è certezza.

Queste ninfe hanno anco caro
   Da loro essere ingannate;
   Non puon far a Amor riparo
   Se non genti rozze e 'ngrate:
   Ora insieme mescolate
   Suonan, cantan tuttavia.
   Chi vuol esser lieto, sia:
   Di doman non c'è certezza.

Questa soma che vien dreto
  Sopra l'asino, è Sileno:
  Così vecchio è ebbro e lieto,
  Già di carne e d'anni pieno;
  Se non può star ritto, almeno
  Ride e gode tuttavia.
  Chi vuol esser lieto, sia:
  Di doman non c'è certezza.

Mida vien dopo costoro:
  Ciò che tocca, oro diventa.
  E che giova aver tesoro,
  Poichè l'uom non si contenta?
  Che dolcezza vuoi che senta
  Chi ha sete tuttavia?
  Chi vuol esser lieto, sia:
  Di doman non c'è certezza.

Ciascun apra ben gli orecchi:
  Di doman nessun si paschi;
  Oggi siam, giovani e vecchi,
  Lieti ognun, femmine e maschi;
  Ogni tristo pensier caschi;
  Facciam festa tuttavia.
  Chi vuol esser lieto, sia:
  Di doman non c'è certezza.

Donne e giovanetti amanti,
  Viva Bacco e viva Amore!
  Ciascun suoni, balli e canti!
  Arda di dolcezza il core!
  Non fatica, non dolore!
  Quel c'ha esser, convien sia.
  Chi vuol esser lieto, sia:
  Di doman non c'è certezza.

Quant' è bella giovinezza
Che si fugge tuttavia!

ANGELO POLIZIANO

1454–†1494

i

135   (*Canto di Aristeo*)

UDITE, selve, mie dolci parole,
    Poi che la bella ninfa udir non vuole.
La bella ninfa, sorda al mio lamento,
    Il suon di nostra fistola non cura:
    Di ciò si lagna il mio cornuto armento,
    Nè vuol bagnare il ceffo in acqua pura,
    Nè vuol toccar la tenera verdura,
    Tanto del suo pastor gl'incresce e dole.
        Udite, selve, mie dolci parole.
Ben si cura l'armento del pastore;
    La ninfa non si cura dello amante:
    La bella ninfa c'ha di sasso il core,
    Di sasso, anzi di ferro, anzi adamante.
    Ella fugge da me sempre d'avante,
    Come l'agnella il lupo fuggir sôle.
        Udite, selve, mie dolci parole.
Digli, fistola mia, come via fugge
    Con gli anni insieme sua bellezza snella;
    E digli come il tempo ci distrugge,
    Nè l'età persa mai si rinnovella;
    Digli che sappi usar sua forma bella,
    Che sempre mai non son rose e vïole.
        Udite, selve, mie dolci parole.

Portate, venti, questi dolci versi
   Dentro all' orecchie della ninfa mia;
   Dite quante per lei lagrime versi,
   E la pregate che crudel non sia;
   Dite che la mia vita fugge via,
   E si consuma come brina al sole.
     Udite, selve, mie dolci parole.

ii

136   *(Canto delle Driadi)*

L'ARIA di pianti s'oda risuonare,
   Che d'ogni luce è priva,
   E al nostro lagrimare
   Crescano i fiumi al colmo della riva.
Tolto ha morte del cielo il suo splendore;
   Oscurita è ogni stella:
   Con Euridice bella
   Colto ha la morte delle ninfe il fiore.
   Or pianga nosco Amore;
   Piangete, selve e fonti;
   Piangete, monti; e tu, pianta novella,
   Sotto a cui giacque morta la donzella,
   Piega le fronde al tristo lamentare.
     L'aria di pianti s'oda risuonare.
Ahi spietata fortuna! ahi crudel angue!
   Ahi sorte dolorosa!
   Come succisa rosa,
   O come colto giglio al prato langue,
   Fatto è quel viso esangue,
   Che solia di beltade
   La nostra etade far sì glorïosa.

Quella lucida lampa or è nascosa,
La qual soleva il mondo alluminare.
        L'aria di pianti s'oda risuonare.
Chi canterà più mai sì dolci versi?
        Chè a' suoi soavi accenti
        Si quetavano i venti,
        E in tanto danno spirano a dolersi.
        Tanti piacer son persi,
        Tanti gioiosi giorni,
        Con gli occhi adorni, che la morte ha spenti.
        Ora suoni la terra di lamenti,
        E giunga il nostro grido al cielo e al mare.
                L'aria di pianti s'oda risuonare.

iii

137   (*Canto delle Menadi*)

CIASCUN segua, o Bacco, te:
        Bacco, Bacco, oè, oè!
Di corimbi e di verd' edere
        Cinto il capo abbiam così,
        Per servirti a tuo richiedere
        Festeggiando notte e dì.
        Ognun beva: Bacco è qui;
        E lasciate bere a me.
                Ciascun segua, o Bacco, te.
Io ho vôto già il mio corno:
        Porgi quel cantaro in qua.
        Questo monte gira intorno,
        O 'l cervello a cerchio va?
        Ognun corra in qua o in là,

Come vede fare a me.
　　Ciascun segua, o Bacco, te.
Io mi moro già di sonno:
　　Sono io ebra, o sì o no?
　　Più star dritti i piè non ponno.
　　Voi siet' ebri, ch'io lo so:
　　Ognun faccia com' io fo,
　　Ognun succe come me.
　　　Ciascun segua, o Bacco, te.
Ognun gridi: Bacco, Bacco!
　　E pur cacci del vin giù:
　　Poi col sôno farem fiacco.
　　Bevi tu e tu e tu;
　　Io non posso ballar più.
　　Ognun gridi: oè, oè!
　　　Ciascun segua, o Bacco, te:
　　Bacco, Bacco, oè, oè!

138　　　　　*iv*

BEN venga maggio
E 'l gonfalon selvaggio!
Ben venga primavera
　　Che vuol l'uom s'innamori,
　　E voi, donzelle, a schiera
　　Con li vostri amadori,
　　Che di rose e di fiori
　　Vi fate belle il maggio,
Venite alla frescura
　　Delli verdi arbuscelli:
　　Ogni bella è sicura
　　Fra tanti damigelli;

Chè le fiere e gli uccelli
Ardon d'amore il maggio.
Chi è giovane e bella
Deh non sie punto acerba,
Chè non si rinnovella
L'età, come fa l'erba:
Nessuna stia superba
All' amadore il maggio.
Ciascuna balli e canti
Di questa schiera nostra.
Ecco che i dolci amanti
Van per voi, belle, in giostra:
Qual dura a lor si mostra
Farà sfiorire il maggio.
Per prender le donzelle
Si son gli amanti armati.
Arrendetevi, belle,
A' vostri innamorati;
Rendete i cuor furati,
Non fate guerra il maggio.
Chi l'altrui core invola
Ad altrui doni il core.
Ma chi è quel che vola?
È l'angiolel d'Amore,
Che viene a fare onore
Con voi, donzelle, al maggio.
Amor ne vien ridendo
Con rose e gigli in testa,
E vien di voi caendo;
Fategli, o belle, festa.
Qual sarà la più presta
A dargli i fior del maggio?

Ben venga il peregrino.
  Amor, che ne comandi?
  Che al suo amante il crino
  Ogni bella ingrillandi;
  Chè li zitelli e' grandi
  S'innamoran di maggio.

139   *v*

I' MI trovai, fanciulle, un bel mattino
Di mezzo maggio in un verde giardino.

Eran d'intorno vïolette e gigli
  Fra l'erba verde, e vaghi fior novelli,
  Azzurri, gialli, candidi e vermigli:
  Ond' io porsi la mano a côr di quelli
  Per adornar i mie' biondi capelli
  E cinger di grillanda il vago crino.
        I' mi trovai, fanciulle . . .
Da poi ch'i' ebbi pien di fiori un lembo,
  Vidi le rose e non pur d'un colore:
  Io corsi allor per empier tutto il grembo,
  Perch' era sì soave il loro odore
  Che tutto mi senti' destar il core
  Di dolce voglia e d'un piacer divino.
        I' mi trovai, fanciulle . . .
I' posi mente: quelle rose allora
  Mai non vi potre' dir quant' eran belle:
  Quale scoppiava dalla boccia ancora;
  Qual' erano un po' passe e qual novelle.
  Amor mi disse allor: 'Va', co' di quelle
  Che più vedi fiorite in sullo spino.'
        I' mi trovai, fanciulle . . .

Quando la rosa ogni sua foglia spande,
　　Quando è più bella, quando è più gradita,
　　Allora è buona a mettere in ghirlande,
　　Prima che sua bellezza sia fuggita:
　　Sicchè, fanciulle, mentre è più fiorita,
　　Cogliam la bella rosa del giardino.
　　　　　I' mi trovai, fanciulle . . .

140　　　　　　*vi*

I' MI trovai un dì tutto soletto
In un bel prato per pigliar diletto.

Non credo che nel mondo sia un prato
　　Dove sien l'erbe di sì vaghi odori.
　　Ma quand' i' fu' nel verde un pezzo entrato,
　　Mi ritrovai tra mille vaghi fiori
　　Bianchi e vermigli e di cento colori;
　　Fra' qual senti' cantare un augelletto.
　　　　　　I' mi trovai un dì . . .
Era il suo canto sì soave e bello,
　　Che tutto 'l mondo innamorar facea.
　　I' m'accostai pian pian per veder quello:
　　Vidi che 'l capo e l'ale d'oro avea:
　　Ogni altra penna di rubin parea,
　　Ma 'l becco di cristallo e 'l collo e 'l petto.
　　　　　　I' mi trovai un dì . . .
I' lo volli pigliar, tanto mi piacque:
　　Ma tosto si levò per l'aria a volo,
　　E ritornossi al nido ove si nacque:
　　I' mi son messo a seguirlo sol solo.
　　Ben crederei pigliarlo a un lacciuolo,
　　S'i' lo potessi trar fuor del boschetto.
　　　　　　I' mi trovai un dì . . .

ANGELO POLIZIANO

I' gli potrei ben tender qualche rete:
    Ma da poi che 'l cantar gli piace tanto,
    Sanz' altra ragna o sanz' altra parete
Mi vo' provar di pigliarlo col canto.
E questa è la cagion per ch'io pur canto,
Che questo vago augel cantando alletto.
            I' mi trovai un dì . . .

GIOVANNI ANTONIO PETRUCCI

c. 1450–†1486

141

LA morte non perdona a pecorelle
    E li fulvi leoni a terra sterne;
    Da lo elefante el culice non scerne,
    E chi prima e chi poi da vita expelle.
La morte de li re le gran castelle
    E le case alte, che pareno eterne,
    Abbatte egualemente, e le taverne
    De' poveretti fatte con frascelle.
Contra de questa non val sentimento;
    Contra de questa non te val valore:
    Non te perdona nè per or nè argento.
Li poveri disprezza e chi è signore;
    Da l'uno a l'altro non fa partimento:
    Tutti a la fine rende al creatore.

c. 1450–†1515

142

ECCO la notte: el ciel scintilla e splende
Di stelle ardenti, lucide e gioconde;
I vaghi augelli e fere il nido asconde,
E voce umana al mondo or non s'intende;
La rugiada del ciel tacita scende;
Non si move erba in prato o 'n selva fronde;
Chete si stan nel mar le placide onde;
Ogni corpo mortal riposo prende.
Ma non riposa nel mio petto Amore,
Amor d'ogni creato acerbo fine;
Anzi la notte cresce il suo furore.
Ha sementato in mezzo del mio core
Mille pungenti, avvelenate spine,
E 'l frutto che mi rende è di dolore.

JACOPO SANNAZARO

1456–†1530

i

143 (*Lamento in morte del pastore
Androgeo*)

ALMA beata e bella,
Che da' legami sciolta
Nuda salisti nei superni chiostri,
Ove con la tua stella
Ti godi insieme accolta,

E lieta ivi, schernendo i pensier nostri,
  Quasi un bel sol ti mostri
  Tra li più chiari spirti,
  E coi vestigi santi
  Calchi le stelle erranti,
  E tra pure fontane e sacri mirti
  Pasci celesti greggi,
  E i tuoi cari pastori indi correggi,
Altri monti, altri piani,
  Altri boschetti e rivi
  Vedi nel cielo, e più novelli fiori,
  Altri Fauni e Silvani
  Per luoghi dolci estivi
  Seguir le Ninfe in più felici amori:
  Tal fra suavi odori
  Dolce cantando all' ombra
  Tra Dafni e Melibeo
  Siede il nostro Androgeo,
  E di vaga dolcezza il cielo ingombra,
  Temprando gli elementi
  Col suon di novi inusitati accenti.
Quale la vite all' olmo,
  Et agli armenti il toro,
  E l'ondeggianti biade ai lieti campi,
  Tale la gloria e 'l colmo
  Fostù del nostro coro.
  Ahi cruda morte, e chi fia che ne scampi,
  Se con tue fiamme avvampi
  Le più elevate cime?
  Chi vedrà mai nel mondo
  Pastor tanto giocondo,
  Che cantando fra noi sì dolci rime

Sparga il bosco di fronde,
  E di bei rami induca ombra su l'onde?
Pianser le sante Dive
  La tua spietata morte;
  I fiumi il sanno e le spelunch' e i faggi;
  Pianser le verdi rive,
  L'erbe pallide e smorte,
  E 'l sol più giorni non mostrò suoi raggi,
  Nè gli animal selvaggi
  Usciro in alcun prato,
  Nè greggi andâr per monti,
  Nè gustaro erbe o fonti:
  Tanto dolse a ciascun l'acerbo fato;
  Tal che al chiaro et al fosco
  'Androgeo, Androgeo' sonava il bosco.
Dunque fresche corone
  A la tua sacra tomba,
  E voti di bifolchi ognor vedrai,
  Tal che in ogni stagione,
  Quasi nuova colomba,
  Per bocche de' pastor volando andrai;
  Nè verrà tempo mai
  Che 'l tuo bel nome estingua,
  Mentre serpenti in dumi
  Saranno e pesci in fiumi.
  Nè sol vivrai nella mia stanca lingua,
  Ma per pastor diversi
  In mille altre sampogne e mille versi.
Se spirto alcun d'amor vive fra voi,
  Quercie frondose e folte,
  Fate ombra alle quïete ossa sepolte.

144 *ii*

GLORĪOSA, possente, antica madre,
Che nel tuo grembo alberghi uomini e Dei,
Di palme un tempo ornata e di trofei,
Or di più sante spoglie e più leggiadre;
Se salvo io esca da le infeste squadre
D'affanni, di dolor, di pensier miei,
Per aver pace, o Roma, in te vorrei
Finir queste mie notti oscure et adre;
Sì che fuor di prigion la carne stanca,
Dopo sì perigliosa e lunga guerra,
Si posi in una tomba schietta e bianca:
O del mondo regina, invitta terra,
Poi ch'al giusto desir la grazia manca,
Pietosa in libertà gli occhi mi serra!

145 *iii*

ICARO cadde qui: queste onde il sanno
Che in grembo accolser quelle audaci penne;
Qui finìo il corso e qui il gran caso avvenne
Che darà invidia a gli altri che verranno.
Aventuroso e ben gradito affanno,
Poi che, morendo, eterna fama ottenne;
Felice chi in tal fato a morte venne,
Che sì bel pregio ricompensi il danno.
Ben può di sua ruina esser contento,
Se al ciel volando a guisa di colomba
Per troppo ardir fu esanimato e spento;
Et or del nome suo tutto rimbomba
Un mar sì spazīoso, un elemento:
Chi ebbe al mondo mai sì larga tomba?

1469–†1527

146   *L'Occasione*

CHI sei tu, che non par donna mortale,
  Di tanta grazia il ciel t'adorna e dota?
    Perchè non posi? e perchè a' piedi hai l'ale? —
'Io son l'Occasïon, a pochi nota;
  E la cagion che sempre mi travagli
    È perchè io tengo un piè sopra una ruota.
Volar non è ch'al mio correr s'agguagli;
  E però l'ale a' piedi mi mantengo,
    Acciò nel corso mio ciascuno abbagli.
Gli sparsi miei capei dinanzi io tengo;
  Con essi mi ricopro il petto e 'l volto,
    Perch' un non mi conosca quando io vengo.
Dietro dal capo ogni capel m'è tolto,
  Onde in van si affatica un, se gli avviene
    Ch'io l'abbia trapassato, o s'io mi volto.'
'Dimmi: chi è colei che teco viene?'
  'È Penitenza; e però nota e intendi:
    Chi non sa prender me, costei ritiene.
E tu, mentre parlando il tempo spendi,
  Occupato da molti pensier vani,
    Già non t'avvedi, lasso, e non comprendi
Com' io ti son fuggita tra le mani!'

1470–†1547

147   i

LIETA e chiusa contrada ov' io m'involo
    Al vulgo e meco vivo e meco albergo,
  Chi mi t'invidia, or ch'i Gemelli a tergo
  Lasciando scalda Febo il nostro polo?
Rade volte in te sento ira nè duolo,
    Nè gli occhi al ciel sì spesso e le voglie ergo,
    Nè tante carte altrove aduno e vergo,
    Per levarmi talor, s'io posso, a volo.
Quanto sia dolce un solitario stato
    Tu m'insegnasti, e quanto aver la mente
    Di cure scarca e di sospetti sgombra.
O cara selva e fiumicello amato,
    Cangiar potess' io il mare e 'l lito ardente
    Con le vostre fredd' acque e la verd' ombra.

                                    ii

148   (A Veronica Gambara)

QUEL dolce suon, per cui chiaro s'intende
    Quanto raggio del ciel in voi riluce,
  Nel laccio in ch'io già fui mi riconduce
  Dopo tant' anni e preso a voi mi rende.
Sento la bella man che 'l nodo prende,
    E strigne sì che 'l fin de la mia luce
    Mi s'avicina, e chi di fuor traluce
    Nè rifugge da lei nè si difende:
Ch'ogni pena per voi gli sembra gioco
    E 'l morir vita; ond' io ringrazio Amore

Che m'ebbe poco men fin da le fasce,
E 'l vostro ingegno, a cui lodar son roco,
E l'antico desio che nel mio core
Qual fior di primavera apre e rinasce.

LODOVICO ARIOSTO

1474–†1533

149

i

MADONNA, siete bella, e bella tanto,
    Ch'io non veggio di voi cosa più bella:
Miri la fronte, o l'una e l'altra stella
Che mi scorgon la via col lume santo;
Miri la bocca, a cui sola do vanto,
    Che dolce ha 'l riso e dolce ha la favella,
    E l'aureo crine, ond' Amor fece quella
Rete che mi fu tesa d'ogni canto,
O di terso alabastro il collo e 'l seno,
    O braccio, o mano, e quanto finalmente
    Di voi si mira, e quanto se ne crede;
Tutto è mirabil certo: nondimeno
    Non starò ch'io non dica arditamente
    Che più mirabil molto è la mia fede.

150

ii

OCCHI miei belli, mentre ch'i' vi miro,
    Per dolcezza ineffabil ch'io ne sento,
Vola, come falcon c'ha seco il vento,
La memoria da me d'ogni martiro;

E tosto che da voi le luci giro,
  Amaricato resto in tal tormento,
  Che s'ebbi mai piacer, non lo rammento:
  Ne va il ricordo col primier sospiro.
Non sarei di vedervi già sì vago,
  S'io sentissi giovar, come la vista,
  L'aver di voi nel cor sempre l'imago.
Invidia è ben se 'l guardar mio v'attrista,
  E tanto più che quello, ond' io m'appago,
  Nulla a voi perde et a me tanto acquista.

151   *iii*

(*Alla città di Firenze*)

GENTIL città, che, con felici auguri,
  Dal monte altier che forse per disdegno
  Ti mira sì, qua giù ponesti i muri,
Come del meglio di Toscana hai regno,
  Così del tutto avessi! che 'l tuo merto
  Fôra di questo e di più imperio degno.
Qual stil è sì facondo e sì diserto,
  Che delle laudi tue corresse tutto
  Un così lungo campo e così aperto?
Del tuo Mugnon potrei, quando è più asciutto,
  Meglio i sassi contar, che dire a pieno
  Quel che ad amarti e riverir m'ha indutto:
Più presto che narrar quanto sia ameno
  E fecondo il tuo pian, che si distende
  Tra verdi poggi insin al mar Tirreno,
O come lieto Arno lo riga e fende,
  E quinci e quindi quanti freschi e molli
  Rivi tra via sotto sua scorta prende.

LODOVICO ARIOSTO

A veder pien di tante ville i colli,
    Par che 'l terren ve le germogli, come
    Vermene germogliar suole e rampolli.
Se dentro un mur, sotto un medesmo nome,
    Fosser raccolti i tuoi palazzi sparsi,
    Non ti sarian da pareggiar due Rome.
Una so ben che mal ti può uguagliarsi,
    E mal forse anco avria potuto prima
    Che gli edifici suoi le fossero arsi
Da quel furor ch'uscì dal freddo clima
    Or di Vandali, or d'Eruli, or di Goti,
    All' italica ruggine aspra lima.
Dove son, se non qui, tanti devoti,
    Dentro e di fuor, d'arte e d'ampiezza egregi
    Tempî e di ricche oblazïon non vôti?
Chi potrà a pien lodar li tetti regi
    De' tuoi primati, i portici e le corti
    De' magistrati e pubblici collegi?
Non ha il verno poter ch'in te mai porti
    Di sua immondizia, se ben questi monti
    T'han lastricata sino agli angiporti.
Piazze, mercati, vie marmoree e ponti,
    Tali bell' opre di pittori industri,
    Vive sculture, intagli, getti, impronti;
Il popol grande, e di tant' anni e lustri
    Le antiche e chiare stirpi; le ricchezze,
    L'arti, gli studi e li costumi illustri;
Le leggiadre maniere e le bellezze
    Di donne e di donzelle, a cortesi atti,
    Senza alcun danno d'onestade, avvezze;
E tanti altri ornamenti che ritratti
    Porto nel cor, meglio è tacer, che al suono

Di tant' umile avena se ne tratti.
Ma che larghe ti sian d'ogni suo dono
   Fortuna a gara con natura, ahi lasso!
   A me che val, se in te misero sono?
Se sempre ho il viso mesto e il ciglio basso,
   Se di lagrime ho gli occhi umidi spesso,
   Se mai senza sospir non muto il passo?
Da penitenza e da dolore oppresso,
   Di vedermi lontan dalla mia luce,
   Trovomi sì, ch'odio talor me stesso.
L'ira, il furor, la rabbia mi conduce
   A bestemmiar chi fu cagion ch'io venni,
   E chi a venir mi fu compagno e duce,
E me che, senza me, di me sostenni
   Lasciar, oimè! la miglior parte, il core,
   E più all' altrui che al mio desir m'attenni.
Che di ricchezza, di beltà, d'onore
   Sopra ogni altra città d'Etruria sali,
   Che fa questo, Fiorenza, al mio dolore?
I tuoi Medici, ancor che siano tali,
   Che t'abbian salda ogni tua antica piaga,
   Non han però rimedio alli miei mali.
Oltre quei monti, in ripa l'onda vaga
   Del re de' fiumi, in bianca e pura stola,
   Cantando ferma il Sol la bella maga,
Che con sua vista può sanarmi sola.

1475–†1564

152   *i*

NON ha l'ottimo artista alcun concetto
   Ch'un marmo solo in sè non circoscriva
Col suo soverchio, e solo a quello arriva
La man che ubbidisce all' intelletto.
Il mal ch'io fuggo, e 'l ben ch'io mi prometto,
   In te, donna leggiadra, altera e diva,
   Tal si nasconde; e perch' io più non viva,
Contraria ho l'arte al disïato effetto.
Amor dunque non ha, nè tua beltate,
   O durezza, o fortuna, o gran disdegno
   Del mio mal colpa, o mio destino, o sorte,
Se dentro del tuo cor morte e pietate
   Porti in un tempo, e che 'l mio basso ingegno
   Non sappia, ardendo, trarne altro che morte.

153   *ii*

PER qual mordace lima
   Discresce e manca ognor tua stanca spoglia,
Anima inferma? or quando fia ti scioglia
Da quella il tempo, e torni ov' eri, in Cielo,
Candida e lieta, prima
Deposto il periglioso e mortal velo?
Ch'ancor ch'i' cangi il pelo,
Per gli ultim' anni e corti,
Cangiar non posso il vecchio mio antico uso,
Che, con più giorni, più mi sforza e preme.
Amore, a te nol celo,

Ch'io porto invidia ai morti,
Sbigottito e confuso,
Sì di sè meco l'alma trema e teme.
Signor, nell' ore estreme
Stendi ver me le tue pietose braccia:
Tòmmi a me stesso, e fammi un che ti piaccia.

iii

154   (*La Notte*)

CARO m'è 'l sonno, e più l'esser di sasso
Mentre che 'l danno e la vergogna dura:
Non veder, non sentir, m'è gran ventura;
Però non mi destar, deh! parla basso.

155   *iv*

VEGGIO co' bei vostri occhi un dolce lume,
Che co' miei ciechi già veder non posso,
Porto co' vostri piedi un pondo addosso,
Che de' miei zoppi non è lor costume;
Volo con le vostr' ale e senza piume,
Col vostro ingegno al ciel sempre son mosso,
Dal vostro arbitrio son pallido e rosso,
Freddo al sol, caldo alle più fredde brume.
Nel voler vostro è sol la voglia mia,
I miei pensier nel vostro cor si fanno,
Nel vostro fiato son le mie parole.
Come luna da sè sol par ch'io sia,
Chè gli occhi nostri in ciel veder non sanno,
Se non quel tanto che n'accende il sole.

v

(*Per Dante Alighieri*)

DAL ciel discese, e col mortal suo, poi
Che visto ebbe l'inferno giusto e 'l pio,
Ritornò vivo a contemplare Dio,
Per dar di tutto il vero lume a noi:
Lucente stella, che co' raggi suoi
Fe' chiaro, a torto, el nido ove nacqu' io;
Nè sare' 'l premio tutto 'l mondo rio:
Tu sol, che la creasti, esser quel puoi.
Di Dante dico, che mal conosciute
Fur l'opre sue da quel popolo ingrato,
Che solo a' giusti manca di salute.
Fuss' io pur lui! ch' a tal fortuna nato,
Per l'aspro esilio suo, con la virtute,
Dare' del mondo il più felice stato.

vi

OR d'un fier ghiaccio, or d'un ardente foco,
Or d'anni o guai, or di vergogna armato,
L'avvenir nel passato
Specchio con trista e dolorosa speme;
E 'l ben, per durar poco,
Sento, non men che 'l mal, m'affligge e preme.
Alla buona, alla ria fortuna insieme,
Di me già stanche, ognor chieggo perdono;
E veggo ben che della vita sono
Ventura e grazia l'ore brevi e corte,
Se la miseria medica la morte.

158 *vii*

DEH, fammiti vedere in ogni loco!
 Se da mortal bellezza arder mi sento,
 Apresso al tuo mi sarà foco ispento
 E io nel tuo sarò, com' ero, in foco.
Signor mio caro, i' te sol chiamo e 'nvoco
 Contra l'inutil mio cieco tormento:
 Tu sol puo' rinnovarmi fuora e drento
 Le voglie e 'l senno e 'l valor lento e poco.
Tu desti al tempo ancor quest' alma diva,
 E 'n questa spoglia ancor fragil e stanca
 L'incarcerasti, e con fiero destino.
Che poss' io altro, che così non viva?
 Ogni ben senza te, Signor, mi manca:
 Il cangiar sorte è sol poter divino.

159 *viii*

GIUNTO è già 'l corso della vita mia
 Con tempestoso mar, per fragil barca,
 Al comun porto, ov' a render si varca
 Conto e ragion d'ogn' opra trista e pia;
Onde l'affettüosa fantasia,
 Che l'arte mi fece idol e monarca,
 Conosco or ben com' era d'error carca,
 E quel ch'a mal suo grado ogn' uom desia.
Gli amorosi pensier, già vani e lieti,
 Che fien or, s'a due morti m'avvicino?
 D'una so 'l certo, e l'altra mi minaccia.
Nè pinger nè scolpir fia più che quieti
 L'anima volta a quell' Amor divino
 Ch'aperse, a prender noi, 'n croce le braccia.

BALDASSARE CASTIGLIONE

1478–†1529

160

S UPERBI colli, e voi, sacre ruine,
Che 'l nome sol di Roma ancor tenete,
Ahi che reliquie miserande avete
Di tant' anime eccelse e pellegrine!
Colossi, archi, teatri, opre divine,
Trionfal pompe glorïose e liete,
In poco cener pur converse siete,
E fatte al vulgo vil favola al fine.
Così se ben un tempo al tempo guerra
Fanno l'opre famose, a passo lento
E l'opre e i nomi il tempo invido atterra.
Vivrò dunque fra' miei martir contento;
Chè, se il tempo dà fine a ciò ch'è in terra,
Darà forse ancor fine al mio tormento.

VERONICA GAMBARA

1485–†1550

161   (*A Pietro Bembo*)

A L'ARDENTE desio che ognor m'accende
Di seguir nel cammin che al ciel conduce,
Sol voi mancavi, o mia serena luce,
Per discacciar la nebbia che m'offende.
Or poi che 'l vostro raggio in me risplende,
Per quella strada che a ben far ne induce,
Vengo dietro di voi, fidato duce,
Chè 'l mio voler più oltra non si stende.

VERONICA GAMBARA

Bassi pensieri in me non han più loco,
    Ogni vil voglia è spenta, e sol d'onore
    E di rara virtù l'alma si pasce,
Dolce mio caro et onorato foco,
    Poscia che dal gentil vostro calore
    Eterna fama e vera gloria nasce.

FRANCESCO MARIA MOLZA

1489-†1544

162   *i*

'ALMA città, che sovra i sette colli
    Seder solevi glorïosa e altera,
    Com' è mutata la tua forma vera
    Dopo tante speranze e pensier folli!
Ben deve gli occhi aver di dolor molli,
    Chi cagion è che 'l tuo bel nome pera,
    Di Curj e Decj madre alta e severa,
    Che, morta ancora, l'altrui fama tolli.
Quel che poss' io, o mia diletta Roma,
    Il tuo cenere onoro, e le torri arse,
    Per cui superba già gran tempo andai.'
Così dicendo, di pur or la chioma
    Con mestissima mano in terra sparse
    Donna, che a pochi si mostrò giammai.

163   *ii*

SÌ come fior che per soverchio umore
    Carco di pioggia ed a se stesso grave
    Inchina, e col già tanto odor soave
    A forza perde il suo natio colore,

Nè più donzella o giovane, che Amore
   Sotto il suo giogo dolcemente aggrave,
   È che 'l nudrisca, come dianzi, o lave,
   Poi che sì poco tien del primo onore;
Ma se benigno raggio ancor del sole
   Vien che lo scaldi con soave foco,
   Subito avviva e ne diventa adorno;
Così vostre bellezze al mondo sole,
   Donna, vid' io sparire a poco a poco,
   E poi più vaghe fare a noi ritorno.

164   *iii*

VESTIVA i colli e le campagne intorno
   La primavera di novelli onori,
   E spirava soavi arabi odori
   Cinta d'erbe e di fiori il crine adorno;
Quando Licori a l'apparir del giorno
   Cogliendo di sua man purpurei fiori
   Mi disse: 'In guiderdon di tanti ardori
   A te gli colgo, ed ecco i' te ne adorno.'
Così le chiome mie soavemente
   Parlando cinse, e in sì dolci legami
   Mi strinse il cor, ch'altro piacer non sente.
Onde non fia giammai ch'i' più non l'ami
   Degli occhi miei, nè fia che la mia mente
   Altra sospiri desïando o chiami.

iv

D ORMIVA Amor, entro il bel seno accolto
   Della mia Donna, sonno dolce e queto,
   Quando le guancie e il caro sguardo e lieto
   Sentì cangiarsi e sè dal gioir tolto;
E di faville armato e in foco avvolto
   Volando a parte, onde mai sempre mieto
   Pace, dolcezza, e il gran desire acqueto,
   Repente se l'offerse a mezzo il volto.
E quanto di vergogna avea nel core
   Acceso il casto e pellegrino aspetto,
   Tanto con le sue mani ei vi dipinse.
A me scese per l'ossa un dolce ardore
   Sì ratto, che mai 'l ciel, da nembi infetto,
   Non corse balenar sì tosto, o cinse.

v

N È mai racemi nell' estivo ardore
   Colorì il sole in sì vezzoso aspetto,
   Nè da bei pomi a piegar ramo astretto
   Sì vago mise e sì natio colore,
Nè di rose i bei crin cinta mai fuore
   Portò l'Aurora dì chiaro et eletto,
   Nè giunse onore a fino avorio schietto
   D'Africa e Tiro prezïoso umore,
Nè stella seguì mai purpurea face
   Allor che il ciel cadendo a basso fiede,
   Nè girò il volto primavera intorno,
Nè vaghezza fu mai che ad alma pace
   Simile apporti a quella ch'al cor riede,
   Membrando il varïar del viso adorno.

167   *i*

QUI fece il mio bel Sole a noi ritorno,
  Di regie spoglie carco e ricche prede:
  Ahi, con quanto dolor l'occhio rivede
  Quei lochi ov' ei mi fea già chiaro il giorno !
Di mille glorie allor cinto d'intorno
  E d'onor vero, alla più altera sede,
  Facean dell' opre udite intiera fede
  L'ardito volto, il parlar saggio, adorno.
Vinto da' prieghi miei, poi mi mostrava
  Le belle cicatrici, e il tempo e il modo
  Delle vittorie sue tante e sì chiare.
Quanta pena or mi dà, gioia mi dava;
  E in questo e in quel pensier piangendo godo
  Tra poche dolci e assai lagrime amare.

168   *ii*

TRALUCER dentro al mortal vel cosparte,
  Quasi lampa cui serra un chiaro vetro,
  Mille luci vid' io; ma non mi spetro
  Dal mondo sì, ch'io le dipinga in carte.
Amor nell' alma accesa a parte a parte
  Vere l'impresse già molt' anni a dietro,
  Ond' ei spinge il desire, et io mi arretro
  Dall' opra, che ogni ardir da sè diparte.
E s'avvien pur ch'i' ombreggi un picciol raggio
  Del mio gran sol, da lagrime e sospiri,
  Quasi da pioggia e nebbia, par velato.

Se in amarlo fu audace, in tacer saggio
      Sia almeno il cor, chè omai sdegna il beato
      Spirto che mortal lingua a tanto aspiri.

169   *iii*

D EH ! potess' io veder per viva fede,
      Lassa ! con quanto amor Dio n' ha creati,
   Con che pena riscossi, e come ingrati
   Semo a così benigna alta mercede,
E come ei ne sostien, come concede
      Con larga mano i suoi ricchi e pregiati
      Tesori, e come figli in lui rinati
      Ne cura, e più quel che più l'ama e crede,
E com' ei nel suo grande eterno impero
      Di nuova carità l'arma et accende,
      Quando un forte guerrier fregia e corona !
Ma poi che per mia colpa non si stende
      A tanta altezza il mio basso pensiero,
      Provar potessi almen com' ei perdona !

170   *iv*

P ADRE eterno del ciel, se tua mercede
      Vivo ramo son io nell' ampia e vera
   Vite che abbraccia il mondo e chiusa, intera
   Vuol la nostra virtù seco per fede,
L'occhio divino tuo languir mi vede
      Per l'ombra di mie frondi intorno nera,
      Se nella dolce, eterna primavera,
      Il quasi secco umor verde non riede.

Purgami sì ch'io permanendo seco
    Mi cibi ognor della rugiada santa
    E rinfreschi col pianto la radice.
Verità sei; dicesti d'esser meco:
    Vien dunque lieto, ond' io frutto felice
    Faccia in te, degno a sì gradita pianta.

BERNARDO TASSO

1493–†1569

171   *i*

Loda de la vita pastorale

O PASTORI felici,
    Che d'un picciol poder lieti e contenti
    Avete i cieli amici,
    E lungi dalle genti
    Non temete di mar ira o di venti,
Noi vivemo alle noie
    Del tempestoso mondo et alle pene:
    Le maggior nostre gioie,
    Ombra del vostro bene,
    Son più di fel che di dolcezza piene.
Mille pensier molesti
    Ne porta in fronte il dì dall' Orïente,
    E, di quelli e di questi
    Ingombrando la mente,
    Fa la vita parer trista e dolente.
Mille desir noiosi
    Mena la notte sotto alle fosch' ali,
    Che turbano i riposi
    Nostri, e speranze frali,
    Salde radici d'infiniti mali.

Ma voi, tosto che l'anno
  Esce col sole dal monton celeste,
  E che del fero inganno
  Progne con voci meste
  Si lagna, e d'allegrezza il dì si veste,
All' apparir del giorno
  Sorgete lieti a salutar l'aurora,
  E 'l bel prato d'intorno
  Spogliate ad ora ad ora
  Del vario fior che 'l suo bel grembo onora;
E 'nghirlandati il crine,
  Di più felici rami gli arbuscelli
  Nelle piaggie vicine
  Fate innestando belli,
  Ond' inalzano al ciel vaghi capelli;
E talor maritate
  Ai verd' olmi le viti tenerelle,
  Ch'al suo collo appoggiate,
  E, di foglie novelle
  Vestendosi, si fan frondose e belle.
Poi ch'alla notte l'ore
  Ritoglie il giorno, dal securo ovile
  La greggia aprite fuore,
  E con soave stile
  Cantate il vago e dilettoso Aprile;
E 'n qualche valle ombrosa
  Ch'ai raggi ardenti di Febo s'asconde,
  Là, dov' Eco dogliosa
  Sovente alto risponde
  Al roco mormorar di lucid' onde,
Chiudete in sonni molli
  Gli occhi gravati; spesso i bianchi tori

Mirate per li colli,
Spinti da' loro amori,
Cozzar insieme, e lieti ai vincitori
Coronate le corna;
Onde si veggion poi superbi e fieri
Alzar la fronte adorna,
E gir in vista alteri
Come vittorïosi cavalieri.
Spesso, da poi che cinta
Di bionde spiche il crin, la state riede,
Coll' irta chioma avvinta
Di torta quercia, il piede
Vago movendo, con sincera fede,
In ampio giro accolti,
La figlia di Saturno alto chiedete;
E con allegri volti
Grati (come dovete)
L'altar del sangue a lei caro spargete.
Sovente per le rive
Colle vezzose pastorelle a paro
Sedete all' ombre estive;
E senza nullo amaro
Sempre passate il dì felice e chiaro.
A voi l'autunno serba
Uve vestite di color di rose;
Pomi, la pianta acerba;
Miele, l'api ingegnose;
Latte puro, le pecore lanose.
Voi, mentre oscuro velo
Il vostro chiaro ciel nasconde e serra,
Mentre la neve e 'l gelo
Alle piagge fa guerra,

Lieti de' frutti della ricca terra,
Or col foco, or col vino,
Sedendo a lunga mensa in compagnia,
Sprezzate ogni destino;
Nè amore o gelosia
Dagli usati diletti unqua vi svia.
Or tendete le reti
Alla gru pellegrina, alla cervetta;
Or percotete lieti
Con fromba o con saetta
La fuggitiva damma e semplicetta.
Voi quïete tranquilla
Avete, e senza affanno alcun la vita;
Voi non noiosa squilla
Ad altrui danni invita,
Ma, senza guerra mai, pace infinita.
Vita gioiosa e queta,
Quanto t'invidio così dolce stato!
Chè quel, che in te s'acqueta,
Non solo è fortunato,
Ma veramente si può dir beato.

172   *ii*

(Per le nozze di Ginevra Malatesta)

POI che la parte men perfetta e bella
Ch'al tramontar d'un dì perde il suo fiore,
Mi toglie il cielo, e fanne altrui signore,
Ch'ebbe più amica e grazïosa stella;

187

Non mi togliete voi l'alma, ch'ancella
    Fece la vista mia del suo splendore:
    Quella parte più nobile e migliore,
    Di cui la lingua mia sempre favella.
Amai questa beltà caduca e frale
    Come immagin dell' altra eterna e vera,
    Che pura scese dal più puro cielo:
Questa sia mia, e d'altri l'ombra e 'l velo;
    Ch'al mio amor, a mia fè salda et intera
    Poca mercè saria pregio mortale.

173   *iii*

NINFE, ch'al suon de la sampogna mia
    Sovente alzando fuor le chiome bionde
    Di queste sì correnti e lucid' onde
    Udiste il duol ch'amor dal cor mi apria,
Se sempre l'aura sì tranquilla sia
    Che non vi turbi l'acque, e se le sponde
    Del vostro fiume ognor verdi e feconde
    Non sentan pioggia tempestosa e ria,
Uscite fuor de' liquidi cristalli
    E la mia libertà meco cantate
    In queste vaghe rive e dilettose,
Chè d'un altar di fior candidi e gialli
    Sarete in questo dì sempre onorate
    E d'un canestro di purpuree rose.

LUIGI ALAMANNI

1495–†1556

174

i

IO pur, la Dio mercè, rivolgo il passo
    Dopo il sest' anno a rivederti almeno,
    Superba Italia; poi che starti in seno
    Dal Barbarico stuol m'è tolto, ahi lasso!
E con gli occhi dolenti e 'l viso basso
    Sospiro, e inchino il mio natio terreno,
    Di dolor, di timor, di rabbia pieno,
    Di speranza e di gioia ignudo e casso.
Poi ritorno a calcar l'Alpi nevose,
    E 'l buon Gallo sentier, ch'io trovo amico
    Più de' figli d'altrui, che tu de' tuoi.
Ivi al soggiorno solitario aprico
    Mi starò sempre in quelle valli ombrose,
    Poi che il ciel lo consente, e tu lo vuoi.

175

ii

(Al fiume Senna)

QUANTA invidia ti porto, amica Sena,
    Vedendo ir l'onde tue tranquille e liete
    Per sì bei campi, a trar l'estiva sete
    A' fiori e l'erbe onde ogni riva è piena!
Tu la città, che il tuo gran regno affrena,
    Circondi e bagni, e 'n lei concordi e quete
    Vedi le genti sì, che per sè miete
    Utile e dolce, ad altrui danno e pena.

Il mio bell' Arno (ahi ciel, chi vide in terra
    Per alcun tempo mai tant' ira accolta
    Quant' or sovra di lui sì larga cade?)
Il mio bell' Arno in sì dogliosa guerra
    Piange suggetto e sol, poi che gli è tolta
    L'antica gloria sua di libertade.

FRANCESCO BERNI

1497–†1535

176   *i*

IL Papa non fa altro che mangiare,
  Il Papa non fa altro che dormire:
    Quest' è quel che si dice e si può dire
    A chi del Papa viene a dimandare.
Ha buon occhio, buon viso, buon parlare,
    Bella lingua, buon sputo, buon tossire;
    Questi son segni ch'e' non vuol morire,
    Ma e' medici lo vogliono ammazzare.
Perchè non ci sarebbe il loro onore
    S'egli uscisse lor vivo dalle mani,
    Avendo detto: 'Gli è spacciato, e' muore.'
Trovan cose terribil, casi strani:
    Egli ebbe il parocismo alle due ore,
    O l'ha avut' oggi, e non l'avrà domani.
Farien morire i cani,
    Non che 'l Papa: ed alfin tanto faranno,
    Ch'a dispetto d'ognun l'ammazzeranno.

ii

CHIOME d'argento fine, irte ed attorte
Senz' arte intorno ad un bel viso d'oro;
Fronte crespa, u' mirando io mi scoloro,
Dove spuntan gli strali Amore e Morte;
Occhi di perle vaghi, luci torte
Da ogni obbietto diseguale a loro;
Ciglia di neve, e quelle, ond' io m'accoro,
Dita e man dolcemente grosse e corte;
Labbra di latte, bocca ampia celeste,
Denti d'ebano rari e pellegrini,
Inaudita ineffabile armonia,
Costumi alteri e gravi: a voi, divini
Servi d'Amor, palese fo che queste
Son le bellezze della donna mia.

GIOVANNI GUIDICCIONI

(*All' Italia*)

1500–†1541

i

DAL pigro e grave sonno, ove sepolta
Sei già tant' anni, omai sorgi e respira,
E disdegnosa le tue piaghe mira,
Italia mia, non men serva che stolta.
La bella libertà, ch'altri t'ha tolta
Per tuo non sano oprar, cerca e sospira;
E i passi erranti al cammin dritto gira
Da quel torto sentier, dove sei volta.

Chè se risguardi le memorie antiche,
    Vedrai che quei, che i tuoi trionfi ornaro,
    T'han posto il giogo, e di catene avvinta.
L'empie tue voglie, a te stessa nemiche,
    Con gloria d'altri, e con tuo duolo amaro,
    Misera! t'hanno a sì vil fine spinta.

179   *ii*

QUESTA, che tanti secoli già stese
    Sì lungi il braccio del felice impero,
    Donna delle provincie e di quel vero
    Valor che 'n cima d'alta gloria ascese,
Giace vil serva, e di cotante offese,
    Che sostien dal Tedesco e da l'Ibero,
    Non spera il fin; chè indarno Marco e Piero
    Chiama al suo scampo et a le sue difese.
Così, caduta la sua gloria in fondo,
    E domo e spento il gran valor antico,
    Ai colpi de l'ingiurie è fatta segno.
Puoi tu non, colmo di dolor profondo,
    Buonviso, udir quel ch'io piangendo dico,
    E non meco avvampar d'un fero sdegno?

180   *iii*

PREGA tu meco il ciel de la su' aita,
    Se pur (quanto devria) ti punge cura
    Di quest' afflitta Italia, a cui non dura
    In tanti affanni omai la debil vita.

Non può la forte vincitrice ardita
   Regger (chi 'l crederia?) sua pena dura,
   Nè rimedio o speranza l'assecura,
   Sì l'odio interno ha la pietà sbandita;
Che a tal (nostre rie colpe, e di fortuna)
   È giunta, che non è chi pur le dia
   Conforto nel morir, non che soccorso:
Già tremar fece l'universo ad una
   Rivolta d'occhi, et or cade tra via,
   Battuta e vinta nel suo estremo corso.

181   *iv*

DEGNA nutrice de le chiare genti,
   Ch'ai dì men foschi trionfàr del mondo,
   Albergo già di dei fido e giocondo,
   Or di lagrime triste e di lamenti;
Come posso udir io le tue dolenti
   Voci, o mirar senza dolor profondo
   Il sommo imperio tuo caduto al fondo,
   Tante tue pompe e tanti pregi spenti?
Tal, così ancella, maestà riserbi,
   E sì dentro al mio cor suona il tuo nome,
   Ch'i tuoi sparsi vestigi inchino e adoro.
Che fu a vederti in tanti onor superbi
   Seder reina, e 'ncoronate d'oro
   Le glorïose e venerabil chiome?

ANTON FRANCESCO GRAZZINI
(IL LASCA)

1503–†1584

182

i

CON meraviglia e con gran divozione
Era la vostra commedia aspettata;
   Ma poi ch'ell' è da Terenzio copiata,
   Son cadute le braccia alle persone.
Così sendo in concetto di lione,
   Poi rïuscendo topo alla giornata,
   Di voi si ride e dice la brigata:
   'Infine il Varchi non ha invenzione:
E in questa parte ha somigliato il Gello,
   Che fece anch' egli una commedia nuova
   Ch'avea prima composto il Machiavello.'
O Varchi, o Varchi, io vo' darvi una nuova,
   Anzi un ricordo proprio da fratello:
   Disponetevi a far più degna prova;
E dove altrui più giova,
   Attendete a tradurre e comentare,
   O fateci Aristotele vulgare.

183

ii

GIOTTO fu il primo che alla dipintura,
Già lungo tempo morta, desse vita,
   E Donatello messe la scultura
   Nel suo dritto sentier, ch'era smarrita;
Così l'architettura,
   Storpiata e guasta alle man de' Tedeschi,
   Anzi quasi basita,
   Da Pippo Brunelleschi,

Solenne architettor, fu messa in vita:
Onde gloria infinita
Meritâr quelli tre spirti divini,
Nati in Firenze e nostri cittadini,
E di queste tre arti i Fiorentini
Han sempre poi tenuto e 'l vanto e 'l pregio.
Dopo questi, l'egregio
Michelagnol divin, dal cielo eletto
Pittor, scultor e architettor perfetto,
Che, dove i primi tre mastri eccellenti
Gittaro i fondamenti,
Alle tre nobil arti ha posto il tetto,
Onde meritamente
Chiamato è dalla gente
Vero maestro e padre del disegno;
E tanti d'alto ingegno
Innanzi, seco, e dopo lui, son stati
Artefici onorati,
Che d'opra di pennello
E di squadra e di seste e di scarpello
L'onore e 'l grido — abbia ognun pazïenza —
Infino a qui è stato di Fiorenza.
Ma or non so qual maligna influenza,
O sole o stella o luna
O destino o fortuna,
Vuol che in Fiorenza sia
Di dipintor sì fatta carestia,
Che, dovendo finirsi quel lavoro
Che già, con poco senno e men giudizio,
Fu cominciato da Giorgin Vasari,
In quella chiesa o tempio o edifizio,
Che d'altezza e giudizio,

Di grazia e di bellezza,
Non ebbe al mondo e non avrà mai pari,
Bisognato è per forza di danari,
Non senza gran vergogna e vitupero,
Far venir per fornirlo un forestiero,
Il qual, per dire il vero,
Nel disegnare e maneggiar colori
Ha pochi, oggi, o nessun che gli sia pari;
Ma, bench' ei fusse il primo fra più rari
Che sono stati al mondo dipintori,
Varria nïente o poco,
Perchè non è in così alto loco
Da' maestri migliori o da' peggiori
Vantaggio tanto che vaglia una frulla:
Chè a ogni modo non si scorge nulla.

GIOVANNI DELLA CASA

1503–†1556

184   i

CURA che di timor ti nutri e cresci,
E più temendo, maggior forza acquisti,
E mentre con la fiamma il gelo mesci,
Tutto 'l regno d'Amor turbi e contristi;
Poi che 'n brev' ora entr' al mio dolce hai misti
Tutti gli amari tuoi, del mio cor esci:
Torna a Cocito, ai lacrimosi e tristi
Campi d'Inferno; ivi a te stessa incresci.
Ivi senza riposo i giorni mena,
Senza sonno le notti; ivi ti duoli
Non men di dubbia che di certa pena.

Vattene: a che, più fiera che non suoli,
  Se 'l tuo venen m'è corso in ogni vena,
  Con nuove larve a me ritorni e voli?

185   *ii*

O SONNO, o della queta, umida, ombrosa
  Notte placido figlio; o de' mortali
Egri conforto, oblio dolce de' mali
Sì gravi, ond' è la vita aspra e noiosa;
Soccorri al core omai, che langue, e posa
  Non have; e queste membra stanche e frali
  Solleva: a me te n' vola, o Sonno, e l'ali
  Tue brune sovra me distendi e posa.
Ov' è 'l silenzio, che 'l dì fugge e 'l lume?
  E i lievi sogni, che con non secure
  Vestigia di seguirti han per costume?
Lasso! che 'nvan te chiamo, e queste oscure
  E gelide ombre invan lusingo. O piume
  D'asprezza colme! o notti acerbe e dure!

186   *iii*

O DOLCE selva solitaria, amica
  De' miei pensieri sbigottiti e stanchi,
  Mentre Borea ne' dì torbidi e manchi
  D'orrido giel l'aere e la terra implica,
E la tua verde chioma, ombrosa, antica
  Come la mia, par d'ognintorno imbianchi,
  Or che 'n vece di fior vermigli e bianchi
  Ha neve e ghiaccio ogni tua piaggia aprica,

A questa breve e nubilosa luce
   Vo ripensando che m'avanza, e ghiaccio
   Gli spirti anch' io sento e le membra farsi;
Ma più di te dentro e d'intorno agghiaccio,
   Chè più crudo Euro a me mio verno adduce,
   Più lunga notte e dì più freddi e scarsi.

187   *iv*

GIÀ lessi, et or conosco in me, sì come
   Glauco nel mar si pose, uom puro e chiaro;
   E come sue sembianze si mischiaro
   Di spume e conche, e fêrsi alga sue chiome.
Però che in questo Egeo, che vita ha nome,
   Puro anch' io scesi, e 'n queste de l'amaro
   Mondo tempeste, ed elle mi gravaro
   I sensi e l'alma, ahi di che indegne some.
Lasso! e soviemmi d'Esaco, che l'ali
   D'amoroso pallor segnate ancora,
   Digiuno per lo cielo apre e distende,
E poi satollo indarno a volar prende.
   Sì 'l core anch' io, che per sè leve fôra,
   Gravato ho di terrene esche mortali.

188   *v*

QUESTA vita mortal, che 'n una o 'n due
   Brevi e notturne ore trapassa, oscura
   E fredda, involto avea fin qui la pura
   Parte di me, nell' atre nubi sue.

GIOVANNI DELLA CASA

Or a mirar le grazie tante tue
    Prendo; chè frutti e fior, gielo ed arsura,
    E sì dolce del ciel legge e misura,
    Eterno Dio, tuo magisterio fue;
Anzi 'l dolce aer puro e questa luce
    Chiara, che 'l mondo a gli occhi nostri scopre,
    Traesti tu d'abissi oscuri e misti;
E tutto quel che 'n terra o 'n ciel riluce
    Di tenebre era chiuso, e tu l'apristi;
    E 'l giorno e 'l sol delle tue man son opre.

GIOVAN BATTISTA STROZZI

1504–†1571

189   *i*

MORTE soave, poi
    Che tuo frate pietoso
    E mio sì dolce amico, almo Riposo,
    Non vienne, entrane tu 'n questi occhi suoi.
    Tu mi consoli, certo, e non m'annoi,
    E rechimi diletto,
    Non duolo; ed io t'aspetto,
    E chiamoti nel cor Morte gradita,
    Come cara mia vita.

190   *ii*

RIPOSATA, lunghissima, che mai
    Non ti risvegli, nostra ultima sera,
    Deh vienne, odine omai;
    Ch'una sol volta io pera,

Non mille e mille, come a questa fera
Piace, che 'l mondo chiama
Vita, che sì 'l mondo ama: oh mondo cieco,
Stanco io son, nè d'errar bramo più teco.

191   *iii*

MUOVI, Donna, che pace
Pur sì lunga e sì cara al mondo rechi!
Ma tal n'ha fatti ciechi
Matrigna acerba, che 'l tosco ne piace
E ne dispiace il mel tanto soave:
Benedetta la chiave
E la man che di carcer ne disserra,
Ohimè sì duro, e di sì dura terra!

192   *iv*

VOLGI gli occhi tuoi, Donna
Tutta vaga e gentil, ma di sì nera
Velata orrida gonna,
Ch'ognun fugge da te come da fera;
E deh, m'accolga omai, ch'egli è ben sera,
Quel tuo sen dolce e fido:
Più riposato nido
Ancor non trova il fianco
Sì dal calle e dagli anni rotto e stanco.

GIOVAN BATTISTA STROZZI

193   *v*

OMBRA io seguo, che piagge e monti cuopre:
  Tutti per l'oscurissima foresta
Del mondo alfin discuopre
Aguati, con sua face atra funesta;
Fuma e sfavilla questa
Sempre, nè mai per onda nè per vento
Si spegne, nè si strugge
Per tempo od altro: fugge di spavento
L'ardito, il vile, il misero, il contento.

ANGELO DI COSTANZO

1507–†1591

194   *i*

CIGNI felici, che le rive e l'acque
  Del fortunato Mincio in guardia avete,
  Deh, s'egli è ver, per Dio mi rispondete:
  Tra' vostri nidi il gran Virgilio nacque?
Dimmi, bella Sirena, ove a lui piacque
  Trapassar l'ore sue tranquille e liete
  (Così sian l'ossa tue sempre quiete):
  È ver ch'in grembo a te, morendo, giacque?
Qual maggior grazia aver dalla fortuna
  Potea? Qual fin conforme al nascer tanto?
  Qual sepolcro più simile alla cuna?
Ch'essendo nato tra 'l soave canto
  Di bianchi cigni, al fin in veste bruna
  Esser dalle Sirene in morte pianto?

ANGELO DI COSTANZO

ii

QUASI colomba immacolata e pura,
 Ohimè! così repente a Dio volasti,
Spirto beato, e me cieco lasciasti
In questa valle di miseria oscura.
Ma se ancor t'è rimasta alcuna cura
 Di quel padre che tanto in terra amasti,
 Cui non è sotto il ciel cosa che basti
 A consolar di tanta aspra sventura,
Quando col sonno, già frate alla morte,
 L'anima afflitta, e nel dolor sepolta,
 A gli altri sensi tien chiuse le porte,
Dal bel cerchio di latte alcuna volta
 Manda almen l'ombra tua, che mi conforte,
 Ne' chiari rai della tua gloria involta.

LUIGI TANSILLO

1510–†1568

i

AMOR m'impenna l'ale, e tanto in alto
 Le spiega l'animoso mio pensiero,
Che, ad ora ad ora sormontando, spero
A le porte del ciel far novo assalto.
Tem'io, qualor giù guardo, il vol troppo alto,
 Ond' ei mi grida, e mi promette altero
 Che, se al superbo vol cadendo io pero,
 L'onor fia eterno, se mortal è il salto.
Chè s'altri, cui disio simil compunse,
 Diè nome eterno al mar col suo morire,
 Ove l'ardite penne il sol disgiunse,

Ancor di me le genti potran dire:
    'Questi aspirò alle stelle, e s'ei non giunse,
    La vita venne men, ma non l'ardire.'

197   *ii*

POI che spiegate ho l'ale al bel desio,
  Quanto per l'alte nubi altier lo scorgo,
  Più le superbe penne al vento porgo,
  E d'ardir colmo verso il ciel l'invio.
Nè del figliuol di Dedalo il fin rio
  Fa ch'io paventi, anzi via più risorgo:
  Ch'io cadrò morto a terra, ben m'accorgo;
  Ma qual vita s'agguaglia al morir mio?
La voce del mio cor per l'aria sento:
  'Ove mi porti, temerario? china,
  Chè raro è senza duol troppo ardimento.'
'Non temer,' rispond' io, 'l'alta rovina;
  Poichè tant' alto sei, muori contento,
  Se 'l ciel sì illustre morte ne destina!'

198   *iii*

PASSANO i lieti dì come baleni,
  E da mane precipitano a sera,
  E tanto l'alma amareggiata e nera
  Lascian, quanto elli fur dolci e sereni;
I tristi muovon lenti, e mille freni
  Han l'ore che l'adducon dove assera:
  Par che 'l motor della seconda sfera
  Sproni quegli, e Saturno questi affreni.

LUIGI TANSILLO

Mentre i begli occhi, ove t'annidi e voli,
    Amor, sin qui godea da presso, lievi
    Correano, quasi a gara, il dì e la notte;
Or ch'io piango lontan, le rote rotte
    Son d'ambo i carri, nè la state brevi
    Fa le sue lune, nè la bruma i soli.

199   *iv*

E FREDDO è il fonte, e chiare e crespe ha l'onde,
    E molli erbe verdeggian d'ogn' intorno,
    E 'l platano coi rami e 'l salce e l'orno
    Scaccian Febo, che il crin talor v'asconde;
E l'aura a pena le più lievi fronde
    Scuote, sì dolce spira al bel soggiorno;
    Ed è il rapido sol sul mezzogiorno
    E versan fiamme le campagne bionde.
Fermate sovra l'umido smeraldo,
    Vaghe ninfe, i bei piè, ch'oltra ir non ponno,
    Sì stanche ed arse al corso ed al sol siete.
Darà ristoro a la stanchezza il sonno;
    Verde ombra ed aura, refrigerio al caldo;
    E le vive acque spegneran la sete.

GALEAZZO DI TARSIA

1520–†1553

200

GIÀ corsi l'Alpi gelide e canute,
    Mal fida siepe a le tue rive amate;
    Or sento, Italia mia, l'aure odorate,
    E l'aere pien di vita e di salute.

GALEAZZO DI TARSIA

Quante m'ha dato Amor, lasso! ferute,
  Membrando la fatal vostra beltate,
  Chiuse valli, alti poggi ed ombre grate,
  Da' ciechi figli tuoi mal conosciute!
O felice colui che un breve e colto
  Terren fra voi possiede, e gode un rivo,
  Un pomo, un antro, e di fortuna un volto!
Ebbi i riposi e le mie paci a schivo
  (O giovanil desio fallace e stolto!);
  Or vo piangendo che di lor son privo.

GASPARA STAMPA

1523–†1554

201   *i*

SE poteste, signor, con l'occhio interno
  Penetrar i segreti del mio core,
  Come vedete queste ombre di fuore
  Apertamente con questo occhio esterno,
Vi vedreste le pene de l'inferno,
  Un abisso infinito di dolore,
  Quanta mai gelosia, quanto timore
  Amor ha dato o può dar in eterno.
E vedreste voi stesso seder donno
  In mezzo a l'alma, cui tanti tormenti
  Non han potuto mai cavarvi, o ponno;
E tutti altri disir vedreste spenti,
  Od oppressi da grave ed alto sonno,
  E sol quei d'aver voi desti ed ardenti.

202

ii

IL cor verrebbe teco
Nel tuo partir, signore,
S'egli fosse più meco,
Poi che con gli occhi tuoi mi prese Amore.
Dunque verranno teco i sospir miei,
Che sol mi son restati
Fidi compagni e grati,
E le voci e gli omei;
E se vedi mancarti la lor scorta,
Pensa ch'io sarò morta.

203

iii

DEH lasciate, signor, le maggior cure
D'ir procacciando in questa età fiorita,
Con fatiche e periglio della vita,
Alti pregi, alti onori, alte venture;
E in questi colli, in queste alme e sicure
Valli e campagne, dove Amor n'invita,
Viviamo insieme vita alma e gradita,
Fin che il sol de' nostri occhi al fin s'oscure;
Perchè tante fatiche e tanti stenti
Fan la vita più dura, e tanti onori
Restan per morte poi subito spenti.
Qui coglieremo a tempo e rose e fiori,
Ed erbe e frutti, e con dolci concenti
Canterem con gli uccelli i nostri amori.

204   *iv*

MESTA e pentita de' miei gravi errori
E del mio vaneggiar tanto e sì lieve,
  E d'aver speso questo tempo breve
  Della vita fugace in vani amori,
A te, Signor, che intenerisci i cori,
  E rendi calda la gelata neve,
  E fai soave ogni aspro peso e greve
  A chiunque accendi de' tuoi santi ardori,
Ricorro, e prego che mi porghi mano
  A trarmi fuor del pelago, onde uscire,
  S'io tentassi da me, sarebbe vano.
Tu volesti per noi, Signor, morire,
  Tu ricomprasti tutto il seme umano:
  Dolce Signor, non mi lasciar perire.

CELIO MAGNO

                                        1536–†1602
205   *i*

DA verde ramo in su fugace rio
Spargea vago augellin sì dolci accenti
  Ch'avean, per ascoltarlo, il cielo, i venti
  E l'acque il corso lor posto in oblio:
Quando improviso astor giunse, e 'l rapìo,
  Misero, fra gli artigli aspri e pungenti,
  Onde invano ei si scosse, e co' dolenti
  Suoi stridi il cor d'alta pietà m'emplo.
Oh regnasse furor sì iniquo et empio
  Sol tra le fiere, e non tra i petti umani
  Con via più crudo e scellerato esempio!

Ch' or macchia, più che mai, l'alma e le mani
   Rapina e sangue, e 'l reo del buon fa scempio,
   Vinta ragion da ciechi affetti insani!

206   *ii*

NON fuggir, vago augello, affrena il volo,
   Ch'io non tendo a' tuoi danni o visco o rete;
   Chè, se a me libertà cerco e quïete,
   Por te non deggio in servitute e 'n duolo.
Ben io fuggo a ragion nemico stuolo
   Di gravi cure in queste ombre secrete,
   Ove, sol per goder sicure e liete
   Poche ore teco, a la città m'involo.
Qui più sereno è 'l ciel, più l'aria pura,
   Più dolci l'acque, e, più cortese e bella,
   L'alte ricchezze sue scopre Natura.
O mente umana, al proprio ben rubella,
   Vede tanta sua pace e non la cura,
   E stima porto ov' ha flutto e procella!

207   *iii*

ME stesso io piango, e de la propria morte
   Apparecchio l'esequie anzi ch'io pera;
   Ch'ognor in vista fera
   M'appar davanti, e 'l cor di tema agghiaccia:
   Chiaro indicio che già l'ultima sera
   S'appressi, e 'l fin di mie giornate apporte.
   Nè piango, perchè sorte
   Larga e benigna abbandonar mi spiaccia;

Anzi or con più che mai turbata faccia
Fortuna provo a farmi oltraggio intenta.
Ma, se in cotal pensier l'anima immersa
Geme, e lagrime versa,
E del su' amato nido uscir paventa,
Natura il fa, che per usata norma
L'immagine di Morte orribil forma.
Lasso me, che quest' alma e dolce luce,
Questo bel ciel, quest' aere onde respiro,
Lasciar convegno; e miro
Fornito il corso di mia vita omai.
E l'esalar d'un sol breve sospiro
A' languid' occhi eterna notte adduce:
Nè per lor mai più luce
Febo, o scopre per lor più Cintia i rai.
E tu lingua, e tu cor, ch'i vostri lai
Spargete or meco in dolorose note,
E voi, piè giunti a' vostri ultimi passi,
Non pur di spirto cassi
Sarete, e membra d'ogni senso vote;
Ma dentro a la funesta, oscura fossa
Cangiati in massa vil di polve e d'ossa.
O di nostre fatiche empio riposo,
E d'ogni uman sudor mèta infelice,
Da cui torcer non lice
Pur orma, nè sperar pietade alcuna!
Che val, per ch'altri sia chiaro e felice
Di gloria d'avi, o d'oro in arca ascoso,
E d'ogni don gioioso
Che natura può dar larga, e fortuna,
Se tutto è falso ben sotto la luna,
E la vita sparisce a lampo eguale

Che subito dal cielo esca e s'asconda,
E, s'ove è più gioconda,
Più acerbo scocca Morte il crudo strale?
Pur ier misero io nacqui, et oggi il crine
Di neve ho sparso, e già son giunto al fine.
Nè per sì corta via vestigio impressi
Senz' aver di mia sorte onde lagnarme:
Chè da l'empia assaltarme
Vidi con alte ingiurie a ciascun varco;
Contra la qual da pria non ebbi altr' arme
Che lagrime e sospir da l'alma espressi.
Poi de' miei danni stessi
L'uso a portar m'agevolò l'incarco.
Quinci a studio non suo per forza l'arco
Rivolto fu del mio debile ingegno
Tra 'l roco suon di strepitose liti,
Ove i dì più fioriti
Spesi, e par che 'l prendesse Apollo a sdegno:
Chè se fosser già sacri al suo bel nome
Forse or di lauro andrei cinto le chiome.
Ma qual colpa n'ebb' io, se 'l cielo avverso
Par che mai sempre a' bei desir contenda?
E virtù poco splenda
Se luce a lei non dan le gemme e l'oro?
Nè quanto il dritto e la natura offenda
S'accorge il mondo in tale error sommerso.
Al qual anch' io converso
De le fortune mie cercai ristoro:
Ben che parco bramar fu 'l mio tesoro,
Con l'alma in sè di libertà sol vaga,
E d'onest' ozio più che d'altro ardente,
Resa talor la mente,

Quasi per furto, infra le Muse paga,
Che, de' prim' anni miei dolci nodrici,
Fur poi conforto a' miei giorni infelici.
Un ben, ch'ogni mal vinse, il ciel mi diede,
Quando degnò de la sua grazia ornarmi
L'alta mia Patria, e farmi
Servo a sè, noto altrui, caro a me stesso.
Onde umil corsi, ov' io sentii chiamarmi,
A più nobil cammin volgendo il piede.
Così a l'ardente fede
Pari ingegno e valor fosse concesso,
O pria sì degno peso a me commesso,
Che saldo almen sarebbe in qualche parte
L'infinito dover che l'alma preme.
Quinci in quest' ore estreme
Ella con maggior duol da me si parte,
Ch'ove a l'obbligo sciôr la patria invita
Non pon mille bastar, non ch'una vita.
Dunque, s'ora il mio fil tronca la dura
Parca, quanti ho de' miei più cari e fidi,
Amor cortese guidi
Al marmo, in ch'io sarò tosto sepolto:
E la pietà, ch'in lor mai sempre vidi,
Qualche lagrima doni a mia sventura.
E, se pur di me cura
Ebbe mai Febo, anch' ei con mesto volto
Degni mostrarsi ad onorar rivolto
Un fedel servo, onde rea morte il priva.
Prestin le Muse ancor benigno e pio
Officio al cener mio:
E su la tomba il mio nome si scriva,
Acciò, se 'l tacerà, d'altro onor casso,

La fama, almen ne parli il muto sasso.
Andresti e tu, più ch'altri afflitto e smorto,
    A versar sovra me tuo pianto amaro,
    Mio germe unico e caro,
    S'in tua tenera età capisse il duolo.
    Ahi che simile al mio destino avaro
    Provi: ch'a pena anch' io nel mondo scorto,
    Piansi infelice il morto
    Mio genitor, restando orbato e solo.
    Misero erede, a cui sol largo stuolo
    D'affanni io lascio in dura povertade,
    Chiudendo gli occhi, oimè, da te lontano!
    Porgi, o Padre sovrano,
    Per me soccorso a l'innocente etade,
    Ond' ei securo da' miei colpi acerbi
    Viva, e de l'ossa mie memoria serbi.
Ahi, ch'anzi pur, Signor, pregar devrei
    Per le mie gravi colpe al varco estremo,
    Dove pavento e tremo
    De la giust' ira tua, mentre a lor guardo:
    Tu, cui condusse in terra amor supremo
    A lavar col Tuo sangue i falli miei,
    Tu, che fattor mio sei,
    Volgi nell' opra Tua pietoso il guardo:
    Ch'or è pronto il pentir, se fu 'l cor tardo
    Per la Tua strada, e volto a' proprj danni,
    E con lagrime amare il duol ne mostro.
    Tu da l'infernal mostro
    L'alma difendi, e da' perpetui affanni:
    Tal che, d'ogni suo peso e nodo sciolta,
    Di Tua grazia gioisca in ciel raccolta.
  Là su, là su, Canzon, la vera eterna

CELIO MAGNO

Patria n'aspetta: a Dio se n' torni l'alma,
Che sol bear la può d'ogni sua brama.
E, poi che già mi chiama
A depor questa fral, corporea salma,
Prestimi grazia a la partita innanzi,
Ch'almen qualch' ora a ben morir m'avanzi.

TORQUATO TASSO

1544–†1595

208   *i*

AMORE alma è del mondo, Amore è mente,
E 'n ciel per corso obliquo il sole ei gira,
E d'astri erranti a la celeste lira
Fa le danze lassù veloci o lente.
L'aria, l'acqua, la terra, e 'l foco ardente
Regge, misto al gran corpo, e nutre e spira;
E quinci l'uom desia, teme e s'adira,
E speranza e diletto e doglia ei sente.
Ma, ben che tutto crei, tutto governi,
E per tutto risplenda e 'l tutto allumi,
Più spiega in noi di sua possanza Amore;
E come sian de' cerchi in ciel superni,
Posta ha la reggia sua ne' dolci lumi
De' bei vostri occhi, e 'l tempio in questo core.

209   *ii*

TU parti, o rondinella, e poi ritorni
Pur d'anno in anno, e fai la state il nido,
E più tepido verno in altro lido
Cerchi sul Nilo, e 'n Menfi altri soggiorni:

Ma per algenti o per estivi giorni
    Io sempre nel mio petto Amore annido,
    Quasi egli a sdegno prenda in Pafo e 'n Gnido
    Gli altari e i templi di sua Madre adorni.
E qui si cova e quasi augel s'impenna,
    E, rotta molle scorza uscendo fuori,
    Produce i vaghi e pargoletti Amori.
E non li può contar lingua nè penna,
    Tanta è la turba; e tutti un cor sostiene,
    Nido infelice d'amorose pene.

210   *iii*

VAGHE Ninfe del Po, Ninfe sorelle,
    E voi dei boschi e voi d'onda marina
    E voi de' fonti e de l'alpestri cime,
    Tessiam or care ghirlandette e belle
    A questa giovinetta peregrina:
    Voi di fronde e di fiori ed io di rime;
    E mentre io sua beltà lodo ed onoro,
    Cingete a Laura voi le trecce d'oro.
Cingete a Laura voi le trecce d'oro
    De l'arboscello onde s'ha preso il nome,
    O pur de' fiori a' quali il pregio ha tolto;
    E le vermiglie rose e 'l verde alloro
    Le faccian ombra a l'odorate chiome
    Ed a le rose del fiorito volto;
    E de l'auro e del lauro e de' be' fiori
    Sparga l'aura nell' aria i dolci odori.

TORQUATO TASSO

Sparga l'aura nell' aria i dolci odori
   Mentr' io spargo nel cielo i dolci accenti,
   E li porti ove Laura udir li suole
   E dove Mincio versa i freschi umori:
   Portino ancora i più cortesi venti
   Il chiaro suon de l'alte mie parole
   Dove cantaro già, quand' ella nacque,
   I bianchi cigni in fresche e lucid' acque.

I bianchi cigni in fresche e lucid' acque
   Morendo fanno men soave canto
   Di quel ch'udi' quando costei nascea:
   E 'l bel terren dov' ella in cuna giacque
   Tutto vestissi di fiorito manto,
   E di cristallo il fiume allor parea,
   E prezïose gemme i duri sassi
   Sotto gli ancor tremanti e dubbi passi.

Sotto gli ancor tremanti e dubbi passi
   Nascer facea la bella fanciulletta
   Di mille varj fior lieta famiglia;
   E se premeva un cespo, o i membri lassi
   Posava in grembo de la molle erbetta,
   Era a vederla nova meraviglia:
   Qual fosse poi, tu dillo, o fiume vago,
   Tu dillo altrui, famoso e chiaro lago.

Tu dillo altrui, famoso e chiaro lago,
   Come da poi crescendo il biondo crine
   Laura in te si specchiasse e gli occhi e 'l viso,
   E come nel mirar la cara imago
   E le bellezze sue quasi divine
   Rassomigliasse il giovine Narciso:
   Ditelo, augelli, e voi da le bianche ali,
   Voi che le siete sol nel canto eguali.

Voi, che le siete sol nel canto eguali,
 Già tacevate, o cigni, in verdi sponde
 Cantando Laura di dolcezza piena;
 Ed eran tante le sue voci e tali
 Che parean mormorando dir quell' onde:
 'È per fermo costei nova sirena !'
 Oltre i candidi cigni, onde beate,
 Son più belle sirene in voi già nate.

Son più belle sirene in voi già nate,
 Acque e rive felici, ove sicuro
 Il buon Titiro già pascea la greggia.
 Nè per dolce armonia così lodate
 O Amarilli o Galatea già furo
 Com' è costei che quel cantar pareggia;
 Di cui tra i boschi e 'n piccola capanna
 Indegno è 'l suon dell' incerata canna.

Indegno è 'l suon dell' incerata canna
 D'accordarsi al bel canto; e, se l'udiro
 Il rozzo armento e i semplici bifolci,
 Per meraviglia, ciò che l'alme affanna,
 Obliâr questi e quelli ogni desiro
 De l'erbe verdi o pur de l'acque dolci,
 E di seguire il natural costume
 Quasi scordossi per vaghezza il fiume.

Quasi scordossi per vaghezza il fiume
 Di rendere al gran Po l'usato omaggio;
 Da cui tenuta in sì gran pregio è Laura,
 Ch'altra ninfa agguagliarle ei non presume
 Se l'ode sotto un lauro o sotto un faggio
 Con dolcissimi accenti addolcir l'aura,
 O se guidar la vede i cari balli
 Sovra i candidi fiori e sovra i gialli.

Sovra i candidi fiori e sovra i gialli
   Suole spesso ballar Laura gentile,
   Con leggiadri sembianti, al dolce suono;
   Degna a cui bianche perle e bei coralli
   Del nostro mare e del novello aprile
   Le sia portato il primo e 'l più bel dono;
   Degna a cui ne' vicini alteri monti
   Apra l'antica madre i novi fonti.
Apra l'antica madre i novi fonti
   Al bel viso di Laura, ed a lei mande
   Verdi fronde la selva in queste piaggie;
   E, 'nghirlandate omai le belle fronti,
   Portin le Ninfe omai varie ghirlande,
   E l'umili e l'alpestri e le selvaggie;
   E voi siate le prime e le più snelle,
   Vaghe Ninfe del Po, Ninfe sorelle.

211   *iv*

ECCO mormorar l'onde,
  E tremolar le fronde
   A l'aura mattutina, e gli arboscelli,
   E sovra i verdi rami i vaghi augelli
   Cantar soavemente,
   E rider l'Orïente;
   Ecco già l'alba appare,
   E si specchia nel mare,
   E rasserena il cielo,
   E le campagne imperla il dolce gelo,
   E gli alti monti indora:
   O bella e vaga Aurora,

L'aura è tua messaggera, e tu de l'aura
Ch'ogni arso cor ristaura.

212   *v*

ORE, fermate il volo,
 Mentre se n' vola il ciel rapidamente
Nel lucido orïente,
E carolando intorno
A l'aura mattutina,
Ch'esce da la marina,
L'umana vita prolungate e 'l giorno.
E voi, Aure veloci,
Portate i miei sospiri
Là dove l'aura spiri,
E riportate a me sue dolci voci,
Sì che l'ascolti io solo,
Sol voi presenti e 'l signor nostro Amore,
Aure soavi ed Ore.

213   *vi*

DEH, nuvoletta, in cui m'apparve Amore
 E fece a gli occhi miei candido velo,
 E, se m'ascose la beltà del cielo,
 Mostrò la sua di cui più vago è 'l core,
Nuvoletta gentil, non fusti piena
 Di fredda pioggia o di gelata neve
 Over di fiamme ardenti,
 Ma d'uno spiritel volante e leve,
 E di lieto color tutta serena;

E i miei lumi contenti
Pareano al lampeggiar d'occhi ridenti;
E se 'l vago candor sì dolce adombra,
Bramo la luce di cangiar con l'ombra
E la vista del sol col mio Signore.

214   *vii*

TACCIONO i boschi e i fiumi,
E 'l mar senza onda giace,
Ne le spelonche i venti han tregua e pace,
E ne la notte bruna
Alto silenzio fa la bianca luna;
E noi tegnamo ascose
Le dolcezze amorose:
Amor non parli o spiri,
Sien muti i baci e muti i miei sospiri.

215   *viii*

QUAL rugiada o qual pianto,
Quai lagrime eran quelle
Che sparger vidi dal notturno manto
E dal candido volto delle stelle?
E perchè seminò la bianca luna
Di cristalline stelle un puro nembo
A l'erba fresca in grembo?
Perchè nell' aria bruna
S'udian, quasi dolendo, intorno intorno
Gir l'aure insino al giorno?
Fur segni forse della tua partita,
Vita della mia vita?

ix

Coro

(*Aminta*, Atto I)

O BELLA età de l'oro!
  Non già perchè di latte
  Se n' corse il fiume, e stillò miele il bosco;
  Non perchè i frutti loro
  Dier, da l'aratro intatte,
  Le terre, e gli angui errâr senz' ira o tosco;
  Non perchè nuvol fosco
  Non spiegò allor suo velo,
  Ma in primavera eterna,
  Ch'ora s'accende e verna,
  Rise di luce e di sereno il cielo;
  Nè portò peregrino
  O guerra o merce a gli altrui lidi il pino;
Ma sol perchè quel vano
  Nome senza soggetto,
  Quell' idolo d'errori, idol d'inganno,
  Quel che dal volgo insano
  Onor poscia fu detto
  (Che di nostra natura il feo tiranno)
  Non mischiava il suo affanno
  Fra le liete dolcezze
  De l'amoroso gregge;
  Nè fu sua dura legge
  Nota a quell' alme in libertate avvezze;
  Ma legge aurea e felice,
  Che Natura scolpì: 'S'ei piace, ei lice.'
Allor tra fiori e linfe

Traean dolci carole
Gli Amoretti senz' archi e senza faci;
Sedean pastori e ninfe
Meschiando a le parole
Vezzi e susurri, ed ai susurri i baci,
Strettamente tenaci;
La verginella ignude
Scopria sue fresche rose,
Ch'or tien nel velo ascose,
E le poma del seno acerbe e crude;
E spesso o in fiume o in lago
Scherzar si vide con l'amata il vago.
Tu prima, Onor, velasti
La fonte dei diletti,
Negando l'onde a l'amorosa sete;
Tu a' begli occhi insegnasti
Di starne in sè ristretti
E tener lor bellezze altrui secrete;
Tu raccogliesti in rete
Le chiome a l'aura sparte;
Tu i dolci atti lascivi
Festi ritrosi e schivi,
Ai detti il fren ponesti, ai passi l'arte;
Opra è tua sola, o Onore,
Che furto sia quel che fu don d'Amore,
E son tuoi fatti egregi
Le pene e i pianti nostri.
Ma tu, d'Amore e di Natura donno,
Tu domator de' regi,
Che fai tra questi chiostri,
Che la grandezza tua capir non ponno?
Vattene e turba il sonno

Agl' illustri e potenti;
Noi qui, negletta e bassa
Turba, senza te lassa
Viver ne l'uso de l'antiche genti.
Amiam, chè non ha tregua
Con gli anni umana vita e si dilegua;
Amiam, chè 'l sol si muore e poi rinasce:
A noi sua breve luce
S'asconde e 'l sonno eterna notte adduce.

x

217

Coro

(*Il Re Torrismondo*, Atto V)

AHI lagrime! ahi dolore!
Passa la vita e si dilegua e fugge,
Come gel che si strugge;
Ogni altezza s'inchina, e sparge a terra
Ogni fermo sostegno;
Ogni possente regno
In pace cade alfin, se crebbe in guerra;
E come raggio il verno imbruna e muore
Gloria d'altrui splendore;
E come alpestro e rapido torrente,
Come acceso baleno
In notturno sereno,
Come aura o fumo o come stral, repente
Volan le nostre fame, ed ogni onore
Sembra languido fiore.

Che più si spera e che s'attende omai?
   Dopo trionfo e palma,
   Sol qui restano a l'alma
   Lutto, lamenti e lagrimosi lai.
   Che più giova amicizia o giova amore?
   Ahi lagrime! ahi dolore!

218   *xi*

L'ARME e 'l duce cantai che per pietate
   La Terra Sacra a genti empie ritolse,
   In cui già Cristo di morir si dolse
   E immortal fe' la nostra umanitate;
   E sì fu chiaro il suon che questa etate
   Ad ammirar l'antico onor rivolse,
   Ma nè pedoni nè destrieri accolse
   Che gissero oltre il Tauro, oltre l'Eufrate.
Nè so s'i vaghi spirti al ciel rapiva,
   Ma ben sovente di pietoso affetto
   Si colorò chi le mie note udiva.
Me talor rapì certo, ed alcun detto
   Dal ciel spirommi, o musa od altra diva;
   Deh! spiri or sempre e di sè m'empia il petto!

xii

219 (*A Lucrezia d'Este, Duchessa d'Urbino*)

NEGLI anni acerbi tuoi purpurea rosa
   Sembravi tu, che ai rai tepidi, a l'ôra
   Non apre 'l sen, ma nel suo verde ancora
   Verginella s'asconde e vergognosa;

O più tosto parei, chè mortal cosa
   Non s'assomiglia a te, celeste aurora
   Che le campagne imperla e i monti indora,
   Lucida in ciel sereno e rugiadosa.
Or la men verde età nulla a te toglie;
   Nè te, benchè negletta, in manto adorno
   Giovinetta beltà vince o pareggia.
Così più vago è 'l fior poi che le foglie
   Spiega odorate, e 'l sol nel mezzo giorno
   Via più che nel mattin luce e fiammeggia.

xiii

220   *(In morte di Margherita*
         Bentivogli Turchi)

NON è questo un morire,
   Immortal Margherita,
Ma un passar anzi tempo a l'altra vita:
Nè de l'ignota via
Duol ti scolori o tema,
Ma sol pietà per la partenza estrema.
Di noi pensosa e pia,
Di te lieta e sicura,
T'accomiati dal mondo, anima pura.

221   *xiv*

VECCHIO ed alato dio, nato col sole
   Ad un parto medesmo e con le stelle,
Che distruggi le cose e rinnovelle,
Mentre per torte vie vole e rivole,

Il mio cor, che languendo egro si duole,
  E de le cure sue spinose e felle
  Dopo mille argomenti una non svelle,
  Non ha, se non sei tu, chi più 'l console.
Tu ne sterpa i pensieri, e di giocondo
  Oblio spargi le piaghe, e tu disgombra
  La frode onde son pieni i regi chiostri;
E tu la verità traggi dal fondo
  Dov' è sommersa, e, senza velo od ombra,
  Ignuda e bella a gli occhi altrui si mostri.

222   *xv*

FERTIL pianta che svelta è da radici,
  Perchè l'aura le spiri e splenda il sole,
  I tronchi rami rinnovar non suole
  Nè produr frutti in sua stagion felici.
Tal di mia terra io tratto e, l'infelici
  Fronde perdute, e non le fronde sole,
  Quando e dove risorgo? Inutil mole
  Sembro, sterpata con sinistri auspici.
D'aura eterna e di sol gli spirti e i rai
  Almi e lucenti, e di sant' acque e pure
  Aspettar debbo i benedetti umori?
Verdeggerò translato e darò mai
  Frutti a' digiuni? o pur ombre e ristori
  A chi sia stanco per gravose cure?

xvi

223 (*Alla Duchessa Margherita d'Este*)

SPOSA regal, già la stagion ne viene
Che gli accorti amatori a' balli invita,
E ch'essi a' rai di luce alma e gradita
Vegghian le notti gelide e serene.
Del suo fedel già le secrete pene
Ne' casti orecchi è di raccôrre ardita
La verginella, e lui tra morte e vita
Soave inforsa e 'n dolce guerra il tiene.
Suonano i gran palagi e i tetti adorni
Di canto; io sol di pianto il carcer tetro
Fo risonar. Questa è la data fede?
Son questi i miei bramati alti ritorni?
Lasso! dunque prigion, dunque feretro
Chiamate voi pietà, Donna, e mercede?

xvii

224 (*A Scipione Gonzaga*)

SCIPIO, o pietade è morta od è bandita
Da' regi petti, e nel celeste regno
Tra' divi alberga e prende il mondo a sdegno,
O fia la voce del mio pianto udita.
Dunque la nobil fè sarà schernita
Ch'è di mia libertà sì nobil pegno,
Nè fine avrà mai questo strazio indegno
Che m'inforsa così tra morte e vita?
Questa è tomba de' vivi ov' io son chiuso
Cadavero spirante, e si disserra
Solo il carcer de' morti: oh divi, oh cielo!

226

S'opre d'arte e d'ingegno, amore e zelo
   D'onore han premio over perdono in terra,
   Deh! non sia, prego, il mio pregar deluso.

225   *xviii*

(*Le gatte di Sant' Anna*)

COME nell' Ocean, se oscura e infesta
   Procella il rende torbido e sonante,
   A le stelle onde il polo è fiammeggiante
   Stanco nocchier di notte alza la testa,
Così io mi volgo, o bella gatta, in questa
   Fortuna avversa a le tue luci sante,
   E mi sembra due stelle aver davante
   Che tramontana sian nella tempesta.
Veggio un' altra gattina, e veder parmi
   L'Orsa maggior con la minore: o gatte,
   Lucerne del mio studio, o gatte amate,
Se Dio vi guardi da le bastonate,
   Se 'l Ciel vi pasca di carne e di latte,
   Fatemi luce a scriver questi carmi.

226   *xix*

(*Alle Principesse di Ferrara*)

O FIGLIE di Renata,
   Io non parlo a la pira
De' fratei, che nè pur la morte unìo;
Che di regnar malnata
Voglia e disdegno ed ira
L'ombre, il cener, le fiamme anco partìo.

227

Ma parlo a voi che pio
Produsse e real seme
In uno istesso seno,
Quasi in fertil terreno
Nate e nodrite pargolette insieme,
Quasi due belle piante
Di cui serva è la terra e il cielo amante.
A voi parlo, che, suore
Del grand' Alfonso invitto,
Avete onde sprezzar Giuno e Dïana,
Ed ogni regio onore
Di quella che 'n Egitto
Più ristrinse co' suoi legge profana;
Chè se moglie e germana
Offrì chioma votiva
Ch'ornò il ciel di faville,
Voti vostri ben mille,
Passando ove sua luce appena arriva,
Ardon nel primo cielo
Anzi il gran sol d'inestinguibil zelo.
A voi parlo, in cui fanno
Sì concorde armonia
Onestà, senno, onor, bellezza e gloria:
A voi spiego 'l mio affanno,
E de la pena mia
Narro, e 'n parte piangendo, acerba istoria;
Ed in voi la memoria
Di voi, di me rinnovo;
Vostri effetti cortesi,
Gli anni miei tra voi spesi,
Qual son, qual fui, che chiedo, ove mi trovo,
Chi mi guidò, chi chiuse,

Lasso! chi m'affidò, chi mi deluse.
Queste cose, piangendo,
  A voi rammento, o prole
  D'eroi, di regi, glorïosa e grande;
  E se nel mio lamento
  Scarse son le parole,
  Lagrime larghe il mio dolor vi spande.
  Cetre, trombe, ghirlande,
  Misero! piango; e piagno
  Studi, diporti ed agi,
  Mense, logge e palagi
  Ov' or fui nobil servo ed or compagno;
  Libertade e salute
  E leggi, ohimè! d'umanità perdute.
Da' nipoti d'Adamo,
  Ohimè! chi mi divide?
  O qual Circe mi spinge infra le gregge?
  Ohimè! che in tronco o in ramo
  Augel vien che s'annide,
  E fiera in tana ancor con miglior legge:
  Lor la natura regge,
  E pure e dolci e fresche
  Lor porge l'acque il fonte,
  E 'l prato e 'l colle e 'l monte
  Non infette, salubri e facili esche,
  E 'l ciel libero e l'aura
  Lor luce e spira, e lor scalda e ristaura.
Merto le pene; errai:
  Errai, confesso; e pure
  Rea fu la lingua, il cor si scusa e nega:
  Chiedo pietade omai;
  E s'a le mie sventure

Non vi piegate voi, chi lor si piega?
Lasso! chi per me prega
Ne le fortune avverse,
Se voi mi siete sorde?
Deh! se voler discorde
In sì grand' uopo mio vi fa diverse,
In me fra voi l'esempio
Di Mezio si rinnova e 'l duro scempio.
Quell' armonia sì nova
Di virtù che vi face
Sì belle, or bei per me faccia concenti,
Sì ch'a pietà commova
Quel signor per cui spiace
Più la mia colpa a me, che i miei tormenti,
Lasso! benchè cocenti:
Ond' a tanti e sì egregi
Titoli di sue glorie,
A tante sue vittorie,
A tanti suoi trofei, tanti suoi fregi,
Questo s'aggiunga ancora:
Perdono a chi l'offese ed or l'adora.
Canzon, virtute è là dov'i' t'invio:
Meco non è fortuna;
Se fè non hai, non hai tu scorta alcuna.

227   xx

O DEL grand' Appennino
Figlio picciolo sì, ma glorïoso,
E di nome più chiaro assai che d'onde,
Fugace peregrino

A queste tue cortesi amiche sponde
Per sicurezza vengo e per riposo.
L'alta Quercia che tu bagni e feconde
Con dolcissimi umori, ond' ella spiega
I rami sì ch'i monti e i mari ingombra,
Mi ricopra con l'ombra;
L'ombra sacra, ospital, ch'altrui non niega
Al suo fresco gentil riposo e sede,
Entro al più denso mi raccoglia e chiuda,
Sì ch'io celato sia da quella cruda
E cieca Dea, ch'è cieca e pur mi vede,
Bench' io da lei m'appiatti in monte o 'n valle,
E per solingo calle
Notturno io mova e sconosciuto il piede;
E mi saetta sì che ne' miei mali
Mostra tanti occhi aver quanti ella ha strali.
Ohimè! dal dì che pria
  Trassi l'aure vitali, e i lumi apersi
  In questa luce a me non mai serena,
  Fui de l'ingiusta e ria
  Trastullo e segno, e di sua man soffersi
  Piaghe che lunga età risalda appena.
  Sàssel la glorïosa alma sirena,
  Appresso il cui sepolcro ebbi la cuna:
  Così avuto v'avessi o tomba o fossa
  A la prima percossa!
  Me dal sen de la madre empia fortuna
  Pargoletto divelse. Ah! di quei baci,
  Ch'ella bagnò di lagrime dolenti,
  Con sospir mi rimembra e de gli ardenti
  Preghi che se n' portâr l'aure fugaci:
  Ch'io non dovea giunger più volto a volto

Fra quelle braccia accolto
Con nodi così stretti e sì tenaci.
Lasso! e seguii con mal sicure piante,
Qual Ascanio o Camilla, il padre errante.
In aspro esiglio e 'n dura
Povertà crebbi in quei sì mesti errori;
Intempestivo senso ebbi a gli affanni,
Ch'anzi stagion matura
L'acerbità de' casi e de' dolori
In me rendè l'acerbità de gli anni.
L'egra spogliata sua vecchiezza e i danni
Narrerò tutti? Or che non sono io tanto
Ricco de' propri guai, che basti solo
Per materia di duolo?
Dunque altri ch'io da me dev'esser pianto?
Già scarsi al mio voler sono i sospiri;
E queste due d'umor sì larghe vene
Non agguaglian le lagrime a le pene.
Padre, o buon padre, che dal ciel rimiri,
Egro e morto ti piansi, e ben tu il sai;
E gemendo scaldai
La tomba e il letto: or che ne gli alti giri
Tu godi, a te si deve onor, non lutto:
A me versato il mio dolor sia tutto.

.   .   .   .

GIOVAN BATTISTA GUARINI

1538–†1612

Coro

(*Pastor Fido*, Atto IV, sc. ix)

O BELLA età dell' oro,
  Quand' era cibo il latte
Del pargoletto mondo, e culla il bosco;
E i cari parti loro
Godean le gregge intatte,
Nè temea il mondo ancor ferro nè tosco!
Pensier torbido e fosco
Allor non facea velo
Al sol di luce eterna:
Or la ragion, che verna
Tra le nubi del senso, ha chiuso il cielo;
Ond' è che il peregrino
Va l'altrui terra, e 'l mar turbando il pino.
Quel suon fastoso e vano,
  Quell' inutil soggetto
Di lusinghe, di titoli e d'inganno,
Ch'Onor dal volgo insano
Indegnamente è detto,
Non era ancor degli animi tiranno;
Ma sostener affanno
Per le vere dolcezze,
Tra i boschi e tra la gregge
La fede aver per legge,
Fu di quell' alme, al ben oprar avvezze,
Cura d'onor felice,
Cui dettava Onestà: 'Piaccia, se lice.'
Allor tra prati e linfe
  Gli scherzi e le carole

Di legittimo amor furon le faci;
Avean pastori e ninfe
Il cor nelle parole;
Dava lor Imeneo le gioie e i baci
Più dolci e più tenaci;
Un sol godeva ignude
D'amor le vive rose:
Furtivo amante ascose
Le trovò sempre, ed aspre voglie e crude,
O in antro, o in selva, o in lago;
Ed era un nome sol marito e vago.
Secol rio, che velasti
Co' tuoi sozzi diletti
Il bel dell' alma, ed a nudrir la sete
Dei desiri insegnasti
Co' sembianti ristretti,
Sfrenando poi l'impurità segrete!
Così, qual tesa rete
Tra fiori e fronde sparte,
Celi pensier lascivi
Con atti santi e schivi;
Bontà stimi il parer, la vita un'arte,
Nè curi (e pârti onore)
Che furto sia, purchè s'asconda, amore.
Ma tu, deh! spirti egregi
Forma ne' petti nostri,
Verace Onor, delle grand' alme donno!
O regnator de' Regi,
Deh torna in questi chiostri
Che senza te beati esser non ponno.
Dèstin dal mortal sonno
Tuoi stimoli potenti

Chi per indegna e bassa
Voglia seguir te lassa,
E lassa il pregio dell' antiche genti.
Speriam, chè 'l mal fa tregua
Talor, se speme in noi non si dilegua;
Speriam, chè il sol cadente anco rinasce,
E 'l Ciel, quando men luce,
L'aspettato seren spesso n'adduce.

GABRIELLO CHIABRERA

1552–†1638

i

BELLE rose porporine,
Che tra spine
Sull' aurora non aprite,
Ma, ministre degli Amori,
Bei tesori
Di bei denti custodite,
Dite, rose prezïose,
Amorose,
Dite, ond' è, che s'io m'affiso
Nel bel guardo vivo ardente
Voi repente
Disciogliete un bel sorriso?
È ciò forse per aita
Di mia vita,
Che non regge alle vostr' ire?
O pur è perchè voi siete
Tutte liete,
Me mirando in sul morire?
Belle rose, o feritate
O pietate

229

Del sì far la cagion sia,
Io vo' dire in nuovi modi
Vostre lodi;
Ma ridete tuttavia.
Se bel rio, se bell' auretta
Tra l'erbetta
Sul mattin mormorando erra,
Se di fiori un praticello
Si fa bello,
Noi diciam: 'Ride la terra.'
Quando avvien che un zefiretto
Per diletto
Bagni il piè nell' onde chiare,
Sicchè l'acqua in sull' arena
Scherzi appena,
Noi diciam che ride il mare.
Se giammai tra fior vermigli,
Se tra gigli
Veste l'Alba un aureo velo,
E su rote di zaffiro
Move in giro,
Noi diciam che ride il cielo.
Ben è ver, quando è giocondo
Ride il mondo,
Ride il ciel quando è gioioso:
Ben è ver; ma non san poi,
Come voi,
Fare un riso grazïoso.

ii

230 *Alla Signora Geronima Corte:*
   invitala a venire a Savona

CORTE, senti il nocchiero
Che a far cammin n'appella?
Mira la navicella,
Che par chieda sentiero:
Un aleggiar leggiero
Di remi, in mare usati
A far spume d'argento,
N'adduce in un momento
A' porti desïati.

E se 'l mar non tien fede,
Ma subito s'adira,
Ed io meco ho la lira
Ch'Euterpe alma mi diede:
Con essa mosse il piede
Sull' Acheronte oscuro,
Già riverito, Orfeo;
E per entro l'Egeo
Arïon fu sicuro.

Misero giovinetto!
Per naviganti avari
Nel più fondo de' mari
Era a morir costretto;
Ma, qual piglia diletto
D'affinar suo bel canto
Bel cigno anzi ch'ei mora,
Tal sulla cruda prora
Volle ei cantare alquanto.

Sulle corde dolenti

Sospirando ei dicea:
'Lasso, ch'io sol temea
E dell' onde e de' venti!
Ma, che d'amiche genti,
A cui pur m'era offerto
Compagno a lor conforto,
Esser dovessi morto,
Già non temea per certo!
Io, nel mio lungo errore,
Altrui non nocqui mai;
Peregrinando andai,
Sol cantando d'amore;
Al fin, tornommi in core
Per paesi stranieri
Il paterno soggiorno,
E facea nel ritorno
Mille dolci pensieri.
"Vedrò la patria amata,"
Meco dicea; "correndo
Fiami incontra, ridendo,
La madre desïata."
Femmina sventurata,
Cui novella sì dura
Repente s'avvicina!
Ah, che faria, meschina,
Se udisse mia sventura?
Foss' ella qui presente,
E suoi caldi sospiri,
E suoi gravi martiri,
Facesse udir dolente!
Saria forse possente
Quella pena infinita

Ad impetrar pietate;
Onde più lunga etate
Si darebbe a mia vita.'
Qui traboccò doglioso
Dentro del sen marino;
Ma subito un delfino
A lui corse amoroso.
Il destriero squamoso,
Che avea quel pianto udito,
Lieto il si reca in groppa;
Indi ratto galoppa
Ver l'arenoso lito.

iii

231 *Per Giovanni de' Medici, allora che*
giovinetto guerreggiava in Fiandra

ERA tolto di fasce Ercole a pena,
Che pargoletto ignudo
Entro il paterno scudo
Il riponea la genitrice Alcmena,
E nella culla dura
Traea la notte oscura.
Quando ecco serpi a funestargli il seno
Insidïose e rie:
Cura mortal non spie
Se pur sorgesse il barbaro veneno:
Chè ben si crede allora,
Ch'alto valor s'onora.
Or non sì tosto i mostri ebbe davante,
Che con la man di latte
Erto su i piè combatte

Già fatto atleta il celebrato infante,
    Stretto per strani modi
    Entro i viperei nodi.
Al fin le belve sibilanti e crude
    Disanimate stende:
    E così vien, che splende
    Anco nei primi tempi alma virtude,
    E da lunge promette
    Le glorie sue perfette.
Ma troppo fia, ch'io su la cetra segua
    Del grande Alcide il vanto:
    A lui rivolsi il canto
    Per la bella sembianza, onde l'adegua
    Nel suo girar degli anni
    Il Medici Giovanni.
Ei già tra gioghi d'Appennin canuti
    Vago di fier trastullo
    Solea schernir fanciullo
    Le curve piaghe de' cinghiali irsuti,
    E più gli orsi silvestri,
    Terror de' boschi alpestri.
Indi sudando in più lodato onore,
    Vestì ferrato usbergo;
    Allor percosse il tergo
    L'asta tirrena al belgico furore,
    E di barbari gridi
    Lunge sonaro i lidi.
Così leon, s'a la crudel nudrice
    Non più suggendo il petto,
    Ha di provar diletto
    Fra greggi il dente e l'unghia scannatrice,
    Tosto di sangue ha piene

Le Mauritane arene.
Ma com' avvien, che s'Orïon si gira,
   Diluvïosa stella,
   Benchè mova procella,
   Ella pur chiara di splendor s'ammira,
   Tal ne' campi funesti
   D'alta beltà splendesti.
Or segui, invitto, e con la nobil spada
   Risveglia il cantar mio;
   Fra tanto, ecco io t'invio
   Mista con biondo miel dolce rugiada;
   Fanne conforto al core
   Fra 'l sangue e fra 'l sudore.

232   *iv*

SULL' età giovane, ch'avida suggere
  Suol d'amor tossico, simile al nettare,
   Quando il piangere è dolce
   E dolcissimo l'ardere,
Celeste grazia sovra i miei meriti
   A me mostravati, vergine nobile:
   O che agevole giogo!
   Che piacevole carcere!
Or gli anni agghiacciano: lagrime e gemiti
   Or non più amano, vergine; e se amano,
   Amano lucido ostro
   E vin gelido amabile.
Del qual s'io ricreo l'aride viscere,
   Le Muse celebri subito sorgono,
   Ed or temprano cetre,
   Ora fistole spirano.

Se questi piaccionti musici studii
    Andrò cantandoti, cigno per l'aria,
    E tu volgimi gli occhi,
    Che altrui l'anima beano.

FEDERIGO DELLA VALLE

1560?–†1628

233   *Coro d'uomini ebrei*

INVISIBILE e vuota e di sè priva
  Giacea la terra in ocean profondo
  D'acqua palustre e nera,
  Alor che 'l tempo ancor tempo non era,
  Et era senza cielo,
  Anzi senza se stesso, il cielo e 'l mondo.
  Notte no, ma vorago
  Di tenebre tacenti
  Copriva, nascondea mole incomposta,
  Gravida sol di semi
  Non vivi, non nascenti:
  Ma spirto di virtù, sovra lei teso,
  Animava, avvivava
  L'insensata figura,
  Nel bel principio de la cara vita
  Sepolta in morte oscura.
  Parlò bocca vitale, e luce apparve:
  Fuggîr tenebre e larve,
  E 'n sè meravigliose
  Vider il nascer lor le cieche cose.
  L'antico esempio de l'origin prima
  Nel tuo Giuda or rinnove

FEDERIGO DELLA VALLE

Quella benignità, ch'a tutti è madre,
O del mondo gran Padre!
Limo palustre siam, siam fosco nulla;
Orror gelato preme
La vita senza vita
Di mestissima turba et infinita,
Che 'n abisso d'affanni
Ha senso solo a rimirar la morte.
Deh, l'animante spirto ai flutti oscuri
Del timor, del dolor nostro discenda,
E sovra lor le dolci penne stenda,
Ond' avvivò l'inanimata mole!
O mandi almen la speme!
Sarà la speme a noi,
Quel che già a l'opre fu primiere antiche
La bella luce e 'l sole.
Signor, ci trasser falli e colpe indegne,
Indegne colpe e gravi e proprie nostre
Ci trasser ne la pena, ov' or piangiamo
Il non esser che siamo.
Al tuo Israel rimane,
Sola riman, la voce:
Voce di tua bontà reliquia cara,
Lasciata ad invocarti,
Lasciata a confessarti.
E confessiamo noi et invochiamo:
Tu che farai, Signor? Sperderà il vento
Il grido, ch'a te viene, a te camina?
O pur non avrà senso
L'orecchia placidissima divina,
Ch'anco il silenzio sente?
Odi, Signor, le voci!

Signor, soccorri al danno!
E non dican le genti:
'Costoro Dio non hanno,
O senza forza è Dio,
Che soccorrer non puote chi l'adora
In rischio estremo e rio.'

OTTAVIO RINUCCINI

1562–1621

234   *Coro di pescatori*

(*Arianna*, Scena ii)

FIAMME serene e pure,
Fregio de l'ombre oscure,
Del gran regno immortal gemme e tesori,
Ninfe de gli alti campi,
Che i sempiterni lampi
Vagheggiate ridenti in grembo a Dori,

Perchè mortal desire
In voi s'affissi e mire,
Cupido amante di celeste foco,
Non fu però che mai
Velasse i biondi rai,
L'accese voglie altrui volgendo in gioco.

Ma voi vezzose e belle
Lucidissime stelle,
Che splendete nel ciel d'un mortal viso,
Or mostrate, or chiudete
I raggi, onde splendete,
Risvegliando ne l'alme or pianto or riso.

OTTAVIO RINUCCINI

Deh, se vaghe e gentili
    Ardete al ciel simili,
    Terrene stelle, ah, non cangiate aspetto;
    Ma sovra i cori amanti
    Da' lucidi sembianti
    Dolce versate ognor pace e diletto!

TOMMASO CAMPANELLA

1568–†1639

235   *i*

NEL teatro del mondo mascherate
    L'alme da' corpi e dagli effetti loro,
    Spettacolo al supremo concistoro
    Da Natura, divina arte, apprestate,
Fan gli atti e detti, tutte, a chi son nate:
    Di scena in scena van, di coro in coro,
    Si veston di letizia e di martoro,
    Dal comico fatal libro ordinate.
Nè san, nè ponno, nè vogliono fare,
    Nè patir altro che 'l gran senno scrisse,
    Di tutte lieto, per tutte allegrare,
Quando, rendendo, al fin di giuochi e risse,
    Le maschere alla terra, al cielo, al mare,
    In Dio vedrem chi meglio fece e disse.

236   *ii*

COME va al centro ogni cosa pesante
    Dalla circonferenza, e come ancora
    In bocca al mostro, che poi la devora,
    Donnola incorre timente e scherzante,

Così di gran scïenza ognuno amante,
   Che audace passa dalla morta gora
   Al mar del vero, di cui s'innamora,
   Nel nostro ospizio alfin ferma le piante.
Ch'altri l'appella antro di Polifemo,
   Palazzo altri d'Atlante, e chi di Creta
   Il Laberinto, e chi l'inferno estremo,
Che qui non val favor, saper nè pieta
   Io ti so dir; del resto, tutto tremo,
   Ch'è rocca sacra a tirannia segreta.

237   *iii*

MUSA latina, è forza che prendi la barbara lingua:
   Quando eri tu donna, il mondo beò la tua.
Volgesi l'universo: ogni ente ha certa vicenda,
   Libero e soggetto ond' ogni paese fue.
Cogliesi dal nesto generoso ed amabile pomo:
   Concorri adunque al nostro idioma nuovo.
Tanto più che il Fato a te diè certo favore,
   Perchè, comunque soni, d'altri imitata sei.
D'Italia augurio antico e mal cognito, ch'ella
   D'imperii gravida e madre sovente sia,
Musa latina, vieni meco a canzone novella:
   Te al novo onor chiama quinci la squilla mia,
Sperando imponer fine al miserabile verso,
   Per te tornando al già lagrimato die.
Al novo secol lingua nova instrumento rinasca:
   Può nova progenie il canto novello fare.

238   *i*

PALLIDETTO mio sole,
Ai tuoi dolci pallori
Perde l'alba vermiglia i suoi colori.
Pallidetta mia morte,
A le tue dolci e pallide vïole
La porpora amorosa
Perde, vinta, la rosa.
Oh, piaccia a la mia sorte,
Che dolce teco impallidisca anch' io,
Pallidetto amor mio!

239   *ii*

OR che l'aria e la terra arde e fiammeggia,
Nè s'ode Euro che soffi, aura che spiri,
Ed emulo del ciel, dovunque io miri,
Saettato dal sole il mar lampeggia,
    Qui dove alta in sul lido elce verdeggia,
Le braccia aprendo in spazïosi giri,
E del suo crin ne' liquidi zaffiri
Gli smeraldi vaghissimi vagheggia,
    Qui qui, Lilla, ricovra ove l'arena
Fresca in ogni stagion copre e circonda
Folta di verdi rami ombrosa scena:
    Godrai qui meco in un l'acque e la sponda;
Vedrai scherzar su per la riva amena
Il pesce con l'augel, l'ombra con l'onda.

iii

PON' mente al mar, Cratone, or che 'n ciascuna
Riva sua dorme l'onda e tace il vento,
E Notte in ciel di cento gemme e cento
Ricca spiega la vesta azzurra e bruna.

Rimira ignuda e senza nube alcuna,
Nuotando per lo mobile elemento,
Misto e confuso l'un con l'altro argento,
Tra le ninfe del ciel danzar la Luna.

Ve' come van per queste piagge e quelle,
Con scintille scherzando ardenti e chiare,
Volte in pesci le stelle, i pesci in stelle.

Sì puro il vago fondo a noi traspare,
Che fra tanti, dirai, lampi e facelle:
'Ecco in ciel cristallin cangiato il mare.'

iv

O DEL Silenzio figlio e de la Notte,
Padre di vaghe imaginate forme,
Sonno gentil, per le cui tacit'orme
Son l'alme al ciel d'Amor spesso condotte,

Or che 'n grembo a le lievi ombre interrotte
Ogni cor fuor che 'l mio riposa e dorme,
L'Erebo oscuro, al mio pensier conforme,
Lascia ti prego e le cimerie grotte;

E vien col dolce tuo tranquillo oblio
E col bel volto, in ch'io mirar m'appago,
A consolare il vedovo desio:

Che se 'n te la sembianza, onde son vago,
Non m'è dato goder, godrò pur io
De la morte, che bramo, almen l'imago.

v

CINGETEMI la fronte,
Lauri pampini e rose
Date ad Anacreonte,
Giovinette amorose,
Versi baci e bevande,
Penne tazze e ghirlande,
Lieo Febo Batillo.
Son ebro, ebro vacillo;
Furor, furor divino
Mi rapisce e disvia:
Furor di poesia,
Di lascivia e di vino;
Triplicato furore,
Bacco Apollo ed Amore.

vi

APRE l'uomo infelice, allor che nasce
In questa vita di miserie piena,
Pria ch'al sol, gli occhi al pianto; e nato appena
Va prigionier fra le tenaci fasce.
Fanciullo, poi che non più latte il pasce,
Sotto rigida sferza i giorni mena;
Indi in età più ferma e più serena
Tra fortuna ed amor muore e rinasce.
Quante poscia sostien, tristo e mendico,
Fatiche e morti, infin che curvo e lasso
Appoggia a debil legno il fianco antico!
Chiude alfin le sue spoglie angusto sasso,
Ratto così, che sospirando io dico:
'Dalla cuna alla tomba è un breve passo.'

FULVIO TESTI

1593–†1646

i

244   *Al Cavaliere Giuseppe Fontanelli*

POCO spazio di terra
Lascian omai l'ambizïose moli
A le rustiche marre, a i curvi aratri:
Quasi che mover guerra
Del ciel si voglia agli stellati poli,
S'ergono mausolei, s'alzan teatri;
E si locan sotterra,
Fin su le soglie de le morte genti,
De le macchine eccelse i fondamenti.

Per far di travi ignote
Odorati sostegni ai tetti d'oro
Si consuman d'Arabia i boschi interi:
Di marmi omai son vote
Le Ligustiche vene, e i sassi loro
Men belli son perchè non son stranieri:
Fama han le più rimote
Rupi colà de l'Africa diserta,
Perchè lode maggior il prezzo merta.

Lucide e sontüose
Splendon le mura sì, che vergognarsi
Fan di lor povertà l'opre vetuste:
D'agate prezïose,
Di sardoniche pietre ora son sparsi
I pavimenti delle loggie auguste.
Tener le gemme ascose
Son mendiche ricchezze e vili onori;
Si calcano col piede ora i tesori.

Cedon gli olmi e le viti

250

All' edre, ai lauri, e fan selvaggie frondi
Alle pallide ulive indegni oltraggi.
Sol cari e sol graditi
Son gli ombrosi cipressi e gl'infecondi
Platani e i mai non maritati faggi;
Da gli arenosi liti
Trapiantansi i ginepri ispidi il crine,
Chè le delizie ancor stan nelle spine.
Il campo, ove matura
Biondeggiava la messe, or tutto è pieno
Di rose e gigli e di vïole e mirti.
La feconda pianura
Si fa nuovo diserto; e 'l prato ameno
Boschi a forza produce orridi ed irti.
Cangia il loco natura;
E del moderno ciel tal' è l'influsso,
Che la sterilità diventa lusso.
Non son, non son già queste
Di Romolo le leggi, e non fur tali
O de' Fabrizi o de' Caton gli esempli.
Ben voi fregiati aveste,
O de l'alma città Numi immortali,
Qual si dovea, d'oro e di gemme i templi;
Ma di vil canna inteste
Le case furo, onde con chiome incolte
I Consoli di Roma uscîr più volte.
Oh! quanto più contento
Vive lo Scita, a cui natio costume
Insegna d'abitar città vaganti!
Van col fecondo armento
Ove più fresca è l'erba e chiaro il fiume
Di liete piagge i cittadini erranti;

Dan cento tende a cento
Popoli albergo, ed è delizia immensa
Succhiar rustico latte a parca mensa.
Noi, di barbara gente
Più barbari e più folli, a giusto sdegno
La natura moviamo, il mondo e Dio;
E nell' ozio presente
Istupidito è sì l'incauto ingegno,
Che tutto ha l'avvenir posto in obblio;
Quasi che riverente
Lunge da i tetti d'or Morte passeggi,
E 'l ciel con noi d'eternità patteggi.

E pur, Giuseppe, è vero
Che di fragile vetro è nostra vita,
Che più si spezza allor che più risplende.
Tardo sì, ma severo
Punisce il ciel gli orgogli, e la ferita
Che da lui viene inaspettata offende.
Non con stil menzognero
Antiche fole ora mi sogno o fingo;
Le giustizie di Dio qui ti dipingo.

In aureo trono assiso,
Coronato di gemme a mensa altera,
Stava de l'Asia il re superbo e folle;
Il crin d'odori intriso
Piovea sul volto effeminato, ed era
Pien di fasto e lascivia il vestir molle;
Mille di vago viso
Paggi vedeansi, a un solo ufficio intenti,
Ministrar lauti cibi in tersi argenti.

Tutto ciò che di raro
In ciel vola, in mar guizza, in terra vive,

Del convito real si scelse agli usi.
Vini, che lagrimaro
Le viti già su le Cretensi rive,
Fur con prodiga man sparsi e diffusi;
Nè soave nè caro
Il frutto fu cui non giugnesse grido
O contraria stagione o stranio lido.
Scaltro garzone intanto
Per condire il piacer de la gran cena
Temprò con saggia mano arpa dorata;
E sì soave il canto
Indi spiegò, che in Elicona appena
Febo formar può melodia più grata.
Ver lui sorrise alquanto
L'orgoglioso tiranno; e mentre disse,
Non fu chi battess' occhio o bocca aprisse.
'O beata, o felice
La vita di colui che 'l Fato elesse
A regger scettri, a sostener diademi!
Vita posseditrice
Di tutto il ben che nelle sfere istesse
Godon lassù gli abitator supremi:
Ciò ch'a Giove in ciel lice,
Lice anco in terra al re; con egual sorte
Ambo pon dar la vita, ambo la morte.
Se regolati move
I suoi vïaggi il sol; se l'ampio cielo
Con moto eterno ognor si volve e gira;
Se rugiadoso piove,
S'irato freme, o senza nube e velo
Di lucido seren splender si mira,
Opra sol' è di Giove;

253

Quell' è suo regno, e tributarie belle
A lo sguardo divin corron le stelle.
Ma se di bionde vene
  Gravidi i monti sono, e se di gemme
  Ricchi ha l'India felice antri e spelonche;
  Se da le salse arene
  Spuntan coralli, e nell' Eoe maremme
  Partoriscono perle argentee conche,
  Son tue, Signor. Non tiene
  Giove imperio quaggiù: questa è la legge;
  Il mondo è in tuo poter, il cielo ei regge.
Su dunque, o fortunati
  De l'Asia abitatori, al nume vostro
  Vittime offrite, e consacrate altari:
  Fumino d'odorati
  Incensi i sacri templi, e 'l secol nostro
  Terreno Giove a riverire impari;
  E tu, mentre prostrati
  Qui t'adoriam, Signor, de' tuoi divoti
  Avvèzzati a gradir le preci e i voti.'
Lusingava in tal guisa
  Questi il tiranno, e festeggianti e liete
  D'ogn' intorno applaudian le turbe ignare;
  Quando mano improvvisa
  Apparve, io non so come, e la parete
  Scritta lasciò di queste note amare:
  'Tu che fra canti e risa,
  Fra lascivie e piaceri ora ti stai,
  Superbissimo re, diman morrai.'
Tal fu 'l duro messaggio:
  Nè guari andò che da l'ondoso vetro
  Uscì Febo a cacciar l'ombra notturna:

Infelice passaggio
Da real trono ire a mortal ferètro,
Dal pranzo al rogo, e da le tazze a l'urna.
Così va chi mal saggio,
Volgendo il tergo al ciel, sua speme fonda
Ne' beni di quaggiù lievi qual fronda.

ii

245   *Al Conte Raimondo Montecuccoli*
in biasimo de' grandi superbi

RUSCELLETTO orgoglioso,
Ch'ignobil figlio di non chiara fonte
Un natal tenebroso
Avesti intra gli orror d'ispido monte,
E già con lenti passi
Povero d'acque isti lambendo i sassi,
Non strepitar cotanto,
Non gir sì torvo a flagellar la sponda,
Chè benchè Maggio alquanto
Di liquefatto gel t'accresca l'onda,
Sopravverrà ben tosto,
Essicator di tue gonfiezze, Agosto.
Placido in seno a Teti,
Gran re de' fiumi, il Po discioglie il corso,
Ma di velati abeti
Macchine eccelse ognor sostien sul dorso,
Nè per arsura estiva
In più breve confin strigne sua riva.
Tu le gregge e i pastori
Minacciando per via spumi e ribolli,

E, di non proprj umori
Possessor momentaneo, il corso estolli,
Torbido, obliquo, e questo
Del tuo sol hai, tutto alïeno è il resto.
Ma fermezza non tiene
Riso di cielo, e sue vicende ha l'anno:
In nude aride arene
A terminar i tuoi diluvj andranno,
E con asciutto piede
Un giorno ancor di calpestarti ho fede.
So che l'acque son sorde,
Raimondo, e ch'è follia garrir col rio;
Ma sovra Aonie corde
Di sì cantar talor diletto ha Clio,
E in mistiche parole
Alti sensi al vil volgo asconder suole.
Sotto ciel non lontano
Pur dianzi intumidir torrente i' vidi,
Che di tropp' acque insano
Rapiva i boschi e divorava i lidi,
E gir credea del pari
Per non durabil piena a' più gran mari.
Io dal fragor orrendo
Lungi m'assisi a romit' Alpe in cima,
In mio cor rivolgendo
Qual' era il fiume allora e qual fu prima,
Qual facea nel passaggio
Con non legittim' onda ai campi oltraggio.
Ed ecco, il crin vagante
Coronato di lauro e più di lume,
Apparirmi davante
Di Cirra il biondo re, Febo il mio nume,

E dir: 'Mortale orgoglio
    Lubrico ha il regno, e rovinoso il soglio.
Mutar vicende e voglie,
    D'instabile fortuna è stabil' arte;
    Presto dà, presto toglie,
    Viene e t'abbraccia, indi t'abborre e parte;
    Ma quanto sa si cange:
    Saggio cor poco ride e poco piange.
Prode è 'l nocchier, che 'l legno
    Salva tra fiera aquilonar tempesta;
    Ma d'egual lode è degno
    Quel ch'al placido mar fede non presta,
    E dell' aura infedele
    Scema la turgidezza in scarse vele.
Sovra ogni prisco eroe
    Io del grande Agatocle il nome onoro,
    Chè delle vene Eoe
    Ben su le mense ei folgorar fe' l'oro,
    Ma per temprarne il lampo,
    Alla creta paterna anco diè campo.
Parto vil della terra,
    La bassezza occultar de' suoi natali
    Non può Tifeo: pur guerra
    Move all' alte del ciel soglie immortali.
    Che fia? Sott' Etna colto,
    Prima che morto ivi riman sepolto.
Egual fingersi tenta
    Salmoneo a Giove, allor che tuona ed arde;
    Fabbrica nubi, inventa
    Simulati fragor, fiamme bugiarde;
    Fulminator mendace
    Fulminato da senno a terra giace.'

Mentre l'orecchie i' porgo,
   Ebbro di maraviglia, al dio facondo,
   Giro lo sguardo e scorgo
   Del rio superbo inaridito il fondo,
   E conculcar per rabbia
   Ogni armento più vil la secca sabbia.

iii

246   *Serenata a Cintia*

CINTIA, la doglia mia cresce con l'ombra,
  E a le tue mura intorno
   Vo pur girando il piè notturno amante.
   Tuffato il carro ha già nel mar d'Atlante
   Il condottier del giorno,
   E caligine densa il cielo adombra:
   Alto silenzio ingombra
   La terra tutta, e nell' orror profondo
   Stanco da l'opre omai riposa il mondo.
Io sol non poso, e la mia dura sorte
   Su queste soglie amate
   Nell' altrui pace a lagrimar mi mena.
   Tu pur odi il mio duol, sai la mia pena;
   Apri, deh! per pietate
   Apri, Cintia cortese, apri le porte.
   Sonno tenace e forte
   De la vecchia custode occupa i sensi:
   Apri, Cintia; apri, bella; oimè, che pensi?
Vuoi tu dunque, crudel, ch'io qui mi mora,
   Mentre più incrudelisce
   La gelid'aria del notturno cielo?

D'ispide brine irta è la chioma; il gielo
Le membra istupidisce;
Qual foglia i' tremo, e tu non m'apri ancora?
Durissima dimora!
Ma tu dormi fors' anco, e 'l mio tormento
Non ode altri che l'ombra, altri ch'il vento.
O Sonno, o de' mortali amico nume,
Sopitor de' pensieri,
Sollevator d'ogn' affannato core:
Deh, s'egli è ver ch'ardessi unqua d'amore,
Da que' begl' occhi alteri,
Che stan chiusi al mio mal, spiega le piume;
Tornerai pria ch'allume
La bell' aurora il ciel; vanne soltanto
Che Cintia oda il mio duol, senta il mio pianto.
Vanne, Sonno gentil, vattene omai;
Così luce nemica
O strepito importun mai non ti svegli;
Così, d'onda Letea sparsa i capegli,
La tua leggiadra amica
Ti dorma in seno, e non se n' parta mai.
Sonno, ancor non te n' vai?
Dimmi, nume insensato, iniquo dio,
Dimmi, Sonno crudel, che t'ho fatt' io?
Tu de l'Erebo figlio, e de l'oscura
Morte fratel, non puoi
Maniere usar, se non atroci ed empie:
Pòssanti inaridire in su le tempie
I papaveri tuoi,
E siati Pasitea sempre più dura;
E per maggior sciagura
Vigilia eterna ognor t'opprima e stanchi

Sì, ch'agl' occhi del Sonno il sonno manchi.
Porte, ma voi, voi non v'aprite. Ah pera
  Chi dall' alpine balze
  Trasse, per voi formar, la quercia e 'l cerro:
Cingasi pur d'inespugnabil ferro,
  E vallo e mura innalze
  Città ch'oppressa è da nimica schiera;
  Ma se tromba guerriera
  Qua non giunge col suono, or quai sospetti
  Munir ci fan con tanta cura i tetti?
O mille volte e mille età beata,
  Quando a l'ombra de' faggi
  Dormian senza timor le prische genti!
Ricco allor il pastor di pochi armenti
  Non paventava oltraggi
  Di ladro occulto, o di falange armata:
  Avarizia mal nata
  Fu che pose ai tesor guardie e custodi,
  E mostrò i furti, ed insegnò le frodi.
Porte sorde agli amanti, adunque invano
  Di giacinti odorosi
  Ho tante volte a voi ghirlande inteste?
O venti, o pioggie, o fulmini, o tempeste,
  Scendete impetüosi,
  Stendete voi le dure porte al piano;
  E tu, lenta mia mano,
  Invendicata ancor l'ore te n' passi?
  Se ti mancan le fiamme, eccoti i sassi.
Lasso, ma che vaneggio? In ciel già rare
  Scintillano le stelle,
  Già s'intreccia di fior l'alba le chiome.
  Santi numi del ciel, s'in vostro nome

FULVIO TESTI

D'odorate fiammelle
Arder fec' io più d'un divoto altare,
De le mie pene amare
Pietà vi punga; e, se giustizia ha il polo,
Levatemi di senso ovver di duolo.
Voi che mutate a l'uom sembiante e spoglia,
 Ch'altri volar per l'etra,
 Altri fate vagar disciolto in onda;
 Voi che Narciso in fior, che Dafne in fronda
 Cangiaste, in dura pietra
 Me trasformate ancor su questa soglia.
 Cesserà la mia doglia,
 E godrò ch'al mattino, ove si desti,
 Cintia col piè mi prema e mi calpesti.

FRANCESCO REDI

1626–†1698

Bacco in Toscana

247

. . . . .

QUALI strani capogiri
 D'improvviso mi fan guerra?
 Parmi proprio che la terra
 Sotto i piè mi si raggiri;
 Ma se la terra comincia a tremare,
 E traballando minaccia disastri,
 Lascio la terra e mi salvo nel mare.
 Vara, vara quella gondola
 Più capace e ben fornita,
 Ch'è la nostra favorita.

FRANCESCO REDI

Su questa nave,
   Che tempre ha di cristallo,
   E pur non pave
   Del mar cruccioso il ballo,
   Io gir men voglio
   Per mio gentil diporto,
   Conforme io soglio,
   Di Brindisi nel porto,
   Purchè sia carca
   Di brindisevol merce
   Questa mia barca.
Su voghiamo,
   Navighiamo,
   Navighiamo infino a Brindisi:
   Arïanna, brindis, brindisi.
Oh bell' andare
   Per barca in mare
   Verso la sera
   Di primavera !
   Venticelli e fresche aurette,
   Dispiegando ali d'argento,
   Sull' azzurro pavimento
   Tesson danze amorosette,
   E al mormorio de' tremuli cristalli
   Sfidano ognora i naviganti ai balli.
Su voghiamo,
   Navighiamo,
   Navighiamo infino a Brindisi:
   Arïanna, brindis, brindisi.
   Passavoga, arranca, arranca;
   Chè la ciurma non si stanca,
   Anzi lieta si rinfranca

Quando arranca verso Brindisi:
Arïanna, brindis, brindisi.
E se a te brindisi io fo,
Perchè a me faccia il buon pro,
Arïannuccia, vaguccia, belluccia,
Cantami un poco, e ricantami tu
Sulla mandòla la cuccurucù,
La cuccurucù,
La cuccurucù,
Sulla mandòla la cuccurucù.
Passavo',
Passavo',
Passavoga, arranca, arranca;
Chè la ciurma non si stanca,
Anzi lieta si rinfranca,
Quando arranca,
Quando arranca inverso Brindisi:
Arïanna, brindis, brindisi.
E se a te,
E se a te brindisi io fo,
Perchè a me,
Perchè a me,
Perchè a me faccia il buon pro,
Il buon pro,
Arïannuccia leggiadribelluccia,
Cantami un po',
Cantami un po',
Cantami un poco, e ricantami tu
Sulla vïo',
Sulla vïola la cuccùrucù,
La cuccurucù,
Sulla vïola la cuccurucù.

. . . .

Satirelli
  Ricciutelli,
  Satirelli, or chi di voi
  Porgerà più pronto a noi
  Qualche nuovo smisurato
  Sterminato calicione,
  Sarà sempre il mio mignone;
  Nè m'importa se un tal calice
  Sia d'avorio o sia di salice,
  O sia d'oro arciricchissimo;
  Purchè sia molto grandissimo.
  Chi s'arrisica di bere
  Ad un piccolo bicchiere
  Fa la zuppa nel paniere:
  Quest' altiera, questa mia
  Dïonea bottiglieria
  Non raccetta, non alloggia
  Bicchieretti fatti a foggia.
  Quei bicchieri arrovesciati,
  E quei gozzi strangolati,
  Sono arnesi da ammalati;
  Quelle tazze spase e piane
  Son da genti poco sane:
  Caraffini,
  Buffoncini,
  Zampilletti e borbottini,
  Son trastulli da bambini,
  Son minuzie che raccattole
  Per fregiarne in gran dovizia
  Le moderne scarabattole
  Delle donne fiorentine;

FRANCESCO REDI

Voglio dir non delle dame,
Ma bensì delle pedine.
In quel vetro che chiamasi il tonfano
Scherzan le Grazie, e vi trïonfano;
Ognun colmilo, ognun vuotilo;
Ma di che si colmerà?
Bella Arïanna, con bianca mano
Versa la manna di Montepulciano;
Colmane il tonfano e porgilo a me.
Questo liquore, che sdrucciola al core,
Oh come l'ugola baciami e mordemi!
Oh come in lacrime gli occhi disciogliemi!
Me ne strasecolo, me ne strabilio,
E fatto estatico vo in visibilio.
Onde ognun che di Lieo
Riverente il nome adora
Ascolti questo altissimo decreto,
Che Bassareo pronunzia, e gli dia fè:
Montepulciano d'ogni vino è il re.

.   .   .   .

CARLO MARIA MAGGI

1630-†1699

248

GIACE l'Italia addormentata in questa
Sorda bonaccia, e intanto il ciel s'oscura;
E pur ella si sta cheta e sicura,
E, per molto che tuoni, uom non si desta.
Se pur taluno il paliscalmo appresta,
Pensa a sè stesso, e del vicin non cura,
E tal sì lieto è dell' altrui sventura,
Che non vede in altrui la sua tempesta.

265

CARLO MARIA MAGGI

Ma che? Quest' altre tavole minute,
    Rotta l'antenna, e poi smarrito il polo,
    Vedrem tutte ad un soffio andar perdute.
Italia, Italia mia! questo è il mio duolo:
    Allor siam giunti a disperar salute,
    Quando pensa ciascun di campar solo.

FRANCESCO DI LEMENE

1634–†1704

249

MESSAGGERA dei fior, nunzia d'Aprile,
    De' bei giorni d'amor pallida aurora,
    Prima figlia di Zeffiro e di Flora,
    Prima del praticel pompa gentile,
S' hai nelle foglie il bel pallor simile
    Al pallor di colei che m'innamora,
    Se per immago tua ciascun t'adora,
    Vanne superba, o vïoletta umile.
Vattene a Lidia, e dille in tua favella
    Che più stimi degli ostri i pallor tuoi,
    Sol perchè Lidia è pallidetta anch' ella.
Con linguaggio d'odor dirle tu puoi:
    'Se voi, pompa d'amor, siete sì bella,
    Son bella anch' io perchè somiglio a voi.'

VINCENZO DA FILICAIA

1642–†1707

250   *i*

ITALIA, Italia, o tu, cui feo la sorte
    Dono infelice di bellezza, ond' hai
    Funesta dote d'infiniti guai,

Che in fronte scritti per gran doglia porte,
Deh, fossi tu men bella, o almen più forte,
  Onde assai più ti paventasse, o assai
  T'amasse men chi del tuo bello ai rai
Par che si strugga, e pur ti sfida a morte!
Ch'or giù dall' Alpi non vedrei torrenti
  Scender d'armati, e del tuo sangue tinta
  Bever l'onda del Po gallici armenti.
Nè te vedrei del non tuo ferro cinta
  Pugnar col braccio di straniere genti,
  Per servir sempre o vincitrice o vinta.

251   *ii*

DOV' è, Italia, il tuo braccio? e a che ti servi
  Tu dell' altrui? Non è, s'io scorgo il vero,
  Di chi t'offende il difensor men fero:
Ambo nemici sono, ambo fur servi.
Così dunque l'onor, così conservi
  Gli avanzi tu del glorïoso impero?
  Così al valor, così al valor primiero
Che a te fede giurò la fede osservi?
Or va'; repudia il valor prisco, e sposa
  L'ozio, e fra 'l sangue, i gemiti e le strida
  Nel periglio maggior dormi e riposa.
Dormi, adultera vil, fin che omicida
  Spada ultrice ti svegli, e sonnacchiosa
  E nuda in braccio al tuo fedel t'uccida.

252   *iii*

QUAL madre i figli con pietoso affetto
   Mira, e d'amor si strugge a lor davante,
   E un bacia in fronte, ed un si stringe al petto,
   Uno tien sui ginocchi, un sulle piante,
E mentre agli atti, ai gemiti, all' aspetto
   Lor voglie intende sì diverse e tante,
   A questi un guardo, a quei dispensa un detto,
   E, se ride o s'adira, è sempre amante;
Tal per noi Provvidenza alta, infinita,
   Veglia, e questi conforta, e a quei provvede,
   E tutti ascolta, e porge a tutti aita.
E se niega talor grazia o mercede,
   O niega sol perchè a pregar ne invita,
   O negar finge, e nel negar concede.

BENEDETTO MENZINI

1646–†1704

253   *i*

QUEL capro maladetto ha preso in uso
   Gir tra le viti e sempre in lor s'impaccia.
   Deh, per farlo scordar di simil traccia,
   Dàgli d'un sasso tra le corna e 'l muso.
Se Bacco il guata, ei scenderà ben giuso
   Da quel suo carro a cui le tigri allaccia;
   Più feroce lo sdegno oltre si caccia
   Quand' è con quel suo vin misto e confuso.
Fa' di scacciarlo, Elpin, fa' che non stenda
   Maligno il dente, e più non roda in vetta
   L'uve nascenti ed il lor nume offenda.

Di lui so ben, che un dì l'altar l'aspetta;
　Ma Bacco è da temer, che ancor non prenda
　Del capro insieme e del pastor vendetta.

254　　　　　　　　*ii*

SENTO in quel fondo gracidar la rana,
Indizio certo di futura piova:
　Canta il corvo importuno, e si riprova
　La folaga a tuffarsi alla fontana.
La vaccherella in quella falda piana
　Gode di respirar dell' aria nuova:
　Le nari allarga in alto, e sì le giova
　Aspettar l'acqua che non par lontana.
Veggio le lievi paglie andar volando,
　E veggio come obliquo il turbo spira
　E va la polve qual paleo rotando.
Leva le reti, o Restagnon: ritira
　Il gregge agli stallaggi: or sai che, quando
　Manda suoi segni il ciel, vicina è l'ira.

ALESSANDRO GUIDI

1650–†1712

255　　　*Gli Arcadi in Roma*

O NOI d'Arcadia fortunata gente,
Che dopo l'ondeggiar di dubbia sorte
Sovra i colli romani abbiam soggiorno!
Noi qui miriamo intorno
Da questa illustre solitaria parte
L'alte famose membra
Della città di Marte.

Mirate là tra le memorie sparte
Che glorïoso ardire
Serbano ancora infra l'orror degli anni
Delle gran moli i danni,
E caldo ancor dentro le sue ruine
Fuma il vigor delle virtù latine!
Indomita e superba ancora è Roma,
Benchè si veggia col gran busto a terra.
La barbarica guerra
De' fatali Trïoni,
E l'altra che le diede il tempo irato,
Par che si prenda a scherno:
Son piene di splendor le sue sventure,
E il gran cenere suo si mostra eterno;
E noi rivolti all' onorate sponde
Del Tebro, invitto fiume,
Or miriamo passar le tumid' onde
Col primo orgoglio ancor d'esser reine
Sovra tutte l'altere onde marine.
Là siedon l'orme dell' augusto ponte,
Ove stridean le rote
Delle spoglie dell' Asia onuste e gravi;
E là pender soleano insegne e rostri
Di bellicose trionfate navi:
Quegli è il Tarpeo superbo,
Che tanti in seno accolse
Cinti di fama cavalieri egregi,
Per cui tanto sovente,
Incatenati, i regi
De' Parti e dell' Egitto
Udiro il tuono del Romano editto.
Mirate là la formidabil ombra

ALESSANDRO GUIDI

Dell' eccelsa di Tito immensa mole,
Quant' aria ancor di sue ruine ingombra!
Quando apparîr le sue mirabil mura,
Quasi l'età feroci
Si sgomentaro di recarle offesa,
E guidaro dai barbari remoti
L'ira e il ferro de' Goti
Alla fatale impresa.
Ed or vedete i glorïosi avanzi,
Come, sdegnosi dell' ingiurie antiche,
Stan minacciando le stagion nemiche.
Quel che v'addito è di Quirino il colle,
Ove sedean pensosi i duci alteri:
E dentro ai lor pensieri
Fabbricavano i freni
Ed i servili affanni
Ai duri Daci, ai tumidi Britanni.
Ora il bel colle ad altre voglie è in mano,
Ed è pieno di pace e d'auree leggi,
E soggiorno vi fan cure celesti.
In mezzo ai dì funesti
Spera solo da lui nove venture
Afflitta Europa, e stanca
D'avere il petto e il tergo
Entro il ferrato usbergo
In cui Marte la serra e tienla il Fato.
Magnanimo Pastore, a te fia dato,
Che sul bel colle regni,
Entro il cor de' Potenti
Spegner l'ire superbe e i feri sdegni.
Quanto di sangue beve
L'empia Discordia ancora,

Ed a quante provincie oppresse e dome
Volge le mani irate entro le chiome!
Non serba il Vatican l'antico volto,
Chè su le terga eterne
Ha maggior tempio e maggior nume accolto.
Scendere il vero lume or si discerne
Su gli altari di Febo e di Minerva;
Nè già poggiaro in cielo
I lusingati Augusti,
Nè fur conversi in luce alta immortale:
Chè solo l'alme al vero Giove amiche
Sede si fanno dell' eccelse stelle,
E sacri sono ai lor celesti esempli
Quei, ch'or veggiamo, simulacri e templi.
Ampi vestigi di colossi augusti,
Di cerchi, di teatri, e curie immense,
E le terme che il tempo ancor non spense,
Fan dell' alme romane illustre fede.
Parea del Lazio la vetusta gente
In mezzo allo splendor de' Genj suoi
Un popolo d'eroi:
Ma, reggie d'Asia, vendicaste al fine
Troppo gli affanni che da Roma aveste:
Con le vostre delizie, oh, quanto feste
Barbaro oltraggio al buon valor Latino!
Fosse pur stata Menfi al Tebro ignota,
Come i principj son del Nilo ascosi,
Che non avresti, Egizia Donna, i tuoi
Studi superbi e molli
Mandati ai Sette Colli,
Nè fama avrebbe il tuo fatal convito:
Romolo ancor conosceria sua prole,

Nè l'Aquile Romane avrian smarrito
Il gran cammin del sole.
Ma pur non han le neghittose cure,
Tanto al Tarpeo nemiche,
Spento l'inclito seme
Delle grand' alme antiche.
Sorgere in ogni etade
Fuor da queste ruine
Qualche spirto real sempre si scorse,
Che la fama del Tebro alto soccorse.
Oh come il prisco onore erse e mantenne
Co' suoi tanti trofei
L'eccelsa stirpe de' Farnesi invitti,
Sempre d'ardire armata,
E di battaglie amica!
E quando resse il freno
Alla Città sublime
Per man de' sacri figli,
Oltre l'Alpi fugò l'ire e i perigli,
E trasse Italia dalle ingiurie ed onte
Di fero Marte atroce,
E le ripose il bel sereno in fronte:
Di meraviglia piene allor fur l'ombre
De' Latini Monarchi
In sul tanto apparir teatri ed archi,
E templi e reggie ed opre eccelse e grandi,
Onde sostenne il regal sangue altero
La maestà di Roma e dell' Impero.
Quasi Signor di tutte l'altre moli
Alta regge la fronte il gran Farnese,
Chiaro per arte e per illustri marmi,
E forse ancor per lo splendor de' carmi

Che meco porto e meco fa soggiorno.
Or movo il guardo al Palatino intorno,
Del nostro Arcade Evandro almo ricetto,
Ed oh quanto nel cor lieto sospiro!
A te verremo, o gloriosa terra,
Con le ghirlande d'onorati versi,
E di letizia e riverenza gravi
Ornerem le famose ombre degli Avi.

GIAMBATTISTA PASTORINI

1650–†1732

256 *Per il bombardamento di Genova*
nel 1684

GENOVA mia, se con asciutto ciglio
Piagato e guasto il tuo bel corpo io miro,
Non è poca pietà d'ingrato figlio,
Ma rubello mi sembra ogni sospiro.
La maestà di tue rovine ammiro,
Trofei della costanza e del consiglio,
E dove io volgo il passo e il guardo giro,
Incontro il tuo valor nel tuo periglio.
Più val d'ogni vittoria un bel soffrire;
E de' tuoi torti alta vendetta fai
Col vederti distrutta, e nol sentire.
Anzi girar la Libertà mirai
E baciar lieta ogni rovina, e dire:
'Rovine sì, ma servitù non mai.'

GIOVAMBATTISTA FELICE ZAPPI

1667–1719

257

IN quella età che misurar solea
Me col mio capro, e il capro era maggiore,
  Io amava Clori, che insin da quell' ore
  Maraviglia e non donna a me parea.
Un dì le dissi: 'Io t'amo'; e 'l disse il core,
  Perchè tanto la lingua non sapea;
  Ed ella un bacio diemmi, e mi dicea:
  'Pargoletto, ah non sai che cosa è amore!'
Ella d'altri s'accese, altri di lei;
  Io poi giunsi all' età ch'uom s'innamora,
  L'età degli infelici affanni miei:
Clori or mi sprezza, io l'amo infin d'allora:
  Non si ricorda del mio amor costei;
  Io mi ricordo di quel bacio ancora.

EUSTACHIO MANFREDI

1674–†1739

258   *Per la monaca Giulia Caterina
           Vandi*

DONNA, negli occhi vostri
Tanta e sì chiara ardea
  Maravigliosa, altera luce onesta,
  Ch'agevolmente uom ravvisar potea
  Quanta parte di cielo in voi si chiude,
  E seco dir: 'Non mortal cosa è questa.'
  Ora si manifesta
  Quell' eccelsa virtude
  Nel bel consiglio che vi guida ai chiostri;

Ma perchè i sensi nostri
Son ciechi incontro al vero,
Non lesse uman pensiero
Ciò che dicean que' santi lumi accesi.
Io gli vidi e gl'intesi,
Mercè di chi innalzommi, e dirò cose
Note a me solo, e al vulgo ignaro ascose.
Quando piacque a Natura
Di far sue prove estreme
Nell' ordir di vostr' alma il casto ammanto,
Ella ed Amor si consigliaro insieme,
Sì come in opra di comune onore,
Maravigliando pur di poter tanto.
Crescea il lavoro intanto
Di lor speme maggiore,
E col lavoro al par crescea la cura,
Fin che l'alta fattura
Piacque all' anima altera,
La qual pronta e leggera
Di mano a Dio, lui ringraziando, uscia,
E raccogliea per via,
Di questa spera discendendo in quella,
Ciò ch'arde di più puro in ogni stella.
Tosto che vide il mondo
L'angelica sembianza
Che avea l'anima bella entro il bel velo:
'Ecco,' gridò, 'la gloria e la speranza
Dell' età nostra: ecco la bella immago
Sì lungamente meditata in cielo.'
E in ciò dire ogni stelo
Si fea più verde e vago,
E l'aer più sereno e più giocondo.

EUSTACHIO MANFREDI

Felice il suol cui 'l pondo
Premea del bel piè bianco
O del giovenil fianco,
O percotea lo sfavillar degli occhi;
Ch'ivi i fior visti o tocchi
Intendean lor bellezza, e che que' rai
Movean più d'alto che dal sole assai.
Stavasi vostra mente
Paga intanto e serena,
D'alto mirando in noi la sua virtute;
Vedea quanta dolcezza e quanta pena
Destasse in ogni petto a lei rivolto,
E udia sospiri e tronche voci e mute;
E per nostra salute
Crescea grazie al bel volto,
Ora inchinando il chiaro sguardo ardente,
Ora soavemente
Rivolgendolo fiso
Contro dell' altrui viso,
Quasi col dir: 'Mirate, alme, mirate
In me che sia beltate,
Chè per guida di voi scelta son' io,
E a ben seguirmi condurrovvi in Dio.'
Qual' io mi fêssi allora,
Quando il leggiadro aspetto
Pien di sua luce agli occhi miei s'offrìo,
Amor, tu 'l sai, che il debile intelletto
Al piacer confortando, in lei mi festi
Veder ciò che vedem tu solo ed io,
E additasti al cor mio
In quai modi celesti
Costei l'alme solleva e le innamora:

Ma più d'Amore ancora
Ben voi stesse il sapete,
Luci beate e liete,
Ch'io vidi or sovra me volgendo altere
Guardar vostro potere,
Or di pietate in dolce atto far mostra,
Senza discender dalla gloria vostra.
O lenta e male avvezza
In alto a spiegar l'ale,
Umana vista! o sensi infermi e tardi!
Quanto sopra del vostro esser mortale
Alzar poteavi ben inteso un solo
Di que' soavi innamorati sguardi!
Ma il gran piacer codardi
Vi fece al nobil volo,
Che avvicinar poteavi a tanta altezza;
Chè nè altrove bellezza
Maggior sperar poteste,
Folli, e tra voi diceste,
Quella mirando allor presente e nova:
'Qui di posar ne giova,
Senza seguir la scorta del bel raggio',
Qual chi per buon soggiorno oblia il viaggio.
Vedete or come accesa
D'alme faville e nove
Costei corre a compir l'alto disegno!
Vedi, Amor, quanta in lei dolcezza piove,
Qual si fa il Paradiso, e qual ne resta
Il basso mondo, che di lei fu indegno!
Vedi il beato regno
Qual luogo alto le appresta,
E in lei dal cielo ogni pupilla intesa

Confortarla all' impresa;
Odi gli spirti casti
Gridarle: 'Assai tardasti;
Ascendi, o fra di noi tanto aspettata,
Felice alma ben nata.'
Si volge ella a dir pur ch'altri la siegua,
Poi si mesce fra i lampi e si dilegua.
Canzon, se d'ardir troppo alcun ti sgrida,
    Digli che a te non creda,
    Ma venga infinchè puote egli, e la veda.

PAOLO ROLLI

1687–†1765

259

SOLITARIO bosco ombroso,
A te viene afflitto cor
    Per trovar qualche riposo
    Fra i silenzi in quest' orror.
Ogni oggetto ch'altrui piace
    Per me lieto più non è:
    Ho perduta la mia pace,
    Son io stesso in odio a me.
La mia Filli, il mio bel foco,
    Dite, o piante, è forse qui?
    Ahi! la cerco in ogni loco;
    E pur so ch'ella partì.
Quante volte, o fronde grate,
    La vostr' ombra ne coprì!
    Corso d'ore sì beate
    Quanto rapido fuggì!

Dite almeno, amiche fronde,
　　Se il mio ben più rivedrò:
　　Ah! che l'eco mi risponde,
　　E mi par che dica: 'No.'
Sento un dolce mormorio;
　　Un sospir forse sarà,
　　Un sospir dell' idol mio,
　　Che mi dice: 'Tornerà.'
Ah! ch'è il suon del rio che frange
　　Tra quei sassi il fresco umor,
　　E non mormora, ma piange
　　Per pietà del mio dolor.
Ma se torna, vano e tardo
　　Il ritorno, oh dei! sarà;
　　Chè pietoso il dolce sguardo
　　Sul mio cener piangerà.

CARLO INNOCENZO FRUGONI
1692–†1768

260　　　　*Annibale*

i

DEL primo pelo appena ombrato il mento
Avea l'ardente giovane affricano,
Quando, sul sacro altar posta la mano,
Proferiva l'orribil giuramento;
E cento deità chiamava e cento
　　Sull' alto scempio del valor romano;
　　Sebben li giusti dei lasciaro in vano
　　L'atroce voto, e diêrlo in preda al vento.
Ma se veduto avesse il torvo e crudo
　　Volto, ed udito il parlar duro e franco
　　Di lui, che ancor non appendea lo scudo

Al braccio, e il fatal brando al lato manco,
   Roma temuto avria, come se ignudo
   Già vedesse il gran ferro aprirle il fianco.

261   *ii*

FEROCEMENTE la visiera bruna
   Alzò sull' Alpe l'affrican guerriero,
   Cui la vittrice militar fortuna
   Ridea superba nel sembiante altero.
Rimirò Italia: e qual chi in petto aduna
   Il giurato sull' ara odio primiero,
   Maligno rise, non credendo alcuna
   Parte secura del nemico impero.
E poi col forte immaginar rivolto
   Alle venture memorande imprese,
   Tacito e in suo pensier tutto raccolto,
Seguendo il Genio che per man lo prese,
   Coll' ire ultrici e le minacce in volto,
   Terror d'Ausonia e del Tarpeo, discese.

262   *iii*

QUANDO la gemma al dito Annibal tolse,
   Che di sua morte a lui serbò l'onore,
   Tutte sul volto le virtù del core
   E le giurate a Roma ire raccolse;
E Trebbia e Canne in suo pensier rivolse,
   Lunga al Tarpeo memoria aspra d'orrore;
   Nè degli dei, qual chi contento more,
   Nè de' cangiati suoi destin si dolse.

E fermo e fiso nella grande immago
   Che di lui viva l'età tutte avranno,
   D'un generoso pallor tinto e bianco,
'Il Tebro omai togliam,' disse, 'd'affanno;
   Finchè Annibal vivea, tutta non anco
   Era ben vinta la fatal Cartago.'

PIETRO METASTASIO

1698–†1782

i

263   *La Libertà*

Grazie agl' inganni tuoi,
   Al fin respiro, o Nice,
Al fin d'un infelice
Ebber gli dei pietà:
   Sento da' lacci suoi,
Sento che l'alma è sciolta;
Non sogno questa volta,
Non sogno libertà.
Mancò l'antico ardore,
   E son tranquillo a segno,
Che in me non trova sdegno
Per mascherarsi Amor.
   Non cangio più colore
Quando il tuo nome ascolto;
Quando ti miro in volto
Più non mi batte il cor.
Sogno, ma te non miro
   Sempre ne' sogni miei;
Mi desto, e tu non sei
Il primo mio pensier.

PIETRO METASTASIO

Lungi da te m'aggiro
Senza bramarti mai;
Son teco, e non mi fai
Nè pena nè piacer.
Di tua beltà ragiono,
Nè intenerir mi sento;
I torti miei rammento,
E non mi so sdegnar.

Confuso più non sono
Quando mi vieni appresso;
Col mio rivale istesso
Posso di te parlar.
Volgimi il guardo altero,
Parlami in volto umano;
Il tuo disprezzo è vano,
È vano il tuo favor;

Chè più l'usato impero
Quei labbri in me non hanno;
Quegli occhi più non sanno
La via di questo cor.
Quel che or m'alletta o spiace,
Se lieto o mesto or sono,
Già non è più tuo dono,
Già colpa tua non è;

Chè senza te mi piace
La selva, il colle, il prato;
Ogni soggiorno ingrato
M'annoia ancor con te.
Odi s'io son sincero:
Ancor mi sembri bella,
Ma non mi sembri quella
Che paragon non ha;

PIETRO METASTASIO

E (non t'offenda il vero)
Nel tuo leggiadro aspetto
Or vedo alcun difetto
Che mi parea beltà.
Quando lo stral spezzai
(Confesso il mio rossore)
Spezzar m'intesi il core,
Mi parve di morir.
  Ma per uscir di guai,
Per non vedersi oppresso,
Per racquistar sè stesso
Tutto si può soffrir.
Nel visco, in cui s'avvenne
Quell' augellin talora,
Lascia le penne ancora,
Ma torna in libertà:
  Poi le perdute penne
In pochi dì rinnova;
Cauto divien per prova,
Nè più tradir si fa.
So che non credi estinto
In me l'incendio antico,
Perchè sì spesso il dico,
Perchè tacer non so.
  Quel naturale istinto,
Nice, a parlar mi sprona,
Per cui ciascun ragiona
De' rischi che passò.
Dopo il crudel cimento
Narra i passati sdegni,
Di sue ferite i segni
Mostra il guerrier così.

Mostra così contento
Schiavo, che uscì di pena,
La barbara catena
Che strascinava un dì.
Parlo, ma sol parlando
Me soddisfar procuro;
Parlo, ma nulla io curo
Che tu mi presti fè;
Parlo, ma non dimando
Se approvi i detti miei,
Nè se tranquilla sei
Nel ragionar di me.
Io lascio un' incostante;
Tu perdi un cor sincero;
Non so di noi primiero
Chi s'abbia a consolar.
So che un sì fido amante
Non troverà più Nice,
Che un'altra ingannatrice
È facile a trovar.

ii

La Primavera

264

GIA riede Primavera
Col suo fiorito aspetto:
Già il grato zeffiretto
Scherza fra l'erbe e i fior.
Tornan le frondi agli alberi,
L'erbette al prato tornano;
Sol non ritorna a me
La pace del mio cor.

PIETRO METASTASIO

Febo col puro raggio
   Sui monti il gel discioglie,
   E quei le verdi spoglie
   Veggonsi rivestir.
     E il fiumicel, che placido
   Fra le sue sponde mormora,
   Fa col disciolto umor
   Il margine fiorir.

L'orride querce annose
   Sulle pendici alpine
   Già dal ramoso crine
   Scuotono il tardo gel.
     A gara i campi adornano
   Mille fioretti tremuli,
   Non vïolati ancor
   Da vomere crudel.

Al caro antico nido
   Fin dall' egizie arene
   La rondinella viene,
   Che ha valicato il mar:
     Che mentre il volo accelera,
   Non vede il laccio pendere,
   E va del cacciator
   L'insidie ad incontrar.

L'amante pastorella,
   Già più serena in fronte,
   Corre all' usata fonte
   A ricomporsi il crin.
     Escon le gregge ai pascoli;
   D'abbandonar s'affrettano
   Le arene il pescator,
   L'albergo il pellegrin.

PIETRO METASTASIO

Fin quel nocchier dolente
  Che sul paterno lido,
  Scherno del flutto infido,
  Naufrago ritornò,
    Nel rivederlo placido
  Lieto discioglie l'ancora;
  E rammentar non sa
  L'orror che in lui trovò.
E tu non curi intanto,
  Filli, di darmi aita;
  Come la mia ferita
  Colpa non sia di te.
    Ma se ritorno libero
  Gli antichi lacci a sciogliere,
  No, che non stringerò
  Più fra catene il piè.
Del tuo bel nome amato,
  Cinto del verde alloro,
  Spesso le corde d'oro
  Ho fatto risuonar.
    Or, se mi sei più rigida,
  Vo' che i miei sdegni apprendano
  Del fido mio servir
  Gli oltraggi a vendicar.
Ah no, Ben mio, perdona
  Questi sdegnosi accenti,
  Chè sono i miei lamenti
  Segni d'un vero amor.
    S'è tuo piacer, gradiscimi;
  Se così vuoi, disprezzami:
  O pietosa o crudel,
  Sei l'alma del mio cor.

iii

265   (*Sulle finzioni poetiche*)

SOGNI e favole io fingo, e pure in carte
    Mentre favole e sogni orno e disegno,
    In lor, folle ch'io son! prendo tal parte,
    Che del mal che inventai piango e mi sdegno.
Ma forse, allor che non m'inganna l'arte,
    Più saggio io sono? È l'agitato ingegno
    Forse allor più tranquillo, o forse parte
    Da più salda cagion l'amor, lo sdegno?
Ah! che non sol quelle ch'io canto o scrivo
    Favole son, ma quanto temo o spero,
    Tutto è menzogna, e delirando io vivo!
Sogno della mia vita è il corso intero.
    Deh Tu, Signor, quando a destarmi arrivo,
    Fa' ch'io trovi riposo in sen del Vero!

iv

266   (*Alla Fortuna*)

CHE speri, instabil Dea, di sassi e spine
    Ingombrando a' miei passi ogni sentiero?
    Ch'io tremi forse a un guardo tuo severo?
    Ch'io sudi forse a imprigionarti il crine?
Serba queste minacce alle meschine
    Alme soggette al tuo fallace impero,
    Ch'io saprei, se cadesse il mondo intero,
    Intrepido aspettar le sue rovine.
Non son nuove per me queste contese:
    Pugnammo, il sai, gran tempo, e più valente
    Con agitarmi il tuo furor mi rese.

Chè dalla ruota e dal martel cadente
  Mentre soffre l'acciar colpi ed offese,
  E più fino diventa e più lucente.

GIULIANO CASSIANI

1712–†1778

267   *(Il Ratto di Proserpina)*

DIÈ un alto strido, gittò i fiori, e volta
  All' improvvisa mano che la cinse,
  Tutta in sè, per la tema onde fu colta,
  La siciliana vergine si strinse.
Il nero Dio la calda bocca involta
  D'ispido pelo a ingordo bacio spinse,
  E di Stigia fuliggin con la folta
  Barba l'eburnea gota e il sen le tinse.
Ella, già in braccio al rapitor, puntello
  Fea d'una mano al duro orribil mento,
  Dell' altra agli occhi paurosi un velo.
Ma già il carro la porta; e intanto il cielo
  Ferian d'un rumor cupo il rio flagello,
  Le ferree ruote e il femminil lamento.

GIUSEPPE PARINI

1729–†1799

i

268   *L'Educazione*

TORNA a fiorir la rosa
  Che pur dianzi languia,
  E molle si riposa
  Sopra i gigli di pria;

GIUSEPPE PARINI

Brillano le pupille
Di vivaci scintille.
La guancia risorgente
Tondeggia sul bel viso;
E, quasi lampo ardente,
Va saltellando il riso
Tra i muscoli del labro,
Ove riede il cinabro.
I crin, che in rete accolti
Lunga stagione fôro,
Sull' omero disciolti,
Qual ruscelletto d'oro,
Forma attendon novella
D'artificiose anella.
Vigor novo conforta
L'irrequïeto piede:
Natura, ecco, ecco, il porta,
Sì che al vento non cede,
Fra gli utili trastulli
De' vezzosi fanciulli.
O mio tenero verso,
Di chi parlando vai,
Che studi esser più terso
E polito che mai?
Parli del giovinetto,
Mia cura e mio diletto?
Pur or cessò l'affanno
Del morbo ond' ei fu grave:
Oggi l'undecim' anno
Gli porta il Sol, soave
Scaldando con sua teda
I figliuoli di Leda.

GIUSEPPE PARINI

Simili or dunque a dolce
    Miele di favi Iblei
    Che lento i petti molce,
    Scendete, o versi miei,
    Sopra l'ali sonore
    Del giovinetto al core.
O pianta di buon seme,
    Al suolo, al cielo amica,
    Che a coronar la speme
    Cresci di mia fatica,
    Salve in sì fausto giorno
    Di pura luce adorno.
Vorrei di genïali
    Doni gran pregio offrirti;
    Ma chi diè liberali
    Essere ai sacri spirti?
    Fuor che la cetra, a loro
    Non venne altro tesoro.
Deh! perchè non somiglio
    Al Tessalo maestro,
    Che di Tetide il figlio
    Guidò sul cammin destro?
    Ben io ti farei doni
    Più che d'oro e canzoni.
Già con medica mano
    Quel Centauro ingegnoso
    Rendea feroce e sano
    Il suo alunno famoso;
    Ma, non men che alla salma,
    Porgea vigore all' alma.
Al garzon che sedea
    Sopra l'irsuta schiena,

Chiron si rivolgea
Con la fronte serena,
Tentando in sulla lira
Suon che virtude inspira.
Scorrea con giovanile
   Man pel selvoso mento
   Del precettor gentile;
   Ma pur, l'orecchio intento,
   Bevea queste parole
   D'Eácide la prole:
'Fanciul, nato al soccorso
   Di Grecia, or ti rimembra
   Perchè alla lotta, al corso
   Io t'educai le membra.
   Che non può un' alma ardita
   Se in forti membri ha vita?
Ben sul robusto fianco
   Stai; ben stendi dell' arco
   Il nervo al lato manco;
   Onde al segno ch'io marco
   Va stridendo lo strale
   Dalla cocca fatale.
Ma invan, se il resto oblio,
   Ti avrò possanza infuso.
   Non sai qual contro a Dio
   Fe' di sue forze abuso,
   Con temeraria fronte
   Chi monte impose a monte?
Di Teti, odi, o figliuolo,
   Il ver che a te si scopre.
   Dall' alma origin solo
   Han le lodevoli opre;

GIUSEPPE PARINI

    Mal giova illustre sangue
    Ad animo che langue.
D'Eaco e di Peleo
    Col seme in te non scese
    Il valor che Teseo
    Chiari e Tirintio rese:
    Sol da noi si guadagna,
    E con noi si accompagna.
Gran prole era di Giove
    Il magnanimo Alcide,
    Ma quante egli fa prove,
    E quanti mostri ancide,
    Onde s'innalzi poi
    Al seggio degli eroi?
Altri le altere cune
    Lascia, o garzon, che pregi;
    Le superbe fortune
    Del vile anco son fregi.
    Chi della gloria è vago,
    Sol di virtù sia pago.
Onora, o figlio, il Nume
    Che dall' alto ti guarda:
    Ma solo a lui non fume
    Incenso o vittim' arda.
    È d'uopo, Achille, alzare
    Nell' alma il primo altare.
Giustizia entro al tuo seno
    Sieda, e sul labbro il vero;
    E le tue mani sièno
    Albero forestiero,
    Onde soavi unguenti
    Stillin sopra le genti.

GIUSEPPE PARINI

Perchè sì ardenti affetti
    Nel core il ciel ti pose?
    Questi a Ragion commetti,
    E tu vedrai gran cose:
    Quindi l'alta rettrice
    Somma virtude elice.
Sì bei doni del cielo
    No, non celar, garzone,
    Con ipocrito velo
    Che alla virtù si oppone.
    Il marchio ond' è il cor scolto
    Lascia apparir nel volto.
Dalla lor mèta han lode,
    Figlio, gli affetti umani.
    Tu per la Grecia prode
    Di ferro arma le mani:
    Qua volgi, qua l'ardire
    Delle magnanim' ire.
Ma l'altro dolce senso
    Onde ad amar ti pieghi,
    Fra lo stuol d'armi denso
    Venga, e pietà non nieghi
    Al debile che cade
    E a te grida pietade.
Te questo ognor costante
    Schermo renda al mendico;
    Fido ti faccia amante,
    E indomabile amico.
    Così con legge alterna
    L'animo si governa.'
Tal cantava il Centauro.
    Baci il giovin gli offriva

Con ghirlande di lauro.
E Tetide, che udiva,
Alla fera divina
Plaudia dalla marina.

ii

Le Nozze

È PUR dolce in su i begli anni
De la calda età novella
Lo sposar vaga donzella
Che d'amor già ne ferì.
In quel giorno i primi affanni
Ci ritornano al pensiere,
E maggior nasce il piacere
Da la pena che fuggì.
Quando il sole in mar declina,
Palpitare il cor si sente:
Gran tumulto è ne la mente,
Gran desio ne gli occhi appar.
Quando sorge la mattina
A destar l'aura amorosa,
Il bel volto de la sposa
Si comincia a contemplar.
Bel vederla in su le piume
Riposarsi al nostro fianco,
L'un de' bracci nudo e bianco
Distendendo in sul guancial;
E il bel crine oltra il costume
Scorrer libero e negletto,
E velarle il giovin petto
Che va e viene all' onda egual.

GIUSEPPE PARINI

Bel veder de le due gote
   Sul vivissimo colore
   Splender limpido madore,
   Onde il sonno le spruzzò,
Come rose ancora ignote
   Sovra cui minuta cada
   La freschissima rugiada
   Che l'aurora distillò.
Bel vederla all' improvviso
   I bei lumi aprire al giorno,
   E cercar lo sposo intorno,
   Di trovarlo incerta ancor;
E poi schiudere il sorriso
   E le molli parolette
   Fra le grazie ingenue e schiette
   De la brama e del pudor.
O garzone, amabil figlio
   Di famosi e grandi eroi,
   Sul fiorir de gli anni tuoi
   Questa sorte a te verrà.
Tu dimane, aprendo il ciglio,
   Mirerai fra i lieti lari
   Un tesor che non ha pari
   E di grazia e di beltà.
Ma, ohimè, come fugace
   Se ne va l'età più fresca,
   E con lei quel che ne adesca
   Fior sì tenero e gentil!
Come presto a quel che piace
   L'uso toglie il pregio e il vanto,
   E dileguasi l'incanto
   De la voglia giovanil!

Te beato in fra gli amanti
   Che vedrai fra i lieti lari
   Un tesor che non ha pari
   Di bellezza e di virtù!
La virtù guida costanti
   A la tomba i casti amori,
   Poi che il tempo invola i fiori
   De la cara gioventù.

iii

270   *La Caduta*

(Nell' inverno del 1785)

QUANDO Orïon dal cielo
  Declinando imperversa,
E pioggia e nevi e gelo
  Sopra la terra ottenebrata versa,
Me spinto nella iniqua
  Stagione, infermo il piede,
  Tra il fango e tra l'obliqua
  Furia de' carri, la città gir vede,
E per avverso sasso
  Mal fra gli altri sorgente,
  O per lubrico passo,
  Lungo il cammino stramazzar sovente.
Ride il fanciullo; e gli occhi
  Tosto gonfia commosso,
  Chè il cubito o i ginocchi
  Me scorge o il mento dal cader percosso.

Altri accorre, e: 'Oh infelice
 E di men crudo fato
 Degno vate!' mi dice;
 E, seguendo il parlar, cinge il mio lato
Con la pietosa mano,
 E di terra mi toglie,
 E il cappel lordo e il vano
 Baston dispersi nella via raccoglie.
'Te ricca di comune
 Censo la patria loda;
 Te sublime, te immune
 Cigno da tempo, che il tuo nome roda,
Chiama, gridando intorno;
 E te molesta incìta
 Di poner fine al *Giorno*,
 Per cui, cercato, allo stranier ti addita.
Ed ecco il debil fianco,
 Per anni e per natura,
 Vai nel suolo pur anco
 Fra il danno strascinando e la paura:
Nè il sì lodato verso
 Vile cocchio ti appresta,
 Che te salvi, a traverso
 De' trivj, dal furor de la tempesta.
Sdegnosa anima! prendi,
 Prendi novo consiglio,
 Se il già canuto intendi
 Capo sottrarre a più fatal periglio.
Congiunti tu non hai,
 Non amiche, non ville,
 Che te far possan mai
 Nell' urna del favor preporre a mille.

Dunque per l'erte scale
   Arrampica qual puoi;
   E fa' gli atrj e le sale
   Ogni giorno ulular de' pianti tuoi.
O non cessar di pôrte
   Fra lo stuol de' clienti,
   Abbracciando le porte
   Degl' imi che comandano ai potenti;
E, lor mercè, penètra
   Ne' recessi de' grandi,
   E sopra la lor tetra
   Noia le facezie e le novelle spandi.
O, se tu sai, più astuto
   I cupi sentier trova
   Colà dove nel muto
   Aere il destin de' popoli si cova;
E fingendo nova esca
   Al pubblico guadagno,
   L'onda sommovi, e pesca
   Insidïoso nel turbato stagno.
Ma chi giammai potria
   Guarir tua mente illusa,
   O trar per altra via
   Te, ostinato amator della tua Musa?
Lasciala: o, pari a vile
   Mima, il pudore insulti,
   Dilettando scurrile
   I bassi genj dietro al fasto occulti.'
Mia bile al fin, costretta
   Già troppo, dal profondo
   Petto rompendo, getta
   Impetuosa gli argini, e rispondo:

GIUSEPPE PARINI

'Chi sei tu, che sostenti
  A me questo vetusto
  Pondo, e l'animo tenti
  Prostrarmi a terra? Umano sei, non giusto.
Buon cittadino, al segno
  Dove natura e i primi
  Casi ordinâr, lo ingegno
  Guida così, che lui la patria estimi.
Quando poi d'età carco
  Il bisogno lo stringe,
  Chiede opportuno e parco
  Con fronte liberal che l'alma pinge.
E se i duri mortali
  A lui voltano il tergo,
  Ei si fa, contro ai mali,
  Della costanza sua scudo ed usbergo.
Nè si abbassa per duolo,
  Nè s'alza per orgoglio.'
  E ciò dicendo, solo
  Lascio il mio appoggio, e bieco indi mi toglio.
Così, grato ai soccorsi,
  Ho il consiglio a dispetto;
  E privo di rimorsi,
  Col dubitante piè torno al mio tetto.

iv

271

Per l'inclita Nice

(*Il Messaggio*)

QUANDO novelle a chiedere
    Manda l'inclita Nice
  Del piè che me costringere
  Suole al letto infelice,
  Sento repente l'intimo
  Petto agitarsi del bel nome al suon.

Rapido il sangue fluttua
  Nelle mie vene: invade
  Acre calor le trepide
  Fibre, m'arrosso, cade
  La voce; ed al rispondere
  Util pensiero in van cerco e sermon.

Ride, cred' io, partendosi
  Il messo. E allor soletto
  Tutta vegg' io, con l'animo
  Pien di novo diletto,
  Tutta di lei la immagine
  Dentro alla calda fantasia venir.

Ed ecco, ed ecco sorgere
  Le delicate forme
  Sovra il bel fianco; e mobili
  Scender con lucid' orme
  Che mal può la dovizia
  Dell' ondeggiante al piè veste coprir.

Ecco spiegarsi e l'omero
  E le braccia orgogliose,
  Cui di rugiada nudrono
  Freschi ligustri e rose,

E il bruno sottilissimo
Crine che sovra lor volando va:
E quasi molle cumulo
    Crescer di neve alpina
    La man che nelle floride
    Dita lieve declina,
    Cara de' baci invidia
    Che riverenza contener poi sa.
Ben può, ben può sollecito
    D'almo pudor costume,
    Che vano ama dell' avide
    Luci render l'acume,
    Altre involar delizie,
    Immenso intorno a lor volgendo vel:
Ma non celar la grazia
    Nè il vezzo che circonda
    Il volto, affatto simile
    A quel della gioconda
    Ebe, che nobil premio
    Al magnanimo Alcide è data in ciel;
Nè il guardo che dissimula
    Quanto in altrui prevale,
    E volto poi con subito
    Impeto i cori assale,
    Qual Parto sagittario
    Che più certi, fuggendo, i colpi ottien;
Nè i labbri, or dolce tumidi,
    Or dolce in sè ristretti,
    A cui gelosi temono
    Gli Amori pargoletti
    Non omai tutto a suggere
    Doni Venere madre il suo bel sen;

GIUSEPPE PARINI

I labbri onde il sorridere
   Gratissimo balena,
   Onde l'eletto e nitido
   Parlar, che l'alme affrena,
   Cade, come di limpide
   Acque lungo il pendio lene rumor,
Seco portando e i fulgidi
   Sensi ora lieti or gravi,
   E i genïali studii,
   E i costumi soavi,
   Onde salir può nobile
   Chi ben d'ampia fortuna usa il favor.
Ahi, la vivace immagine
   Tanto pareggia il vero,
   Che, del piè leso immemore,
   L'opra del mio pensiero
   Seguir già tento; e l'aria
   Con la delusa man cercando vo.
Sciocco vulgo, a che mormori?
   A che su per le infeste
   Dita, ridendo, noveri
   Quante volte il celeste
   A visitare Arïete
   Dopo il natal mio dì Febo tornò?
A me disse il mio Genio
   Allor ch'io nacqui: 'L'oro
   Non fia che te solleciti
   Nè l'inane decoro
   De' titoli, nè il perfido
   Desio di superare altri in poter;
Ma di natura i liberi
   Doni ed affetti, e il grato

Della beltà spettacolo,
    Te renderan beato,
    Te di vagare indocile
    Per lungo di speranze arduo sentier.'
Inclita Nice, il secolo
    Che di te s'orna e splende
    Arde già gli assi; l'ultimo
    Lustro già tocca, e scende
    Ad incontrar le tenebre,
    Onde una volta pargoletto uscì.
E già vicine ai limiti
    Del tempo i piedi e l'ali
    Provan tra lor le vergini
    Ore, che a noi mortali
    Già di guidar sospirano
    Del secol che matura il primo dì.
Ei te vedrà nel nascere
    Fresca e leggiadra ancora
    Pur di recenti grazie
    Gareggiar con l'Aurora;
    E, di mirarti cupido,
    De' tuoi begli anni farà lento il vol.
Ma io, forse già polvere
    Che senso altro non serba
    Fuorchè di te, giacendomi
    Fra le pie zolle e l'erba,
    Attenderò chi dicami:
    'Vale,' passando, 'e ti sia lieve il suol.'
Deh alcun, che te nell' aureo
    Cocchio trascorrer veggia
    Sulla via che fra gli alberi
    Suburbana verdeggia,

Faccia a me intorno l'aere
Modulato del tuo nome volar!
Colpito allor da brivido
Religïoso il core,
Fermerà il passo, e attonito
Udrà del tuo cantore
Le commosse reliquie
Sotto la terra argute sibilar.

v

272   *Alla Musa*

TE il mercadante che con ciglio asciutto
Fugge i figli e la moglie ovunque il chiama
Dura avarizia nel remoto flutto,
                    Musa, non ama.
Nè quei cui l'alma ambizïosa rode
Fulgida cura, onde salir più agogna,
E la molto fra il dì temuta frode
                    Torbido sogna.
Nè giovane che pari a tauro irrompa
Ove alla cieca più Venere piace:
Nè donna che d'amanti osi gran pompa
                    Spiegar procace.
Sai tu, vergine dea, chi la parola
Modulata da te gusta od imìta,
Onde ingenuo piacer sgorga, e consola
                    L'umana vita?
Colui cui diede il ciel placido senso
E puri affetti e semplice costume;
Che di sè pago e dell' avito censo,
                    Più non presume;

Che spesso al faticoso ozio de' grandi
 E all' urbano clamor s'invola, e vive
 Ove spande natura influssi blandi
    O in colli o in rive;

E in stuol d'amici numerato e casto,
 Tra parco e delicato al desco asside,
 E la splendida turba e il vano fasto
    Lieto deride;

Che ai buoni, ovunque sia, dona favore;
 E cerca il vero, e il bello ama innocente;
 E passa l'età sua tranquilla, il core
    Sano e la mente.

Dunque perchè quella sì grata un giorno
 Del giovin cui diè nome il dio di Delo
 Cetra si tace, e le fa lenta intorno
    Polvere velo?

Ben mi sovvien quando, modesto il ciglio,
 Ei già, scendendo a me, giudice fea
 Me de' suoi carmi, e a me chiedea consiglio,
    E lode avea.

Ma or non più. Chi sa? Simile a rosa
 Tutta fresca e vermiglia al sol che nasce,
 Tutto forse di lui l'eletta sposa
    L'animo pasce,

E di bellezza, di virtù, di raro
 Amor, di grazie, di pudor natio
 L'occupa sì, ch'ei cede ogni già caro
    Studio all' obblio.

Musa, mentr' ella il vago crine annoda,
 A lei t'appressa, e con vezzoso dito
 A lei premi l'orecchio, e dille, e t'oda
    Anco il marito:

GIUSEPPE PARINI

'Giovinetta crudel, perchè mi togli
   Tutto il mio D'Adda, e di mie cure il pregio,
   E la speme concetta e i dolci orgogli
             D'alunno egregio?
Costui di me, de' genj miei si accese
   Pria che di te. Codeste forme infanti
   Erano ancor quando vaghezza il prese
             De' nostri canti.
Ei t'era ignoto ancor quando a me piacque.
   Io di mia man, per l'ombra e per la lieve
   Aura de' lauri, l'avviai ver l'acque
             Che, al par di neve
Bianche le spume, scaturir dall' alto
   Fece Aganippe il bel destrier che ha l'ale:
   Onde chi beve io tra i celesti esalto
             E fo immortale.
Io con le nostre il volsi arti divine
   Al decente, al gentile, al raro, al bello:
   Fin che tu stessa gli apparisti al fine
             Caro modello.
E se nobil per lui fiamma fu desta
   Nel tuo petto non conscio, e s'ei nodria
   Nobil fiamma per te, sol opra è questa
             Del cielo e mia.
Ecco già l'ale il nono mese or scioglie
   Da che sua fosti, e già, deh, ti sia salvo!
   Te chiaramente infra le madri accoglie
             Il giovin alvo.
Lascia che a me solo un momento ei torni;
   E novo entro al tuo cor sorgere affetto,
   E novo sentirai dai versi adorni
             Piover diletto.

Però ch'io stessa, il gomito posando
   Di tua seggiola al dorso, a lui col suono
   Della soave andrò tibia spirando
           Facile tono;
Onde rapito ei canterà che sposo
   Già felice il rendesti, e amante amato;
   E tosto il renderai dal grembo ascoso
           Padre beato.
Scenderà intanto dall' eterea mole
   Giuno che i preghi delle incinte ascolta;
   E vergin io della Memoria prole,
           Nel velo avvolta,
Uscirò co' bei carmi, e andrò gentile
   Dono a farne al Parini, Italo cigno
   Che, ai buoni amico, alto disdegna il vile
           Volgo maligno.'

LUDOVICO SAVIOLI FONTANA
1729–†1804

273   *La Maschera*

A CHE lo sguardo immobile
   Nella parete hai fiso,
   E sulle braccia appoggiasi
   Languente il caro viso?
Godi, se sai, chè t'aprono
   L'aspetto e gli anni il campo:
   Ahi, le bellezze passano,
   La gioventude è un lampo.
Ecco il figliuol di Semele
   Torna dall' Inde arene:
   I giochi l'accompagnano,
   Risplendono le scene.

Festeggia a gara il popolo
    Dell' ebro Dio sull' orme:
    Le vesti ora si cangiano
    E i volti in mille forme.
Di queste una sull' Adria
    Dall' indolenza nacque;
    Di libertà lo studio
    Vi si conobbe, e piacque.
Così velate e pallide,
    In neri manti avvolte,
    Per l'aria bruna appaiono
    Le afflitte ombre insepolte.
Tu no: le Grazie tacciano
    Sulla celata faccia,
    Ma fra le vesti incognite
    La tua sembianza piaccia.
O Flora imita, e adornino
    Le rose a te la fronte;
    O la regina fingasi,
    Che nacque al Termodonte.
A stragi usata Amazone,
    Sul Simoenta venne:
    Incauta! a che le valsero
    Le grida e la bipenne?
Giacque, costretta a mordere
    La mal soccorsa terra.
    Tu vanne inerme, e supera
    In più leggiadra guerra.
Di nove spoglie accrescere
    I tuoi trionfi io veda,
    Io nelle tue vittorie
    La più gradita preda.

LUDOVICO SAVIOLI FONTANA

Mille a te Silfi accorrono
In sulle lucid' ali,
Diva progenie, aerea,
Che sfugge occhi mortali.
Ne' più remoti secoli
Giacque ozïosa e oscura;
Oggi del sesso amabile
Commessa è a lor la cura.
Gelosi custodiscono
I nei, l'acque odorate,
I vari fior, le polveri,
Le gemme e l'onestate.
Come vegliaro intrepidi
La minacciata Inglese!
Ma il fato è sopra: inutile
Pietà sì bella ei rese.
Scendea sul collo eburneo
Parte del crine aurato,
Per mano delle Veneri
Ad arte inanellato.
Questo, all' altera vergine
Degli occhi suoi più caro,
Cadde improvvisa vittima
D'insidïoso acciaro.
Ma sorgi omai. S'involano
L'ore, e la notte avanza:
Vuoti i teatri affrettano
La sospirata danza.
Tu pensierosa or dubiti,
Gemi e non hai parole;
Poi ti dorrà che rapido
Turbi le veglie il sole.

JACOPO VITTORELLI

Anacreontiche a Irene

274   i

GUARDA che bianca luna!
Guarda che notte azzurra!
  Un' aura non susurra,
  Non tremola uno stel.
L'usignuoletto solo
  Va dalla siepe all' orno,
  E sospirando intorno
  Chiama la sua fedel.
Ella, che il sente appena,
  Già vien di fronda in fronda,
  E par che gli risponda:
  'Non piangere: son qui.'
Che dolci affetti, o Irene,
  Che gemiti son questi!
  Ah! mai tu non sapesti
  Rispondermi così.

275   ii

NON t'accostare all' urna
Che il cener mio rinserra:
  Questa pietosa terra
  È sacra al mio dolor.
Odio gli affanni tuoi,
  Ricuso i tuoi giacinti:
  Che giovano agli estinti
  Due lagrime o due fior?

311

JACOPO VITTORELLI

Empia! Dovevi allora
   Porgermi un fil d'aita,
   Quando traea la vita
   Nell' ansia e nei sospir.
A che d'inutil pianto
   Assordi la foresta?
   Rispetta un' ombra mesta,
   E lasciala dormir.

276   *iii*

IRENE, siedi all' ombra
Di questo ameno faggio,
   E copriti dal raggio
   Dell' infocato sol.
Ogni agnellino intanto
   Pascolerà tranquillo
   La menta ed il serpillo
   Di cui verdeggia il suol.
Ma leva dalla fronte
   Il cappellin di paglia . . .
   Chi mai, chi mai t'agguaglia
   In grazia ed in beltà?
Gitta il cappel sull' erbe,
   E lasciati vedere . . .
   Pupille così nere
   Lo stesso Amor non ha.

277

iv

AVEVA due canestri
Di fiori variopinti:
Qua ceruli giacinti,
Là bianchi gelsomin;
E con sottile ingegno
Un serto ella tessea
Più vago, o Citerea,
Di quello del tuo crin.
Io nel gentil lavoro
Gli occhi tenendo fissi:
'Oh avventurato', dissi,
'Chi meritar lo può!'
Ella sorrise, e tacque
Sol per lasciarmi incerto;
Indi, finito il serto:
'Prendilo, è tuo!' gridò.

VITTORIO ALFIERI

1749–†1803

i

278   *L'Educazione*

. . . Res nulla minoris
Constabit patri quam filius.

Juv. *Sat.* vii. 187

'SIGNOR maestro, siete voi da messa?'
' 'Strissimo sì, son nuovo celebrante.'
'Dunque voi la direte alla contessa.

313

Ma come siete dello studio amante?
    Come stiamo a giudizio? i' vo' informarmi
    Ben ben di tutto, e chiaramente, avante.'
'Da chi le aggrada faccia esaminarmi.
    So il latino benone: e nel costume
    Non credo ch'uom nessun potrà tacciarmi.'
'Questo vostro latino è un rancidume.
    Ho sei figli: il contino è pien d'ingegno,
    E di eloquenza naturale un fiume.
Un po' di pena per tenerli a segno
    I du' abatini e i tre cavalierini
    Daranvi; onde fia questo il vostro impegno.
Non me li fate uscir dei dottorini:
    Di tutto un poco parlino, in tal modo
    Da non parer nel mondo babbuini:
Voi m'intendete. Ora, venendo al sodo,
    Del salario parliamo. I' do tre scudi;
    Chè tutti in casa far star bene io godo.'
'Ma, signor, le par egli, a me tre scudi?
    Al cocchier ne dà sei.' 'Che impertinenza!
    Mancan forse i maestri, anco a du' scudi?
Ch' è ella in somma poi vostra scïenza?
    Chi siete in somma voi, che al mi' cocchiere
    Veniate a contrastar la precedenza?
Gli è nato in casa, e d'un mi' cameriere;
    Mentre tu sei di padre contadino,
    E lavorano i tuoi l'altrui podere.
Compitar, senza intenderlo, il latino;
    Una zimarra, un mantellon talare,
    Un collaruccio sudi-cilestrino,
Vaglion forse a natura in voi cangiare?
    Poche parole: io pago arcibenissimo:

Se a lei non quadra, ella è padron d'andare.'
'La non s'adiri, via, caro illustrissimo:
   Piglierò scudi tre di mensuale:
   Al resto poi provvederà l'Altissimo.
Qualche incertuccio a Pasqua ed al Natale
   Saravvi, spero: e intanto mostrerolle
   Ch'ella non ha un maestro dozzinale.'
'Pranzerete con noi; ma al desco molle
   V'alzerete di tavola: e s'intende
   Che in mia casa abiurate il *velle* e il *nolle*.
Oh ve'! sputa latin chi men pretende.
   Così i miei figli tutti (e' son di razza)
   Vedrete che han davver menti stupende.
Mi scordai d'una cosa: la ragazza
   Farete leggicchiar di quando in quando;
   Metastasio . . . le ariette; ella n'è pazza.
La si va da sè stessa esercitando;
   Ch'io non ho il tempo e la contessa meno:
   Ma voi gliele verrete interpretando,
Finchè un altro par d'anni fatti sièno;
   Ch'io penso allor di porla in monastero,
   Perch' ivi abbia sua mente ornato pieno.
Ecco tutto. Io m'aspetto un magistero
   Buono da voi. Ma, come avete nome?'
   'A servirla, don Raglia da Bastiero.'
Così ha provvisto il nobil conte al come
   Ciascun de' suoi rampolli un giorno onori
   D'alloro pari al suo le illustri chiome.
Educandi, educati, educatori
   Armonizzando in sì perfetta guisa,
   Tai ne usciam poscia Italici Signori,
Frigio-Vandala stirpe, irta e derisa.

ii

279   (*A Dante*)

'O GRAN padre Alighier, se dal ciel miri
  Me tuo discepol non indegno starmi,
  Dal cor traendo profondi sospiri,
  Prostrato innanzi a' tuoi funerei marmi,
Piacciati, deh! propizio ai be' desiri
  D'un raggio di tua luce illuminarmi:
  Uom, che a primiera eterna gloria aspiri,
  Contro invidia e viltà dee stringer l'armi?'
'Figlio, io le strinsi, e assai me n' duol; ch'io diedi
  Nome in tal guisa a gente tanto bassa
  Da non pur calpestarsi co' miei piedi.
Se in me fidi, il tuo sguardo a che si abbassa?
  Va', tuona, vinci: e, se fra piè ti vedi
  Costor, senza mirar, sovr' essi passa.'

iii

280   (*Alla camera del Petrarca*)

O CAMERETTA, che già in te chiudesti
  Quel grande alla cui fama angusto è il mondo,
  Quel sì gentil d'amor mastro profondo
  Per cui Laura ebbe in terra onor celesti;
O di pensier soavemente mesti
  Solitario ricovero giocondo;
  Di quai lagrime amare il petto inondo
  Nel veder ch'oggi inonorata resti!
Prezïoso diaspro, agata ed oro
  Foran debito fregio, e appena degno
  Di rivestir sì nobile tesoro.

316

Ma no: tomba fregiar d'uom ch'ebbe regno
  Vuolsi, e por gemme ove disdice alloro:
  Qui basta il nome di quel divo ingegno.

iv

281   (*Sulla tomba del Tasso*)

DEL sublime cantore, epico solo
  Che in moderno sermon l'antica tromba
  Fea risuonar dall' uno all' altro polo,
  Qui giaccion l'ossa, in sì negletta tomba?
Ahi Roma! e un'urna a chi spiegò tal volo
  Nieghi, mentre il gran nome al ciel rimbomba?
  Mentre il tuo maggior tempio al vile stuolo
  De' tuoi vescovi re fai catacomba?
Turba di morti che non fur mai vivi,
  Esci, su dunque; e sia di te purgato
  Il Vatican, cui di fetore empivi:
Là, nel bel centro d'esso ei sia locato;
  Degno d'entrambi, il monumento quivi
  Michelangiolo ergeva al gran Torquato.

v

282   (*Il proprio ritratto*)

SUBLIME specchio di veraci detti,
  Mostrami in corpo e in anima qual sono:
  Capelli, or radi in fronte, e rossi pretti;
  Lunga statura, e capo a terra prono;

Sottil persona in su due stinchi schietti;
   Bianca pelle, occhi azzurri, aspetto buono;
   Giusto naso, bel labro, e denti eletti;
   Pallido in volto più che un re sul trono;
Or duro, acerbo, ora pieghevol, mite;
   Irato sempre e non maligno mai;
   La mente e il cor meco in perpetua lite;
Per lo più mesto, e talor lieto assai;
   Or stimandomi Achille ed or Tersite.
   Uom, se' tu grande o vil? Muori, e il saprai.

283   *vi*

SPERAR, temere, rimembrar, dolersi;
   Sempre bramar, non appagarsi mai;
   Dietro al ben falso sospirare assai,
   Nè il ver (che ognun l'ha in sè) giammai godersi;
Spesso da più, talor da men tenersi;
   Nè appien conoscer sè che in braccio a' guai;
   E, giunto all' orlo del sepolcro omai,
   Della mal spesa vita ravvedersi;
Tal, credo, è l'uomo, o tale almen son io:
   Benchè il core in ricchezze o in vili onori
   Non ponga, e Gloria e Amore a me sien Dio.
L'un mi fa di me stesso viver fuori;
   Dell' altra in me ritrammi il bel desio:
   Nulla ho d'ambi finor che i lor furori.

vii

284 (*Malattia del cavallo*)

DONNA, l'amato destrier nostro, il Fido,
Cui tu premevi timidetta il dorso,
Sta di sua vita or per fornire il corso
Per morbo ond' io sanarlo omai diffido.
Oggi, pur dianzi, di mia voce al grido
La testa or grave, e un dì sì lieve al morso,
Alzava e mi sguardava. Allor m'è scorso
Agli occhi il pianto, e al labro un alto strido.
Se tu il vedessi! Anco tu piangeresti . . .
Pieno ha l'occhio di morte, e l'affannoso
Fianco non vien che d'alitar mai resti.
Pur, non so che di forte e generoso
Serba in sè, che i suoi spirti ancor tien desti:
Ei muor, qual visse, intrepido, animoso.

viii

285 (*Lo Stato Romano*)

VUOTA insalubre regïon, che Stato
Ti vai nomando; aridi campi incolti;
Squallidi, oppressi, estenüati volti
Di popol rio codardo e insanguinato;
Prepotente, e non libero senato
Di vili astuti in lucid' ostro involti;
Ricchi patrizj, e più che ricchi, stolti;
Prence, cui fa sciocchezza altrui beato;
Città, non cittadini; augusti tempj,
Religïon non già; leggi, che ingiuste
Ogni lustro cangiar vede, ma in peggio;

319

Chiavi, che compre un dì schiudeano agli empj
   Del ciel le porte, or per età vetuste:
   Oh, se' tu Roma, o d'ogni vizio il seggio?

ix

286   *(Toscana)*

TUTTO è neve dintorno, e l'alpi e i colli
   Ch'oggi il sol vincitor superbo indora
   Lor nuovo ammanto intemerato ancora
   Ti ostentan vaghi, s'ivi l'occhio estolli.
Ma i declivi ubertosi piani molli,
   Fra cui l'amena ride Attica Flora,
   Prendendo a scherno le pruine ognora,
   Verdeggian lieti d'umidor satolli.
Beato nido, a cui, qualora il gelo
   D'ispide orrende boreali spiagge
   Osa affacciarsi, ei stempra il duro velo!
Deh, di mia vita il colmo Apollo irragge
   Sotto questo a me fausto Etrusco cielo
   Dove ogni oggetto al poetar mi tragge.

287   *x*

PIENO il non empio core e l'intelletto,
   Di timor no, ma del desio sublime
   Di quel futur che in vita c'è interdetto,
   Parmi al punto esser già che i molti opprime.

Da tergo (io spero) con sereno aspetto
   Ratto adocchiate mie vestigie prime,
   Mi volgerò bramosamente eretto
   Per iscoprir di Eternità le cime.
Qual ch'ella sia, tremenda esser non puote
   Ad uom cui d'altri il danno unqua non piacque,
   D'opre concorde a sue vergate note:
Chè se par reo quaggiù chi 'l ver non tacque,
   Sol reo sarà nelle stellanti ruote
   Chi fulminava i vizi e a lor soggiacque.

288   *xi*

BIOCCOLI giù di marzolina neve
   Veggio venirne impetüosi al suolo,
   Che mèta appena dan quivi al lor volo,
   Già sciolta è in fango lor bianchezza breve.
Tali il mondo limoso in sè riceve
   Le candid' alme, che l'etereo polo
   Talor vi scaglia: ai tristi invido duolo,
   Se tosto il lor fetor quelle non beve.
Ma duol ne han rado i tristi, e spessa gioia;
   Chè, delle mille, l'una a stento sfugge,
   La cui tenace purità non muoia.
Schernita quindi, ogni virtù si strugge,
   Sì il morboso contatto la impastoia;
   Ovver, sola ed intatta, indarno rugge.

xii

289 (*L'Italia futura*)

GIORNO verrà, tornerà il giorno, in cui
Redivivi omai gl'Itali staranno
In campo audaci, e non col ferro altrui
In vil difesa, ma dei Galli a danno.
Al forte fianco sproni ardenti dui,
    Lor virtù prisca, ed i miei carmi, avranno:
    Onde, in membrar ch'essi già fur, ch'io fui,
    D'irresistibil fiamma avvamperanno.
E armati allor di quel furor celeste
    Spirato in me dall' opre dei lor avi,
    Faran mie rime a Gallia esser funeste.
Gli odo già dirmi: 'O Vate nostro, in pravi
    Secoli nato, eppur creato hai queste
    Sublimi età che profetando andavi!'

290 xiii

MI trovan duro?
Anch' io lo so:
Pensar li fo.
Taccia ho d'oscuro?
Mi schiarirà
Poi libertà.

IPPOLITO PINDEMONTE

1753–†1828

i

291   *Alla bellissima ed ornatissima fanciulla*
        Agnese H. in Londra

O GIOVINETTA che la dubbia via
   Di nostra vita, pellegrina allegra,
Con piè non sospettoso imprimi ed orni,
Sempre così propizio il ciel ti sia,
Nè offenda mai nube improvvisa e negra
L'innocente seren de' tuoi bei giorni.
Non che il mondo ritorni
A te quanto gli dài tu di dolcezza,
Ch'egli stesso ben sa non poter tanto.
Valle è questa di pianto,
E gran danno qui spesso è gran bellezza,
Qui, dove perde agevolmente fama
Qual più vaga si chiama.
Come andrà l'alma mia gioiosa e paga
Se impunemente esser potrai sì vaga!
Il men di che può donna esser cortese
Ver chi l'ha di sè stesso assai più cara,
Da te, Vergine pura, io non vorrei.
Veder quella in te ognor, che pria m'accese,
Voglio, e ciò temo che men grande e rara
Parer ti fêsse un giorno agli occhi miei.
Nè volentier torrei
Di spargerti nel sen foco amoroso:
Chè quanto è a me più noto il fiero ardore,
Delitto far maggiore
Mi parria s'io turbassi il tuo riposo.

Maestro io primo ti sarò d'affanno?
E per me impareranno
Nuove angoscie i tuoi giorni, ed interrotti
Sonni per me le tue tranquille notti?
Contento d'involarti un qualche sguardo
E di serbar nell' alma i casti accenti,
La sorte a farmi sventurato io sfido.
Tu non conoscerai quel foco in che ardo,
E mireran tuoi bruni occhi ridenti,
Senza vederlo, il servo lor più fido.
Che se or ti parlo e grido
La fiamma di cui pieno il cor trabocca,
Farlo nella natia lingua mi lice,
Che ancor non è felice
Sì che uscir possa di tua rosea bocca.
Più dolce e ricca soneria nel mio
Se udita l'avess' io
Sul labbro tuo: nè avrei sperato indarno
Dal Tamigi recar tesori all' Arno.
Nè la man che ora sovra i tasti eburni,
Nel candor vinti, armonizzando vola,
Or sulla tela i corpi atteggia e move,
Nè il piè che disegnar balli notturni
Gode talor, nè la tornita gola,
Onde canto gentil nell' alme piove,
Io loderò; chè altrove
Vidi tai cose, e ciò, di che altra s'orna,
Non è quello che in te vagheggio e colo.
Te stessa amo in te solo,
Te dentro e fuor sol di te stessa adorna.
La sola voce tua non è concento?
Non danza il portamento?

IPPOLITO PINDEMONTE

E cercherò se dotta suona o pinge
Man che in eterne reti ogni alma stringe?
Ma tra non molto, ohimè (nè mi querelo,
    Altro che invan, contra il destin mio duro),
    Rivolgerò all' Italia i passi erranti.
    Non biasmi Italia più l'Anglico cielo,
    Cielo che più non è nebbioso e scuro
    Dal dì che apristi tu gli occhi stellanti.
    Consolerà i miei pianti
    Foglio che a me dalla tua madre viene,
    Su cui (deh spesso!) ella tuo nome segna.
    Felice madre, e degna
    Di quel che in te ritrova alto suo bene!
    Ma che fatto avrà mai di bello e strano
    Chi vorrà la tua mano?
    Non so sì grande e sì leggiadra cosa
    Per cui degno un uom sia d'averti sposa.
Canzone, a lei davante
    Tu non andrai: chè nè tua voce intende,
    Nè andar ti lascerei, se l'intendesse:
    Se un lontano potesse
    Creder mai ciò che in te di lei s'apprende,
    Volar dovresti alla mia patria sede;
    Ma chi ti può dar fede?
    A miracol non visto è raro data;
    Resta, del mio cor figlia, ove sei nata.

ii

La Melanconia

FONTI e colline
Chiesi agli Dei;
M'udiro alfine,
Pago io vivrò.
Nè mai quel fonte
Co' desir miei,
Nè mai quel monte
Trapasserò.
Gli onor che sono?
Che val ricchezza?
Di miglior dono
Vommene altier:
D'un'alma pura,
Che la bellezza
Della Natura
Gusta e del Ver.
Nè può di tempre
Cangiar mio fato:
Dipinto sempre
Il ciel sarà.
Ritorneranno
I fior nel prato
Sin che a me l'anno
Ritornerà.
Melanconia,
Ninfa gentile,
La vita mia
Consegno a te.
I tuoi piaceri

Chi tiene a vile,
Ai piacer veri
Nato non è.
O sotto un faggio
Io ti ritrovi
Al caldo raggio
Di bianco ciel,
Mentre il pensoso
Occhio non movi
Dal frettoloso
Noto ruscel;
O che ti piaccia
Di dolce luna
L'argentea faccia
Amoreggiar,
Quando nel petto
La notte bruna
Stilla il diletto
Del meditar;
Non rimarrai
No, tutta sola:
Me ti vedrai
Sempre vicin.
Oh come è bello
Quel di vïola
Tuo manto, e quello
Sparso tuo crin!
Più dell' attorta
Chioma e del manto,
Che roseo porta
La Dea d'Amor,
E del vivace

Suo sguardo, oh quanto
Più il tuo mi piace
Contemplator !
Mi guardi amica
La tua pupilla
Sempre, o pudica
Ninfa gentil;
E a te, soave
Ninfa tranquilla,
Fia sacro il grave
Nuovo mio stil.

VINCENZO MONTI

1754–†1828

i

293   *Prosopopea di Pericle*

IO, de' forti Cecropidi
Nell' inclita famiglia
D'Atene un dì non ultimo
Splendor e maraviglia,
A riveder io Pericle
Ritorno il ciel latino,
Trionfator de' barbari,
Del tempo e del destino.
In grembo al suol di Catilo
(Funesta rimembranza !)
Mi seppellì del Vandalo
La rabbia e l'ignoranza.

VINCENZO MONTI

Ne ricercaro i posteri
  Gelosi il loco e l'orme,
  E il fato incerto piansero
  Di mie perdute forme.
Roma di me sollecita
  Se n' dolse, e a' figli sui
  Narrò l'infando eccidio
  Ove ravvolto io fui.
Carca d'alto rammarico
  Se n' dolse l'infelice
  Del marmo freddo e ruvido
  Bell' arte animatrice;
E d'Adriano e Cassio,
  Sparsa le belle chiome,
  Fra gl'insepolti ruderi
  M'andò chiamando a nome.
Ma invan; chè occulto e memore
  Del già sofferto scorno
  Temei novella ingiuria
  Ed ebbi orror del giorno;
Ed aspettai benefica
  Etade, in cui sicuro
  Levar la fronte e l'etere
  Fruir tranquillo e puro.
Al mio desir propizia
  L'età bramata uscìo,
  E tu sul sacro Tevere
  La conducesti, o Pio.
Per lei già l'altre caddero
  Men luminose e conte,
  Perchè di Pio non ebbero
  L'augusto nome in fronte.

Per lei di greco artefice
   Le belle opre felici
   Van del furor de' secoli
   E dell' obblio vittrici.
Vedi dal suolo emergere
   Ancor parlanti e vive
   Di Periandro e Antistene
   Le sculte forme argive;
Da rotte glebe incognite
   Qua mira uscir Bïante
   Ed ostentar l'intrepido
   Disprezzator sembiante;
Là sollevarsi d'Eschine
   La testa ardita e balda,
   Che col rival Demostene
   Alla tenzon si scalda.
Forse restar doveami
   Fra tanti io sol celato,
   E miglior tempo attendere
   Dall' ordine del fato?
Io che d'età sì fulgida
   Più ch'altri assai son degno?
   Io della man di Fidia
   Lavoro e dell' ingegno?
Qui la fedele Aspasia,
   Consorte a me diletta,
   Donna del cor di Pericle,
   Al fianco suo m'aspetta.
Fra mille volti argolici
   Dimessa ella qui siede,
   E par che afflitta lagnisi
   Che il volto mio non vede.

Ma ben vedrallo; immemore
  Non son del prisco ardore:
  Amor lo desta, e serbalo
  Dopo la tomba Amore.
Dunque a colei ritornano
  I fati ad accoppiarmi,
  Per cui di Samo e Carnia
  Ruppi l'orgoglio e l'armi?
Dunque spiranti e lucide
  Mi scorgerò d'intorno
  Di tanti eroi le immagini
  Che furo Ellèni un giorno?
Tardi nepoti e secoli
  Che dopo Pio verrete,
  Quando lo sguardo attonito
  Indietro volgerete,
Oh come fia che ignobile
  Allor vi sembri e mesta
  La bella età di Pericle
  Al paragon di questa!
Eppur d'Atene i portici,
  I templi e l'ardue mura
  Non mai più belli apparvero
  Che quando io l'ebbi in cura.
Per me nitenti e morbidi
  Sotto la man de' fabri
  Volto e vigor prendevano
  I massi informi e scabri;
Ubbidïente e docile
  Il bronzo ricevea
  I capei crespi e tremoli
  Di qualche ninfa o dea.

Al cenno mio le Parie
   Montagne i fianchi apriro,
   E dalle rotte viscere
   Le gran colonne usciro.
Si lamentaro i Tessali
   Alpestri gioghi anch' essi,
   Impoveriti e vedovi
   Di pini e di cipressi.
Il fragor dell' incudini,
   De' carri il cigolio,
   De' marmi offesi il gemere
   Per tutto allor s'udio.
Il cielo arrise: Industria
   Corse le vie d'Atene,
   E n'ebbe Sparta invidia
   Dalle propinque arene.
Ma che giovò? Dimentichi
   Della mia patria i numi,
   Di Roma al fin prescelsero
   Gli altari ed i costumi.
Grecia fu vinta, e videsi
   Di Grecia la ruina
   Render superba e splendida
   La povertà latina.
Pianser deserte e squallide
   Allor le spiaggie Achive,
   E le bell' arti corsero
   Del Tebro sulle rive.
Qui poser franche e libere
   Il fuggitivo piede,
   E accolte si compiacquero
   Della cangiata sede.

Ed or fastose obbliano
   L'onta del Goto orrore,
   Or che il gran Pio le vendica
   Del vilipeso onore.
Vivi, o Signor! Tardissimo
   Al mondo il ciel ti furi,
   E con l'amor de' popoli
   Il viver tuo misuri.
Spirto profan, dell' Erebo
   All' ombre avvezzo io sono;
   Ma i voti miei non temono
   La luce del tuo trono.
Anche del greco Elisio
   Nel disprezzato regno
   V'è qualche illustre spirito
   Che d'adorarti è degno.

ii

294   *Alla Marchesa Anna Malaspina*
       della Bastia

I BEI carmi divini, onde i sospiri
In tanto grido si levâr d'Aminta,
Sì che parve minor della zampogna
L'epica tromba, e al paragon geloso
Dei primi onori dubitò Goffredo,
Non è, donna immortal, senza consiglio
Che al tuo nome li sacro, e della tua
Per senno e per beltate inclita figlia
L'orecchio e il core a lusingar li reco,

Or che di prode giovinetto in braccio
Amor la guida. Amor più che le Muse
A Torquato dettò questo gentile
Ascreo lavoro; e infino allor più dolce
Linguaggio non avea posto quel dio
Su mortal labbro, benchè assai di Grecia
Erudito l'avessero i maestri
E quel di Siracusa e l'infelice
Esul di Ponto. Or qual v'ha cosa in pregio
Che ai misteri d'Amor più si convegna
D'amoroso volume? E qual può dono
Al Genio Malaspino esser più grato
Che il canto d'Elicona? Al suo favore
Più che all' ombre Cirrèe crebber mai sempre
Famose e verdi l'Apollinee frondi,
'Onor d'imperatori e di poeti'.
Del gran padre Alighier ti risovvenga,
Quando, ramingo dalla patria e caldo
D'ira e di bile Ghibellina il petto,
Per l'itale vagò guaste contrade
Fuggendo il vincitor Guelfo crudele,
Simile ad uom che va di porta in porta
Accattando la vita. Il fato avverso
Stette contra il gran Vate, e contra il fato
Morello Malaspina. Egli all' illustre
Esul fu scudo: liberal l'accolse
L'amistà sulle soglie, e il venerando
Ghibellino parea Giove nascoso
Nella casa di Pelope. Venute
Le fanciulle di Pindo eran con esso.
L'Itala poesia bambina ancora
Seco traendo, che gigante e diva

Si fe' di tanto precettore al fianco;
Poichè un nume gli avea fra le tempeste
Fatto quest' ozio. Risonò il Castello
Dei cantici divini, e il nome ancora
Del sublime cantor serba la Torre.
Fama è ch'ivi talor melodïoso
Errar s'oda uno spirto, ed empia tutto
Di riverenza e d'orror sacro il loco.
Del Vate è quella la magnanim' ombra,
Che tratta dal desio del nido antico
Viene i silenzi a visitarne, e grata
Dell' ospite pietoso alla memoria,
De' nipoti nel cor dolce e segreto
L'amor tramanda delle sante Muse.
E per Comante già tutto l'avea,
Eccelsa Donna, in te trasfuso: ed egli,
Lieto all' ombra de' tuoi possenti auspici,
Trattando la maggior lira di Tebe,
Emulò quella di Venosa, e fece
Parer men dolci i Savonesi accenti:
Padre incorrotto di corrotti figli,
Che prodighi d'ampolle e di parole
Tutto contaminâr d'Apollo il regno.
Erano d'ogni cor tormento allora
Della vezzosa Malaspina i neri
Occhi lucenti, e corse grido in Pindo
Che a lei tu stesso, Amor, cedesti un giorno
Le tue saette, nè s'accorse l'arco
Del già mutato arciero; e se il destino
Non s'opponeva, nel tuo cor s'apria
Da mortal mano la seconda piaga.
Tutte allor di Mnemosine le figlie

Fur viste abbandonar Parnaso e Cirra
E calar sulla Parma; e le seguia
Palla Minerva, con dolor fuggendo
Le cecropie ruine. E qui, siccome
Di Giove era il voler, composto ai santi
Suoi studi il seggio, e degli spenti altari
Ridestate le fiamme, d'Academo
Fe' riviver le selve, e di sublimi
Ragionamenti risonar le volte
D'un altro Peripato, che di gravi
Salde dottrine, dagli eterni fonti
Scaturite del ver, vincea l'antico.
Perocchè, duce ed auspice Fernando,
D'un Pericle novel l'opra e il consiglio,
E la beltate, l'eloquenza, il senno
D'un'Aspasia miglior, scïenze ed arti,
Che le città fan belle e chiari i regni,
Suscitando, allegrâr Febo e Sofia.
Tu, fulgid' astro dell' Ausonio cielo,
Pieno d'alto saver, splendesti allora,
Dotto Paciaudi mio; nome che dolce
Nell' anima mi suona, e sempre acerba,
Così piacque agli dei, sempre onorata
Rimembranza sarammi. Ombra diletta,
Che sei sovente di mie notti il sogno,
E pietosa a posarti in sulla sponda
Vieni del letto ov' io sospiro, e vedi
Di che lagrime amare io pianga ancora
La tua partita; se laggiù ne' campi
Del pacifico Eliso, ove tranquillo
Godi il piacer della seconda vita,
Se colà giunge il mio pregar, nè troppo

VINCENZO MONTI

S'alza sull' ali il buon desio, Torquato
Per me saluta, e digli il lungo amore
Con che sculsi per lui questa novella
Di tipi leggiadria; digli in che scelte
Forme più care al cupid' occhio offerti
I lai del suo pastor fan dolce invito;
Digli il bel nome che gli adorna e cresce
Alle carte splendor. Certo di gioia
A quel divino rideran le luci,
Ed Anna Malaspina andrà per l'ombre
Ripetendo d'Eliso, e fia che dica:
'Perchè non l'ebbe il secol mio! memoria
Non sonerebbe sì dolente al mondo
Di mie tante sventure. E, se domato
Non avessi il livor (chè tal nemico
Mai non si doma, nè Maron lo vinse
Nè il Meonio cantor), non tutti almeno
Chiusi a pietade avrei trovato i petti.
Stata ella fôra tutelar mio nume
La Parmense eroina; e di mia vita,
Ch'ebbe dall' opre del felice ingegno
Sì lieta aurora e splendido meriggio,
Non forse avrebbe la crudel fortuna
Nè Amor tiranno in negre ombre ravvolto
L'inonorato e torbido tramonto.'

iii

295   *Invito d'un Solitario ad un*
                Cittadino

TU che, servo di corte ingannatrice,
  I giorni traggi dolorosi e foschi,
Vieni, amico mortal, fra questi boschi:
        Vieni, e sarai felice.
Qui nè di spose nè di madri il pianto,
    Nè di belliche trombe udrai lo squillo;
    Ma sol dell' aure il mormorar tranquillo
        E degli augelli il canto.
Qui sol d'amor sovrana è la ragione,
    Senza rischio la vita e senza affanno,
    Ned altro mal si teme, altro tiranno,
        Che il verno e l'aquilone.
Quando in volto ei mi sbuffa, e col rigore
    De' suoi fiati mi morde, io rido e dico:
    'Non è certo costui nostro nemico,
        Nè vile adulatore.'
Egli del fango Prometéo m'attesta
    La corruttibil tempra, e di colei,
    Cui donaro il fatal vaso gli Dei,
        L'eredità funesta.
Ma dolce è il frutto di memoria amara,
    E meglio tra capanne in umil sorte
    Che nel tumulto di ribalda corte
        Filosofia s'impara.
Quel fior che sul mattin sì grato olezza,
    E smorto il capo sulla sera abbassa,
    Avvisa, in suo parlar, che presto passa
        Ogni mortal vaghezza.

VINCENZO MONTI

Quel rio che ratto all' Ocean cammina,
    Quel rio vuol dirmi che del par veloce
    Nel mar d'eternità mette la foce
              Mia vita peregrina.
Tutte dall' elce al giunco han lor favella,
    Tutte han senso le piante; anche la rude
    Stupida pietra t'ammaestra, e chiude
              Una vital fiammella.
Vieni dunque, infelice, a queste selve;
    Fuggi l'empie città, fuggi i lucenti
    D'oro palagi, tane di serpenti
              E di perfide belve.
Fuggi il pazzo furor, fuggi il sospetto
    De' sollevati, nel cui pugno il ferro
    Già non piaga il terren, non l'olmo e il cerro,
              Ma de' fratelli il petto.
Ahi di Giapeto iniqua stirpe! ahi diro
    Secol di Pirra! Insanguinata e rea
    Insanisce la terra, e torna Astrea
              All' adirato Empiro.
Quindi l'empia ragion del più robusto,
    Quindi falso l'onor, falsi gli amici,
    Compre le leggi, i traditor felici,
              E sventurato il giusto.
Quindi vedi calar tremendi e fieri
    De' Druidi i nipoti, e vïolenti
    Scuotere i regni, e sgomentar le genti
              Con l'arme e co' pensieri.
Enceladi novelli, anco del cielo
    Assalgono le torri; a Giove il trono
    Tentano rovesciar, rapirgli il tuono
              E il non trattabil telo.

Ma non dorme lassù la sua vendetta;
    Già monta sull' irate ali del vento;
    Guizzar già veggo, mormorar già sento
        Il lampo e la saetta.

iv

296   *Per la liberazione d'Italia*

BELLA Italia, amate sponde,
    Pur vi torno a riveder!
    Trema in petto e si confonde
    L'alma oppressa dal piacer.
Tua bellezza, che di pianti
    Fonte amara ognor ti fu,
    Di stranieri e crudi amanti
    T'avea posta in servitù.
Ma bugiarda e mal sicura
    La speranza fia de' re:
    Il giardino di natura,
    No, pei barbari non è.
Bonaparte al tuo periglio
    Dal mar libico volò;
    Vide il pianto del tuo ciglio,
    E il suo fulmine impugnò.
Tremâr l'Alpi, e stupefatte
    Suoni umani replicâr,
    E l'eterne nevi intatte
    D'armi e armati fiammeggiâr.
Del baleno al par veloce
    Scese il Forte, e non s'udì;
    Chè men ratto il vol, la voce
    Della Fama lo seguì.

VINCENZO MONTI

D'ostil sangue i vasti campi
   Di Marengo intiepidîr,
   E de' bronzi ai tuoni, ai lampi
   L'onde attonite fuggîr.
Di Marengo la pianura
   Al nemico tomba diè:
   Il giardino di natura,
   No, pei barbari non è.
Bella Italia, amate sponde,
   Pur vi torno a riveder !
   Trema in petto e si confonde
   L'alma oppressa dal piacer.
Volgi l'onda al mar spedita,
   O de' fiumi algoso re;
   Dinne all' Adria che finita
   La gran lite ancor non è.
Di' che l'asta il Franco Marte
   Ancor fissa al suol non ha;
   Di' che dove è Bonaparte
   Sta vittoria e libertà.
Libertà, principio e fonte
   Del coraggio e dell' onor,
   Che il piè in terra, in ciel la fronte,
   Sei del mondo il primo amor,
Questo lauro al crin circonda:
   Virtù patria lo nutrì,
   E Dessaix la sacra fronda
   Del suo sangue colorì.
Su quel lauro in chiome sparte
   Pianse Francia e palpitò.
   Non lo pianse Bonaparte,
   Ma invidiollo e sospirò.

Ombra illustre, ti conforti
  Quell' invidia e quel sospir:
  Visse assai chi 'l duol de' forti
  Meritò nel suo morir.
Ve' sull' Alpi doloroso
  Della patria il santo amor
  Alle membra dar riposo
  Che fur velo al tuo gran cor!
L'ali il Tempo riverenti
  Al tuo piede abbasserà;
  Fremeran procelle e venti,
  E la tomba tua starà.
Per la cozia orrenda valle,
  Usa i nembi a calpestar,
  Torva l'ombra d'Anniballe
  Verrà teco a ragionar.
Chiederà di quell' ardito
  Che secondo l'Alpe aprì.
  Tu gli mostra il varco a dito,
  E rispondi al fier così:
'Di prontezza e di coraggio
  Te quel grande superò;
  Afro, cedi al suo paraggio:
  Tu scendesti, ed ei volò.
Tu dell' itale contrade
  Abborrito destruttor:
  Ei le torna in libertade,
  E ne porta seco il cor.
Di civili eterne risse
  Tu a Cartago rea cagion:
  Ei placolle, e le sconfisse
  Col sorriso e col perdon.

Che più chiedi? Tu ruina,
   Ei salvezza al patrio suol.
Afro, cedi e il ciglio inchina;
   Muore ogni astro in faccia al sol.'

v

297   *Pel giorno onomastico della mia*
        donna Teresa Pikler

DONNA, dell' alma mia parte più cara,
  Perchè muta in pensoso atto mi guati,
E di segrete stille
Rugiadose si fan le tue pupille?
Di quel silenzio, di quel pianto intendo,
O mia diletta, la cagion. L'eccesso
De' miei mali ti toglie
La favella, e discioglie
In lagrime furtive il tuo dolore.
Ma datti pace, e il core
Ad un pensier solleva
Di me più degno e della forte insieme
Anima tua. La stella
Del viver mio s'appressa
Al suo tramonto; ma sperar ti giovi
Che tutto io non morrò: pensa che un nome
Non oscuro io ti lascio, e tal che un giorno
Fra le italiche donne
Ti fia bel vanto il dire: 'Io fui l'amore
Del cantor di Basville,
Del cantor che di care itale note
Vestì l'ira d'Achille.'
Soave rimembranza ancor ti fia

Che ogni spirto gentile
A' miei casi compianse (e fra gl'Insùbri
Quale è lo spirto che gentil non sia?).
Ma con ciò tutto nella mente poni
Che cerca un lungo sofferir chi cerca
Lungo corso di vita. Oh mia Teresa,
E tu del pari sventurata e cara
Mia figlia, oh voi che sole d'alcun dolce
Temprate il molto amaro
Di mia triste esistenza, egli andrà poco
Che nell' eterno sonno lagrimando
Gli occhi miei chiuderete. Ma sia breve
Per mia cagion il lagrimar: chè nulla,
Fuor che il vostro dolor, fia che mi gravi
Nel partirmi da questo
Troppo ai buoni funesto
Mortal soggiorno, in cui
Così corte le gioie e così lunghe
Vivon le pene; ove per dura prova
Già non è bello il rimaner, ma bello
L'uscirne e far presto tragitto a quello
De' ben vissuti, a cui sospiro. E quivi
Di te memore, e fatto
Cigno immortal (chè de' poeti in cielo
L'arte è pregio e non colpa), il tuo fedele,
Adorata mia donna,
T'aspetterà, cantando,
Finchè tu giunga, le tue lodi; e molto
De' tuoi cari costumi
Parlerò co' celesti, e dirò quanta
Fu verso il miserando tuo consorte
La tua pietade: e l'anime beate,

VINCENZO MONTI

Di tua virtude innamorate, a Dio
Pregheranno, che lieti e ognor sereni
Sieno i tuoi giorni, e quelli
Dei dolci amici che ne fan corona:
Principalmente i tuoi, mio generoso
Ospite amato, che verace fede
Ne fai del detto antico,
Che ritrova un tesoro
Chi ritrova un amico.

GIOVANNI FANTONI

1755–†1807

298   *Per la pace del 1783*

PENDE la notte: i cavi bronzi io sento
L'ora che fugge replicar sonanti:
  Scossa la porta stride agl' incostanti
               Buffi del vento.
Lico, risveglia il lento fuoco, accresci
  L'aride legna, di sanguigna cera
  Spoglia su l'orlo una bottiglia, e mesci
               Cipro e Madera.
Chiama la bella occhi-pietosa Iole
  Dal sen di cigno, dalle chiome bionde,
  Simili al raggio del cadente sole
               Tinto nell' onde.
Recami l'arpa del convito: intanto
  Che Iole attendo, agiterò vivace
  L'argute fila, meditando un canto
               Sacro alla pace.

UGO FOSCOLO

1778–†1827

i

(*Il suo ritratto*)

SOLCATA ho fronte, occhi incavati, intenti;
Crin fulvo, emunte guancie, ardito aspetto;
  Labbro tumido, acceso, e tersi denti;
  Capo chino, bel collo, e largo petto;
Giuste membra, vestir semplice, eletto;
  Ratti i passi, i pensier, gli atti, gli accenti;
  Sobrio, umano, leal, prodigo, schietto;
  Avverso al mondo, avversi a me gli eventi.
Talor di lingua, e spesso di man prode;
  Mesto i più giorni e solo, ognor pensoso;
  Pronto, iracondo, inquïeto, tenace;
Di vizj ricco e di virtù, do lode
  Alla ragion, ma corro ove al cor piace.
  Morte sol mi darà fama e riposo.

ii

(*A Firenze*)

E TU ne' carmi avrai perenne vita,
Sponda che Arno saluta in suo cammino,
  Partendo la città che del latino
  Nome accogliea finor l'ombra fuggita.
Già dal tuo ponte all' onda impaurita
  Il papale furore e il ghibellino
  Mescean gran sangue, ove oggi al pellegrino
  Del fero Vate la magion s'addita.

Per me cara, felice, inclita riva,
 Ove sovente i piè leggiadri mosse
 Colei che, vera al portamento Diva,
In me volgeva sue luci beate,
 Mentr' io sentia del crin d'oro commosse
 Spirar ambrosia l'aure innamorate.

iii

301   *(Alla Sera)*

FORSE perchè della fatal quïete
 Tu sei l'immago, a me sì cara vieni,
 O sera! E quando ti corteggian liete
 Le nubi estive e i zeffiri sereni,
E quando dal nevoso aere inquïete
 Tenebre e lunghe all' universo meni,
 Sempre scendi invocata, e le secrete
 Vie del mio cor soavemente tieni.
Vagar mi fai co' miei pensier sull' orme
 Che vanno al nulla eterno, e intanto fugge
 Questo reo tempo, e van con lui le torme
Delle cure onde meco egli si strugge;
 E mentre io guardo la tua pace, dorme
 Quello spirto guerrier ch'entro mi rugge.

iv

302   *(A Zacinto)*

NÈ più mai toccherò le sacre sponde
 Ove il mio corpo fanciulletto giacque,
 Zacinto mia, che te specchi nell' onde
 Del greco mar, da cui vergine nacque

Venere, e fea quell' isole feconde
 Col suo primo sorriso, onde non tacque
 Le tue limpide nubi e le tue fronde
 L'inclito verso di colui che l'acque
Cantò fatali, ed il diverso esiglio,
 Per cui, bello di fama e di sventura,
 Baciò la sua petrosa Itaca Ulisse.
Tu non altro che il canto avrai del figlio,
 O materna mia terra: a noi prescrisse
 Il fato illacrimata sepoltura.

v

303   (*In morte del fratello Giovanni*)

UN dì, s'io non andrò sempre fuggendo
Di gente in gente, me vedrai seduto
 Sulla tua pietra, o fratel mio, gemendo
 Il fior de' tuoi gentili anni caduto.
La madre or sol, suo dì tardo traendo,
 Parla di me col tuo cenere muto;
 Ma io deluse a voi le palme tendo,
 E sol da lunge i miei tetti saluto.
Sento gli avversi Numi e le secrete
 Cure che al viver tuo furon tempesta,
 E prego anch' io nel tuo porto quïete.
Questo di tanta speme oggi mi resta!
 Straniere genti, almen l'ossa rendete
 Allora al petto della madre mesta.

vi

All' Amica risanata

QUAL dagli antri marini
L'astro più caro a Venere
Co' rugiadosi crini
Fra le fuggenti tenebre
Appare, e il suo vïaggio
Orna col lume dell' eterno raggio;
Sorgon così tue dive
   Membra dall' egro talamo,
   E in te beltà rivive:
   L'aurea beltate, ond' ebbero
   Ristoro unico ai mali
   Le nate a vaneggiar menti mortali.
Fiorir sul caro viso
   Veggo la rosa; tornano
   I grandi occhi al sorriso
   Insidïando; e vegliano
   Per te in novelli pianti
   Trepide madri e sospettose amanti.
Le Ore che dianzi meste
   Ministre eran de' farmachi,
   Oggi l'indica veste
   E i monili, cui gemmano
   Effigïati Dei,
   Inclito studio di scalpelli achei,
E i candidi coturni
   E gli amuleti recano,
   Onde a' cori notturni
   Te, Dea, mirando, obliano
   I garzoni le danze,

Te principio d'affanni e di speranze;
O quando l'arpa adorni
 E co' novelli numeri
 E co' molli contorni
 Delle forme, che facile
 Bisso seconda, e intanto
 Fra il basso sospirar vola il tuo canto
Più periglioso; o quando
 Balli disegni, e l'agile
 Corpo all' aure fidando,
 Ignoti vezzi sfuggono
 Dai manti e dal negletto
 Velo, scomposto sul sommosso petto:
All' agitarti, lente
 Cascan le trecce, nitide
 Per ambrosia recente,
 Mal fide all' aureo pettine
 E alla rosea ghirlanda,
 Che or con l'alma salute April ti manda.
Così, ancelle d'amore,
 A te d'intorno volano
 Invidïate l'Ore.
 Meste le Grazie mirino
 Chi la beltà fugace
 Ti membra, e il giorno dell' eterna pace.
Mortale guidatrice
 D'oceanine vergini,
 La parrasia pendice
 Tenea la casta Artemide,
 E fea, terror di cervi,
 Lungi fischiar d'arco cidonio i nervi.
Lei predicò la fama

Olimpia prole: pavido
Diva il mondo la chiama,
E le sacrò l'elisio
Soglio ed il certo telo
E i monti e il carro della luna in cielo.
Are così a Bellona,
  Un tempo invitta amazzone,
  Diè il vocale Elicona:
  Ella il cimiero e l'egida
  Or contro l'Anglia avara,
  E le cavalle ed il furor prepara.
E quella, a cui di sacro
  Mirto te veggo cingere
  Devota il simulacro,
  Che presiede marmoreo
  Agli arcani tuoi lari,
  Ove a me sol sacerdotessa appari,
Regina fu: Citera
  E Cipro, ove perpetua
  Odora primavera,
  Regnò beata, e l'isole
  Che col selvoso dorso
  Rompono agli Euri e al grande Ionio il corso.
Ebbi in quel mar la culla:
  Ivi erra, ignudo spirito,
  Di Faon la fanciulla;
  E se il notturno zeffiro
  Blando sui flutti spira,
  Suonano i liti un lamentar di lira!
Ond' io, pien del nativo
  Aer sacro, sull' itala
  Grave cetra derivo

Per te le corde eolie;
E avrai, divina, i voti,
Fra gl'inni miei, delle insubri nepoti.

vii

305

Dei Sepolcri
A Ippolito Pindemonte

ALL' ombra de' cipressi e dentro l'urne
  Confortate di pianto è forse il sonno
Della morte men duro? Ove più il sole
Per me alla terra non fecondi questa
Bella d'erbe famiglia e d'animali,
E quando vaghe di lusinghe innanzi
A me non danzeran l'ore future,
Nè da te, dolce amico, udrò più il verso
E la mesta armonia che lo governa,
Nè più nel cor mi parlerà lo spirto
Delle vergini Muse e dell' Amore,
Unico spirto a mia vita raminga,
Qual fia ristoro a' dì perduti un sasso
Che distingua le mie dalle infinite
Ossa che in terra e in mar semina Morte?
Vero è ben, Pindemonte! anche la Speme,
Ultima Dea, fugge i sepolcri, e involve
Tutte cose l'oblio nella sua notte;
E una forza operosa le affatica
Di moto in moto; e l'uomo e le sue tombe
E l'estreme sembianze e le reliquie
Della terra e del ciel traveste il tempo.
Ma perchè pria del tempo a sè il mortale
Invidierà l'illusïon che spento

Pur lo sofferma al limitar di Dite?
Non vive ei forse anche sotterra, quando
Gli sarà muta l'armonia del giorno,
Se può destarla con soavi cure
Nella mente de' suoi? Celeste è questa
Corrispondenza d'amorosi sensi,
Celeste dote è negli umani; e spesso
Per lei si vive con l'amico estinto,
E l'estinto con noi, se pia la terra
Che lo raccolse infante e lo nutriva,
Nel suo grembo materno ultimo asilo
Porgendo, sacre le reliquie renda
Dall' insultar de' nembi e dal profano
Piede del vulgo, e serbi un sasso il nome,
E di fiori odorata arbore amica
Le ceneri di molli ombre consoli.
Sol chi non lascia eredità d'affetti
Poca gioia ha dell' urna, e se pur mira
Dopo l'esequie, errar vede il suo spirto
Fra 'l compianto de' templi Acherontei,
O ricovrarsi sotto le grandi ale
Del perdono d'Iddio; ma la sua polve
Lascia alle ortiche di deserta gleba,
Ove nè donna innamorata preghi,
Nè passeggier solingo oda il sospiro
Che dal tumulo a noi manda Natura.
Pur nuova legge impone oggi i sepolcri
Fuor de' guardi pietosi, e il nome a' morti
Contende. E senza tomba giace il tuo
Sacerdote, o Talia, che a te cantando
Nel suo povero tetto educò un lauro
Con lungo amore, e t'appendea corone;

E tu gli ornavi del tuo riso i canti
Che il lombardo pungean Sardanapalo,
Cui solo è dolce il muggito de' buoi
Che dagli antri Abduani e dal Ticino
Lo fan d'ozj beato e di vivande.
O bella Musa, ove sei tu? Non sento
Spirar l'ambrosia, indizio del tuo nume,
Fra queste piante ov' io siedo e sospiro
Il mio tetto materno. E tu venivi
E sorridevi a lui sotto quel tiglio
Ch'or con dimesse frondi va fremendo
Perchè non copre, o Dea, l'urna del vecchio,
Cui già di calma era cortese e d'ombre.
Forse tu fra' plebei tumuli guardi
Vagolando, ove dorma il sacro capo
Del tuo Parini? A lui non ombre pose
Tra le sue mura la città lasciva
D'evirati cantori allettatrice,
Non pietra, non parola; e forse l'ossa
Col mozzo capo gl'insanguina il ladro
Che lasciò sul patibolo i delitti.
Senti raspar fra le macerie e i bronchi
La derelitta cagna ramingando
Sulle fosse, e famelica ululando;
E uscir del teschio, ove fuggia la luna,
L'úpupa, e svolazzar su per le croci
Sparse per la funerea campagna,
E l'immonda accusar col luttuoso
Singulto i rai di che son pie le stelle
Alle obliate sepolture. Indarno
Sul tuo poeta, o Dea, preghi rugiade
Dalla squallida notte. Ahi! sugli estinti

354

Non sorge fiore, ove non sia d'umane
Lodi onorato e d'amoroso pianto.
Dal dì che nozze e tribunali ed are
Diero alle umane belve esser pietose
Di sè stesse e d'altrui, toglieano i vivi
All' etere maligno ed alle fere
I miserandi avanzi che Natura
Con veci eterne a sensi altri destina.
Testimonianza a' fasti eran le tombe,
Ed are a' figli; e uscian quindi i responsi
De' domestici Lari, e fu temuto
Sulla polve degli avi il giuramento:
Religïon che con diversi riti
Le virtù patrie e la pietà congiunta
Tradussero per lungo ordine d'anni.
Non sempre i sassi sepolcrali a' templi
Fean pavimento; nè agl' incensi avvolto
De' cadaveri il lezzo i supplicanti
Contaminò; nè le città fur meste
D'effigïati scheletri: le madri
Balzan ne' sonni esterrefatte, e tendono
Nude le braccia su l'amato capo
Del lor caro lattante, onde nol desti
Il gemer lungo di persona morta
Chiedente la venal prece agli eredi
Dal santüario. Ma cipressi e cedri,
Di puri effluvj i zefiri impregnando,
Perenne verde protendean sull' urne
Per memoria perenne, e prezïosi
Vasi accogliean le lacrime votive.
Rapian gli amici una favilla al sole
A illuminar la sotterranea notte,

Perchè gli occhi dell' uom cercan morendo
Il sole, e tutti l'ultimo sospiro
Mandano i petti alla fuggente luce.
Le fontane versando acque lustrali
Amaranti educavano e vïole
Sulla funebre zolla; e chi sedea
A libar latte e a raccontar sue pene
Ai cari estinti, una fragranza intorno
Sentia qual d'aura de' beati Elisi.
Pietosa insania, che fa cari gli orti
De' suburbani avelli alle britanne
Vergini, dove le conduce amore
Della perduta madre, ove clementi
Pregaro i Genj del ritorno al prode
Che tronca fe' la trïonfata nave
Del maggior pino, e si scavò la bara.
Ma ove dorme il furor d'inclite geste
E sien ministri al vivere civile
L'opulenza e il tremore, inutil pompa
E inaugurate immagini dell' Orco
Sorgon cippi e marmorei monumenti.
Già il dotto e il ricco ed il patrizio vulgo,
Decoro e mente al bello italo regno,
Nelle adulate reggie ha sepoltura
Già vivo, e i stemmi unica laude. A noi
Morte apparecchi riposato albergo
Ove una volta la fortuna cessi
Dalle vendette, e l'amistà raccolga
Non di tesori eredità, ma caldi
Sensi e di liberal carme l'esempio.
A egregie cose il forte animo accendono
L'urne de' forti, o Pindemonte, e bella

E santa fanno al peregrin la terra
Che le ricetta. Io, quando il monumento
Vidi ove posa il corpo di quel Grande
Che, temprando lo scettro a' regnatori,
Gli allôr ne sfronda, ed alle genti svela
Di che lagrime grondi e di che sangue;
E l'arca di colui che nuovo Olimpo
Alzò in Roma a' Celesti; e di chi vide
Sotto l'etereo padiglion rotarsi
Più mondi, e il sole irradïarli immoto,
Onde all' Anglo che tanta ala vi stese
Sgombrò primo le vie del firmamento:
Te beata, gridai, per le felici
Aure pregne di vita, e pe' lavacri
Che da' suoi gioghi a te versa Appennino!
Lieta dell' äer tuo veste la luna
Di luce limpidissima i tuoi colli
Per vendemmia festanti, e le convalli
Popolate di case e d'oliveti
Mille di fiori al ciel mandano incensi.
E tu prima, Firenze, udivi il carme
Che allegrò l'ira al Ghibellin fuggiasco;
E tu i cari parenti e l'idïoma
Desti a quel dolce di Calliope labbro
Che Amore, in Grecia nudo e nudo in Roma,
D'un velo candidissimo adornando,
Rendea nel grembo a Venere Celeste.
Ma più beata che in un tempio accolte
Serbi l'itale glorie, uniche forse,
Dacchè le mal vietate Alpi e l'alterna
Onnipotenza delle umane sorti
Armi e sostanze t'invadeano ed are

E patria e, tranne la memoria, tutto.
Chè, ove speme di gloria agli animosi
Intelletti rifulga ed all' Italia,
Quindi trarrem gli auspicj. E a questi marmi
Venne spesso Vittorio ad ispirarsi:
Irato a' patrii Numi, errava muto
Ove Arno è più deserto, i campi e il cielo
Desïoso mirando; e poi che nullo
Vivente aspetto gli molcea la cura,
Qui posava l'austero, e avea sul volto
Il pallor della morte e la speranza.
Con questi grandi abita eterno, e l'ossa
Fremono amor di patria. Ah sì! da quella
Religïosa pace un Nume parla;
E nutria contro a' Persi in Maratona,
Ove Atene sacrò tombe a' suoi prodi,
La virtù greca e l'ira. Il navigante,
Che veleggiò quel mar sotto l'Eubea,
Vedea per l'ampia oscurità scintille
Balenar d'elmi e di cozzanti brandi,
Fumar le pire igneo vapor, corrusche
D'armi ferree vedea larve guerriere
Cercar la pugna; e all' orror de' notturni
Silenzi si spandea lungo ne' campi
Di falangi un tumulto e un suon di tube,
E un incalzar di cavalli accorrenti
Scalpitanti su gli elmi a' moribondi,
E pianto, ed inni, e delle Parche il canto.
Felice te che il regno ampio de' venti,
Ippolito, a' tuoi verdi anni correvi!
E se il piloto ti drizzò l'antenna
Oltre l'isole Egée, d'antichi fatti

Certo udisti suonar dell' Ellesponto
I liti, e la marea mugghiar portando
Alle prode Retée l'armi d'Achille
Sovra l'ossa d'Ajace. A' generosi
Giusta di glorie dispensiera è Morte:
Nè senno astuto nè favor di regi
All' Itaco le spoglie ardue serbava,
Chè alla poppa raminga le ritolse
L'onda incitata dagl' inferni Dei.
E me che i tempi ed il desio d'onore
Fan per diversa gente ir fuggitivo,
Me ad evocar gli eroi chiamin le Muse
Del mortale pensiero animatrici.
Siedon custodi de' sepolcri; e quando
Il Tempo con sue fredde ale vi spazza
Fin le rovine, le Pimplée fan lieti
Di lor canto i deserti, e l'armonia
Vince di mille secoli il silenzio.
Ed oggi nella Tróade inseminata
Eterno splende a' peregrini un loco;
Eterno per la Ninfa a cui fu sposo
Giove, ed a Giove diè Dárdano figlio,
Onde fur Troja e Assáraco e i cinquanta
Talami e il regno della Giulia gente.
Però che quando Elettra udì la Parca
Che lei dalle vitali aure del giorno
Chiamava a' cori dell' Eliso, a Giove
Mandò il voto supremo, e: 'Se,' diceva,
'A te fur care le mie chiome e il viso
E le dolci vigilie, e non mi assente
Premio miglior la volontà de' Fati,
La morta amica almen guarda dal cielo,

Onde d'Elettra tua resti la fama.'
Così orando moriva. E ne gemea
L'Olimpo, e l'immortal capo accennando,
Piovea dai crini ambrosia sulla Ninfa,
E fe' sacro quel corpo e la sua tomba.
Ivi posò Erittonio, e dorme il giusto
Cenere d'Ilo; ivi l'Iliache donne
Sciogliean le chiome, indarno ahi! deprecando
Da' lor mariti l'imminente fato;
Ivi Cassandra, allor che il nume in petto
Le fea parlar di Troja il dì mortale,
Venne, e all' ombre cantò carme amoroso;
E guidava i nepoti, e l'amoroso
Apprendeva lamento a' giovinetti;
E dicea sospirando: 'Oh, se mai d'Argo,
Ove al Tidide e di Laerte al figlio
Pascerete i cavalli, a voi permetta
Ritorno il cielo, invan la patria vostra
Cercherete! le mura, opra di Febo,
Sotto le lor reliquie fumeranno.
Ma i Penati di Troja avranno stanza
In queste tombe; chè de' Numi è dono
Servar nelle miserie altero nome.
E voi, palme e cipressi, che le nuore
Piantan di Prïamo, e crescerete, ahi presto!
Di vedovili lagrime inaffiati,
Proteggete i miei padri; e chi la scure
Asterrà pio dalle devote frondi,
Men si dorrà di consanguinei lutti,
E santamente toccherà l'altare.
Proteggete i miei padri. Un dì vedrete
Mendico un cieco errar sotto le vostre

Antichissime ombre, e brancolando
Penetrar negli avelli, e abbracciar l'urne,
E interrogarle. Gemeranno gli antri
Secreti, e tutta narrerà la tomba
Ilio raso due volte e due risorto
Splendidamente sulle mute vie
Per far più bello l'ultimo trofeo
Ai fatali Pelidi. Il sacro Vate,
Placando quelle afflitte alme col canto,
I prenci Argivi eternerà per quante
Abbraccia terre il gran padre Oceàno.
E tu onore di pianti, Ettore, avrai
Ove fia santo e lagrimato il sangue
Per la patria versato, e finchè il sole
Risplenderà su le sciagure umane.'

viii

(Il velo delle Grazie)

306

MENTRE opravan le Dee, Pallade in mezzo
Con le azzurre pupille amabilmente
Signoreggiava il suo virgineo coro.
Attenüando i rai aurei del sole,
Volgeano i fusi nitidi tre nude
Ore, e del velo distendean l'ordito.
Venner le Parche di purpurei pepli
Velate e il crin di quercia; e di più trame
Raggianti, adamantine, al par dell' etra,
E fluide e pèrvie e intatte mai da Morte,
Trame onde filan degli Dei la vita,
Le tre presaghe rïempiean la spola.
Nè men dell' altre innamorata, all' opra

Iri scese fra' Zefiri, e per l'alto
Le vaganti accogliea lucide nubi
Gareggianti di tinte, e sul telaio
Pioveale a Flora a effigïar quel velo;
E più tinte assumean riso e fragranza
E mille volti dalla man di Flora.
E tu, Psiche, sedevi, e spesso in core,
Senza aprir labbro, ridicendo: 'Ahi, quante
Gioie promette e manda pianto Amore!',
Raddensavi col pettine la tela.
E allor faconde di Talia le corde,
E Tersicore Dea, che a te dintorno
Fea tripudio di ballo e ti guardava,
Eran conforto a' tuoi pensieri e all' opra.
Correa limpido insiem d'Èrato il canto
Da quei suoni guidato; e come il canto
Flora intendeva, e sì pingea con l'ago.
— Mesci, odorosa Dea, rosee le fila;
E nel mezzo del velo ardita balli,
Canti fra 'l coro delle sue speranze
Giovinezza: percote a spessi tocchi
Antico un plettro il Tempo; e la danzante
Discende un clivo onde nessun risale.
Le Grazie a' piedi suoi destano fiori,
A fiorir sue ghirlande; e quando il biondo
Crin t'abbandoni e perderai 'l tuo nome,
Vivran que' fiori, o Giovinezza, e intorno
L'urna funerea spireranno odore.
Or mesci, amabil Dea, nivee le fila;
E ad un lato del velo Espero sorga
Dal lavor di tue dita; escono, errando
Fra l'ombre e i raggi fuor d'un mirteo bosco,

Due tortorelle mormorando ai baci;
    Mírale occulto un rosignuol, e ascolta
    Silenzïoso, e poi canta imenei:
    Fuggono quelle vereconde al bosco.
Mesci, madre dei fior, lauri alle fila;
    E sul contrario lato erri co' specchi
    Dell' alba il sogno; e mandi alle pupille
    Sopite del guerrier miseri i volti
    Della madre e del padre allor che all' are
    Recan lagrime e voti; e quei si desta,
    E i prigionieri suoi guarda e sospira.
Mesci, Flora gentile, oro alle fila;
    E il destro lembo istorïato esulti
    D'un festante convito: il Genio in volta
    Prime coroni agli esuli le tazze.
    Or libera è la gioia, ilare il biasmo,
    E candida è la lóde. A parte siede
    Bello il silenzio, arguto in viso, e accenna
    Che non fuggano i motti oltre le soglie.
Mesci cerulee, Dea, mesci le fila;
    E pinta il lembo estremo abbia una donna
    Che con l'ombre e i silenzi unica veglia;
    Nutre una lampa su la culla, e teme
    Non i vagiti del suo primo infante
    Sien presagi di morte; e in quell' errore
    Non manda a tutto il cielo altro che pianti.
    Beata! ancor non sa come agli infanti
    Provido è il sonno eterno, e que' vagiti
    Presagi son di dolorosa vita. —
Come d'Èrato al canto ebbe perfetti
    Flora i trapunti, ghirlandò l'Aurora
    Gli aerei fluttuanti orli del velo

D'ignote rose a noi; sol la fragranza,
Se vicino è un Iddio, scende alla terra.
E fra l'altre immortali ultima venne
Rugiadosa la bionda Ebe, costretti
In mille nodi fra le perle i crini,
Silenzïosa, e l'anfora converse:
E dell' altre la vaga opra fatale
Rorò d'ambrosia; e fu quel velo eterno.
Poi su le tre di Citerea gemelle
Tutte le Dive il diffondeano, ed elle
Fra le fiamme d'amore ivano intatte
A rallegrar la terra, e sì velate
Apparian come pria vergini nude.

GABRIELE ROSSETTI

1783–†1854

307   *La Costituzione di Napoli*

SEI pur bella cogli astri sul crine
Che scintillan quai vivi zaffiri,
È pur dolce quel fiato che spiri,
Porporina foriera del dì.
Col sorriso del pago desio
Tu ci annunzi dal balzo vicino
Che d'Italia nell' almo giardino
Il servaggio per sempre finì.
Il rampollo d'Enrico e di Carlo,
Ei ch'ad ambo cotanto somiglia,
Oggi estese la propria famiglia,
E non servi ma figli bramò.

GABRIELE ROSSETTI

Volontario distese la mano
  Sul volume de' patti segnati;
  E il volume de' patti giurati
  Della patria sull' ara posò.
Una selva di lance si scosse
  All' invito del bellico squillo;
  Ed all' ombra del sacro vessillo
  Un sol voto discorde non fu:
E fratelli si strinser le mani
  Dauno, Irpino, Lucano, Sannita:
  Non estinta ma solo sopita
  Era in essi l'antica virtù.
Ma qual suono di trombe festive?
  Chi s'avanza fra cento coorti?
  Ecco il forte che riede tra i forti,
  Che la patria congiunse col re!
Oh qual pompa! Le armate falangi
  Sembran fiumi che inondin le strade;
  Ma su tante migliaia di spade
  Una macchia di sangue non v'è.
Lieta scena! Chi plaude, chi piange,
  Chi diffonde vïole e giacinti;
  Vincitori confusi coi vinti
  Avvicendano il bacio d'amor.
Dalla reggia passando al tugurio
  Non più finta la gioia festeggia;
  Dal tugurio tornando alla reggia
  Quella gioia si rende maggior.
Genitrici de' forti campioni
  Convocati dal sacro stendardo,
  Che cercate col pavido sguardo?
  Non temete; chè tutti son qui.

Non ritornan da terra nemica,
   Istrumenti di regio misfatto;
   Ma dal campo del vostro riscatto,
   Dove il ramo di pace fiorì.
O beata fra tante donzelle,
   O beata la ninfa che vede
   Fra que' prodi l'amante, che riede
   Tutto sparso di nobil sudor!
Il segreto dell' alma pudica
   Le si affaccia sul volto rosato,
   Ed il premio finora negato
   La bellezza prepara al valor.
Cittadini, posiamo sicuri
   Sotto l'ombra de' lauri mietuti:
   Ma coi pugni sui brandi temuti
   Stiamo in guardia del patrio terren.
Nella pace prepara la guerra
   Chi da saggio previene lo stolto:
   Ci sorrida la pace sul volto,
   Ma ci frema la guerra nel sen.
Che guardate, gelosi stranieri?
   Non uscite dai vostri burroni,
   Chè la stirpe dei prischi leoni
   Più nel sonno languente non è!
Adorate le vostre catene
   (Chi v'invidia cotanto tesoro?),
   Ma lasciate tranquilli coloro
   Che disdegnan sentirsele al piè.
Se verrete, le vostre consorti,
   Imprecando ai vessilli funesti,
   Si preparin le funebri vesti;
   Chè speranza per esse non v'ha.

Sazierete la fame de' corvi,
 Mercenarie falangi di schiavi:
 In chi pugna pe' dritti degli avi
 Divien cruda la stessa pietà.
Una spada di libera mano
 È saetta di Giove tonante,
 Ma nel pugno di servo tremante
 Come canna vacilla l'acciar.
Fia trionfo la morte per noi,
 Fia ruggito l'estremo sospiro:
 Le migliaia di Persia fuggiro,
 I trecento di Sparta restâr!
E restaron co' brandi ne' pugni
 Sopra mucchi di corpi svenati,
 E que' pugni, quantunque gelati,
 Rassembravan disposti a ferir.
Quello sdegno passava nel figlio
 Cui fu culla lo scudo del padre,
 Ed al figlio diceva la madre:
 'Quest' esempio tu devi seguir.'
O tutrice dei dritti dell' uomo
 Che sorridi sul giogo spezzato,
 È pur giunto quel giorno beato
 Che un monarca t'innalza l'altar!
Tu sul Tebro fumante di sangue
 Passeggiavi qual nembo fremente,
 Ma serena qual alba ridente
 Sul Sebeto t'assidi a regnar.
Una larva col santo tuo nome
 Qui se n' venne con alta promessa:
 Noi, credendo che fossi tu stessa,
 Adorammo la larva di te:

GABRIELE ROSSETTI

Ma, nel mentre fra gl'inni usurpati
   Sfavillava di luce fallace,
   Ella sparve qual sogno fugace,
   Le catene lasciandoci al piè.
Alla fine tu stessa venisti
   Non ombrata da minimo velo,
   Ed un raggio disceso dal cielo
   Sulla fronte ti veggio brillar.
Coronata di gigli perenni,
   Alla terra servendo d'esempio,
   Tu scegliesti la reggia per tempio,
   Ove il trono ti serve d'altar.

GIOVANNI BERCHET

1783–†1851

Il Romito del Cenisio

308

VÏANDANTE alla ventura
   L'ardue nevi del Cenisio
   Un estranio superò;
   E dell' Itala pianura
   Al sorriso interminabile
   Dalla balza s'affacciò.
Gli occhi alacri, i passi arditi,
   Subitaneo in lui rivelano
   Il tripudio del pensier.
   Meravigliano i Romiti,
   Quei che pavido il sorressero
   Su pe' dubbj nel sentier.
Ma l'un d'essi, col dispetto
   D'uom crucciato da miserie,

Rompe i gaudj al vïator,
Esclamando: 'Maledetto
Chi s'accosta senza piangere
Alla terra del dolor !'
Qual chi, scosso d'improvviso,
Si risente d'un'ingiuria
Che non sa di meritar,
Tal sul vecchio del Ceniso
Si rivolse quell' estranio
Scuro il guardo a saettar.
Ma fu un lampo.   Del Romito
Le pupille venerabili
Una lagrima velò;
E l'estranio, impietosito,
Ne' misteri di quell' anima,
Sospettando, penetrò.
Chè un dì a lui, nell' aule algenti,
Là lontan sull' onda baltica,
Dell' Italia andò un romor
D'oppressori e di frementi,
Di speranze e di dissidj,
Di tumulti annunziator.
Ma confuso, ma fugace
Fu quel grido, e ratto a sperderlo
La parola uscì dei re,
Che narrò composta in pace
Tutta Italia, ai troni immobili
Plauder lieta e giurar fè.
Ei pensava: 'Non è lieta,
Non può stanza esser del giubilo
Dove il pianto è al limitar.'
Con inchiesta mansüeta

Tentò il cor del Solitario,
Che rispose al suo pregar:
'Non è lieta, ma pensosa;
Non v'è plauso, ma silenzio;
Non v'è pace, ma terror.
Come il mar su cui si posa
Sono immensi i guai d'Italia,
Inesausto il suo dolor.

Libertà volle, ma stolta!
Credè ai prenci, e osò commettere
Ai lor giuri il suo voler.
I suoi prenci l'han travolta,
L'han ricinta di perfidie,
L'han venduta allo stranier.

Da quest' Alpi infino a Scilla
La sua legge è il brando barbaro
Che i suoi règoli invocâr.
Da quest' Alpi infino a Scilla
È delitto amar la patria,
È una colpa il sospirar.

Una ciurma irrequïeta
Scosse i cenci, e giù dal Brennero
Corse ai fòri, e gli occupò;
Trae le genti alla segreta,
Dove, iroso, quei le giudica
Che bugiardo le accusò.

Guarda! I figli dell' affanno
Sulla marra incurvi sudano;
Va', ne interroga il sospir:
"Queste braccia," ti diranno,
"Scarne penano onde mietere
Il tributo a un stranio sir."

GIOVANNI BERCHET

Va', discendi, e le bandiere
   Cerca ai prodi, cerca i lauri
   Che all' Italia il pensier diè.
   Son disciolte le sue schiere,
   È compresso il labbro ai savj,
   Stretto in ferri ai giusti il piè,
Tolta ai solchi, alle officine,
   Delle madri al caro eloquio
   La robusta gioventù,
   Data, in rocche peregrine,
   Alla verga del vil teutono
   Che l'edùchi a servitù.
Cerca il brio delle sue genti
   All' Italia, i dì che furono
   Alle cento sue città.
   Dov' è il flauto che rammenti
   Le sue veglie, e delle vergini
   La danzante ilarità?
Va', ti bea de' soli suoi,
   Godi l'aure, spira vivide
   Le fragranze de' suoi fior;
   Ma che pro de' gaudj tuoi?
   Non avrai con chi dividerli:
   Il sospetto ha chiusi i cor.
Muti intorno degli alari
   Vedrai padri ai figli stringersi,
   Vedrai nuore impallidir
   Sullo strazio de' lor cari,
   E fratelli membrar invidi
   I fratelli che fuggîr.
Oh! perchè non posso anch' io,
   Colla mente ansia, fra gli esuli

Il mio figlio rintracciar?
O mio Silvio, o figlio mio,
Perchè mai nell' incolpabile
Tua coscienza ti fidar?
Oh, l'improvvido! l'han colto
Come agnello al suo presepio;
E di mano al percussor
Sol dai perfidi fu tolto,
Perchè, avvinto in ceppi, il calice
Beva lento del dolor;
Dove un pio mai nol consola,
Dove i giorni non gli numera
Altro mai che l'alternar
Delle scolte . . .' — La parola
Sulle labbra qui del misero
I singulti soffocâr.
Di conforto lo sovviene,
La man stende a lui l'estranio;
Quei sul petto la serrò:
Poi, com'uom che più 'l rattiene
Più gli sgorga il pianto, all' eremo
Col compagno s'avvïò.
Ahi! qual alpe sì romita
Può sottrarlo alle memorie,
Può le angoscie in lui sopir
Che dal turbin della vita,
Dalle care consuetudini
Disperato il dipartîr?
Come il voto che la sera
Fe' il briaco nel convivio
Rinnegato è al nuovo dì,
Tal, sull' Itala frontiera,

Dell' Italia il desiderio
All' estranio in sen morì.
A' bei soli, a' bei vigneti,
Contristati dalle lagrime
Che i tiranni fan versar,
Ei preferse i tetri abeti,
Le sue nebbie, ed i perpetui
Aquiloni del suo mar.

ALLESSANDRO MANZONI

1785–†1873

i

309   *La battaglia di Maclodio*

(*Il Conte di Carmagnola*, atto II, coro)

S'ODE a destra uno squillo di tromba;
A sinistra risponde uno squillo:
D'ambo i lati calpesto rimbomba
Da cavalli e da fanti il terren.
Quinci spunta per l'aria un vessillo;
Quindi un altro s'avanza spiegato:
Ecco appare un drappello schierato;
Ecco un altro che incontro gli vien.
Già di mezzo sparito è il terreno;
Già le spade respingon le spade;
L'un dell' altro le immerge nel seno;
Gronda il sangue; raddoppia il ferir.
Chi son essi? Alle belle contrade
Qual ne venne straniero a far guerra?
Qual è quei che ha giurato la terra
Dove nacque far salva, o morir?

D'una terra son tutti: un linguaggio
  Parlan tutti: fratelli li dice
  Lo straniero: il comune lignaggio
  A ognun d'essi dal volto traspar.
  Questa terra fu a tutti nudrice,
  Questa terra di sangue ora intrisa,
  Che natura dall' altre ha divisa,
  E recinta con l'Alpe e col mar.
Ahi! qual d'essi il sacrilego brando
  Trasse il primo il fratello a ferire?
  Oh terror! Del conflitto esecrando
  La cagione esecranda qual è?
  Non la sanno: a dar morte, a morire
  Qui senz' ira ognun d'essi è venuto;
  E, venduto ad un duce venduto,
  Con lui pugna e non chiede il perchè.
Ahi sventura! Ma spose non hanno,
  Non han madri gli stolti guerrieri?
  Perchè tutte i lor cari non vanno
  Dall' ignobile campo a strappar?
  E i vegliardi che ai casti pensieri
  Della tomba già schiudon la mente,
  Chè non tentan la turba furente
  Con prudenti parole placar?
Come assiso talvolta il villano
  Sulla porta del cheto abituro,
  Segna il nembo che scende lontano
  Sovra i campi che arati ei non ha;
  Così udresti ciascun che sicuro
  Vede lungi le armate coorti,
  Raccontar le migliaia de' morti,
  E la pièta dell' arse città.

Là, pendenti dal labbro materno
  Vedi i figli, che imparano intenti
A distinguer con nomi di scherno
Quei che andranno ad uccidere un dì;
  Qui le donne alle veglie lucenti
Dei monili far pompa e de' cinti,
Che alle donne diserte de' vinti
Il marito o l'amante rapì.

Ahi sventura! sventura! sventura!
  Già la terra è coperta d'uccisi;
Tutta è sangue la vasta pianura;
Cresce il grido, raddoppia il furor.
  Ma negli ordini manchi e divisi
Mal si regge, già cede una schiera;
Già nel volgo, che vincer dispera,
Della vita rinasce l'amor.

Come il grano lanciato dal pieno
  Ventilabro nell' aria si spande;
Tale intorno per l'ampio terreno
Si sparpagliano i vinti guerrier.
  Ma improvvise terribili bande
Ai fuggenti s'affaccian sul calle;
Ma si senton più presso alle spalle
Anelare il temuto destrier.

Cadon trepidi a piè de' nemici,
  Gettan l'arme, si danno prigioni:
Il clamor delle turbe vittrici
Copre i lai del tapino che mor.
  Un corriero è salito in arcioni;
Prende un foglio, il ripone, s'avvia,
Sferza, sprona, divora la via;
Ogni villa si desta al romor.

Perchè tutti sul pesto cammino
  Dalle case, dai campi accorrete?
  Ognun chiede con ansia al vicino,
  Che gioconda novella recò?
  Donde ei venga, infelici, il sapete,
  E sperate che gioia favelli?
  I fratelli hanno ucciso i fratelli:
  Questa orrenda novella vi do.

Odo intorno festevoli gridi;
  S'orna il tempio, e risona del canto;
  Già s'innalzan dai cuori omicidi
  Grazie ed inni che abbomina il ciel.
  Giù dal cerchio dell' Alpi frattanto
  Lo straniero gli sguardi rivolve;
  Vede i forti che mordon la polve,
  E li conta con gioia crudel.

Affrettatevi, empite le schiere,
  Sospendete i trionfi ed i giochi,
  Ritornate alle vostre bandiere;
  Lo straniero discende; egli è qui.
  Vincitor! Siete deboli e pochi?
  Ma per questo a sfidarvi ei discende;
  E voglioso a quei campi v'attende
  Dove il vostro fratello perì.

Tu che angusta a' tuoi figli parevi,
  Tu che in pace nutrirli non sai,
  Fatal terra, gli estrani ricevi:
  Tal giudizio comincia per te.
  Un nemico, che offeso non hai,
  A tue mense insultando s'asside;
  Degli stolti le spoglie divide;
  Toglie il brando di mano a' tuoi re.

Stolto anch' esso! Beata fu mai
   Gente alcuna per sangue ed oltraggio?
   Solo al vinto non toccano i guai;
   Torna in pianto dell' empio il gioir.
   Ben talor nel superbo vïaggio
   Non l'abbatte l'eterna vendetta;
   Ma lo segna; ma veglia ed aspetta;
   Ma lo coglie all' estremo sospir.
Tutti fatti a sembianza d'un Solo;
   Figli tutti d'un solo riscatto,
   In qual ora, in qual parte del suolo
   Trascorriamo quest' aura vital,
   Siam fratelli; siam stretti ad un patto:
   Maledetto colui che l'infrange,
   Che s'innalza sul fiacco che piange,
   Che contrista uno spirto immortal!

ii

Marzo 1821

SOFFERMATI sull' arida sponda,
  Volti i guardi al varcato Ticino,
   Tutti assorti nel novo destino,
   Certi in cor dell' antica virtù,
   Han giurato: 'Non fia che quest' onda
   Scorra più tra due rive straniere;
   Non fia loco ove sorgan barriere
   Tra l'Italia e l'Italia, mai più!'
L'han giurato: altri forti a quel giuro
   Rispondean da fraterne contrade,
   Affilando nell' ombra le spade
   Che or levate scintillano al sol.

Già le destre hanno strette le destre;
Già le sacre parole son porte:
O compagni sul letto di morte,
O fratelli su libero suol.
Chi potrà della gemina Dora,
Della Bormida al Tanaro sposa,
Del Ticino e dell' Orba selvosa
Scerner l'onde confuse nel Po:
Chi stornargli del rapido Mella
E dell' Oglio le miste correnti,
Chi ritogliergli i mille torrenti
Che la foce dell' Adda versò,
Quello ancora una gente risorta
Potrà scindere in volghi spregiati,
E a ritroso degli anni e dei fati
Risospingerla ai prischi dolor:
Una gente che libera tutta,
O fia serva tra l'Alpe ed il mare;
Una d'arme, di lingua, d'altare,
Di memorie, di sangue e di cor.
Con quel volto sfidato e dimesso,
Con quel guardo atterrato ed incerto,
Con che stassi un mendico sofferto
Per mercede nel suolo stranier,
Star doveva in sua terra il Lombardo;
L'altrui voglia era legge per lui;
Il suo fato, un segreto d'altrui;
La sua parte, servire e tacer.
O stranieri, nel proprio retaggio
Torna Italia, e il suo suolo riprende;
O stranieri, strappate le tende
Da una terra che madre non v'è.

Non vedete che tutta si scote,
Dal Cenisio alla balza di Scilla?
Non sentite che infida vacilla
Sotto il peso de' barbari piè?
O stranieri, sui vostri stendardi
Sta l'obbrobrio d'un giuro tradito;
Un giudizio da voi proferito
V'accompagna all' iniqua tenzon;
Voi che a stormo gridaste in quei giorni:
'Dio rigetta la forza straniera;
Ogni gente sia libera, e pera
Della spada l'iniqua ragion.'
Se la terra ove oppressi gemeste
Preme i corpi de' vostri oppressori,
Se la faccia d'estranei signori
Tanto amara vi parve in quei dì;
Chi v'ha detto che sterile, eterno
Saria il lutto dell' Itale genti?
Chi v'ha detto che ai nostri lamenti
Saria sordo quel Dio che v'udì?
Sì, quel Dio che nell' onda vermiglia
Chiuse il rio che inseguiva Israele,
Quel che in pugno alla maschia Giaele
Pose il maglio ed il colpo guidò;
Quel che è Padre di tutte le genti,
Che non disse al Germano giammai:
'Va', raccogli ove arato non hai;
Spiega l'ugne; l'Italia ti do.'
Cara Italia! dovunque il dolente
Grido uscì del tuo lungo servaggio,
Dove ancor dell' umano lignaggio
Ogni speme deserta non è,

Dove già libertade è fiorita,
Dove ancor nel segreto matura,
Dove ha lacrime un' alta sventura,
Non c'è cor che non batta per te.
Quante volte sull' Alpe spiasti
L'apparir d'un amico stendardo!
Quante volte intendesti lo sguardo
Ne' deserti del duplice mar!
Ecco alfin dal tuo seno sboccati,
Stretti intorno a' tuoi santi colori,
Forti, armati de' proprj dolori,
I tuoi figli son sorti a pugnar.
Oggi, o forti, sui volti baleni
Il furor delle menti segrete:
Per l'Italia si pugna, vincete!
Il suo fato sui brandi vi sta.
O risorta per voi la vedremo
Al convito de' popoli assisa,
O più serva, più vil, più derisa
Sotto l'orrida verga starà.
Oh giornate del nostro riscatto!
Oh dolente per sempre colui
Che da lunge, dal labbro d'altrui,
Come un uomo straniero, le udrà!
Che, a' suoi figli narrandole un giorno,
Dovrà dir sospirando: 'Io non c'era';
Che la santa vittrice bandiera
Salutata quel dì non avrà.

iii

Il Cinque Maggio

EI fu. Siccome immobile,
Dato il mortal sospiro,
Stette la spoglia immemore
Orba di tanto spiro,
Così percossa, attonita
La terra al nunzio sta,
Muta pensando all' ultima
Ora dell' uom fatale;
Nè sa quando una simile
Orma di piè mortale
La sua cruenta polvere
A calpestar verrà.

Lui folgorante in solio
Vide il mio genio e tacque;
Quando, con vece assidua,
Cadde, risorse e giacque,
Di mille voci al sonito
Mista la sua non ha:
Vergin di servo encomio
E di codardo oltraggio,
Sorge or commosso al subito
Sparir di tanto raggio;
E scioglie all' urna un cantico
Che forse non morrà.

Dall' Alpi alle Piramidi,
Dal Manzanarre al Reno,
Di quel securo il fulmine
Tenea dietro al baleno;
Scoppiò da Scilla al Tanai,

Dall' uno all' altro mar.
Fu vera gloria? Ai posteri
    L'ardua sentenza: nui
    Chiniam la fronte al Massimo
    Fattor, che volle in lui
    Del creator suo spirito
    Più vasta orma stampar.

La procellosa e trepida
    Gioia d'un gran disegno,
    L'ansia d'un cor che indocile
    Serve, pensando al regno;
    E il giunge, e tiene un premio
    Ch'era follia sperar;

Tutto ei provò: la gloria
    Maggior dopo il periglio,
    La fuga e la vittoria,
    La reggia e il tristo esiglio:
    Due volte nella polvere,
    Due volte sull' altar.

Ei si nomò: due secoli,
    L'un contro l'altro armato,
    Sommessi a lui si volsero,
    Come aspettando il fato;
    Ei fe' silenzio, ed arbitro
    S'assise in mezzo a lor.

E sparve, e i dì nell' ozio
    Chiuse in sì breve sponda,
    Segno d'immensa invidia
    E di pietà profonda,
    D'inestinguibil odio
    E d'indomato amor.

Come sul capo al naufrago

L'onda s'avvolve e pesa,
L'onda su cui del misero,
Alta pur dianzi e tesa,
Scorrea la vista a scernere
Prode remote invan;
Tal su quell' alma il cumulo
Delle memorie scese!
Oh quante volte ai posteri
Narrar sè stesso imprese,
E sull' eterne pagine
Cadde la stanca man!
Oh quante volte, al tacito
Morir d'un giorno inerte,
Chinati i rai fulminei,
Le braccia al sen conserte,
Stette, e dei dì che furono
L'assalse il sovvenir!
E ripensò le mobili
Tende, e i percossi valli,
E il lampo de' manipoli,
E l'onda dei cavalli,
E il concitato imperio,
E il celere ubbidir.
Ahi! forse a tanto strazio
Cadde lo spirto anelo,
E disperò; ma valida
Venne una man dal cielo,
E in più spirabil aere
Pietosa il trasportò;
E l'avviò, pei floridi
Sentier della speranza,
Ai campi eterni, al premio

Che i desideri avanza,
Dov' è silenzio e tenebre
La gloria che passò.
Bella Immortal! benefica
Fede ai trionfi avvezza!
Scrivi ancor questo, allegrati;
Chè più superba altezza
Al disonor del Golgota
Giammai non si chinò.
Tu dalle stanche ceneri
Sperdi ogni ria parola:
Il Dio che atterra e suscita,
Che affanna e che consola,
Sulla deserta coltrice
Accanto a lui posò.

iv

312

Coro

(*Adelchi*, atto III)

DAGLI atrii muscosi, dai fòri cadenti,
Dai boschi, dall' arse fucine stridenti,
Dai solchi bagnati di servo sudor,
Un volgo disperso repente si desta;
Intende l'orecchio, solleva la testa
Percosso da novo crescente romor.
Dai guardi dubbiosi, dai pavidi volti,
Qual raggio di sole da nuvoli folti,
Traluce de' padri la fiera virtù:
Ne' guardi, ne' volti confuso ed incerto
Si mesce e discorda lo spregio sofferto
Col misero orgoglio d'un tempo che fu.

S'aduna voglioso, si sperde tremante,
   Per torti sentieri, con passo vagante,
   Fra tema e desire, s'avanza e ristà;
   E adocchia e rimira scorata e confusa
   De' crudi signori la turba diffusa,
   Che fugge dai brandi, che sosta non ha.
Ansanti li vede, quai trepide fere,
   Irsuti per tema le fulve criniere,
   Le note latebre del covo cercar;
   E quivi, deposta l'usata minaccia,
   Le donne superbe, con pallida faccia,
   I figli pensosi pensose guatar.
E sopra i fuggenti, con avido brando,
   Quai cani disciolti, correndo, frugando,
   Da ritta, da manca, guerrieri venir:
   Li vede, e rapito d'ignoto contento,
   Con l'agile speme precorre l'evento,
   E sogna la fine del duro servir.
Udite! Quei forti che tengono il campo,
   Che ai vostri tiranni precludon lo scampo,
   Son giunti da lunge, per aspri sentier:
   Sospeser le gioie dei prandi festosi,
   Assursero in fretta dai blandi riposi,
   Chiamati repente da squillo guerrier.
Lasciâr nelle sale del tetto natio
   Le donne accorate, tornanti all' addio,
   A preghi e consigli che il pianto troncò:
   Han carca la fronte de' pesti cimieri,
   Han poste le selle sui bruni corsieri,
   Volaron sul ponte che cupo sonò.
A torme, di terra passarono in terra,
   Cantando giulive canzoni di guerra,

Ma i dolci castelli pensando nel cor:
Per valli petrose, per balzi dirotti,
Vegliaron nell' arme le gelide notti,
Membrando i fidati colloqui d'amor.
Gli oscuri perigli di stanze incresciose,
Per greppi senz' orma le corse affannose,
Il rigido impero, le fami durâr:
Si vider le lance calate sui petti,
A canto agli scudi, rasente agli elmetti,
Udiron le frecce fischiando volar.
E il premio sperato, promesso a quei forti,
Sarebbe, o delusi, rivolger le sorti,
D'un volgo straniero por fine al dolor?
Tornate alle vostre superbe ruine,
All' opere imbelli dell' arse officine,
Ai solchi bagnati di servo sudor.
Il forte si mesce col vinto nemico,
Col novo signore rimane l'antico;
L'un popolo e l'altro sul collo vi sta.
Dividono i servi, dividon gli armenti;
Si posano insieme sui campi cruenti
D'un volgo disperso che nome non ha.

v

313   *La morte di Ermengarda*

(*Adelchi*, atto IV, coro)

SPARSA le trecce morbide
Sull' affannoso petto,
Lenta le palme, e rorida
Di morte il bianco aspetto,

Giace la pia, col tremolo
Sguardo cercando il ciel.
Cessa il compianto: unanime
S'innalza una preghiera:
Calata in su la gelida
Fronte, una man leggiera
Sulla pupilla cerula
Stende l'estremo vel.
Sgombra, o gentil, dall' ansia
Mente i terrestri ardori;
Leva all' Eterno un candido
Pensier d'offerta, e muori:
Fuor della vita è il termine
Del lungo tuo martir.
Tal della mesta, immobile
Era quaggiuso il fato:
Sempre un obblio di chiedere
Che le saria negato,
E al Dio dei santi ascendere
Santa del suo patir.
Ahi! nelle insonni tenebre,
Pei claustri solitari,
Tra il canto delle vergini,
Ai supplicati altari,
Sempre al pensier tornavano
Gl'irrevocati dì;
Quando ancor cara, improvida
D'un avvenir mal fido,
Ebbra spirò le vivide
Aure del Franco lido,
E tra le nuore Saliche
Invidïata uscì:

Quando da un poggio aereo,
  Il biondo crin gemmata,
  Vedea nel pian discorrere
  La caccia affaccendata,
  E sulle sciolte redini
  Chino il chiomato sir;
E dietro a lui la furia
  De' corridor fumanti;
  E lo sbandarsi, e il rapido
  Redir dei veltri ansanti;
  E dai tentati triboli
  L'irto cinghiale uscir;
E la battuta polvere
  Rigar di sangue, colto
  Dal regio stral: la tenera
  Alle donzelle il volto
  Volgea repente, pallida
  D'amabile terror.
Oh Mosa errante! oh tepidi
  Lavacri d'Aquisgrano!
  Ove, deposta l'orrida
  Maglia, il guerrier sovrano
  Scendea del campo a tergere
  Il nobile sudor!
Come rugiada al cespite
  Dell' erba inaridita,
  Fresca negli arsi calami
  Fa rifluir la vita,
  Che verdi ancor risorgono
  Nel temperato albor;
Tale al pensier, cui l'empia
  Virtù d'amor fatica,

Discende il refrigerio
D'una parola amica,
E il cor diverte ai placidi
Gaudj d'un altro amor.
Ma come il sol che reduce
L'erta infocata ascende,
E con la vampa assidua
L'immobil aura incende,
Risorti appena i gracili
Steli riarde al suol;
Ratto così dal tenue
Obblio torna immortale
L'amor sopito, e l'anima
Impaurita assale,
E le sviate immagini
Richiama al noto duol.
Sgombra, o gentil, dall' ansia
Mente i terrestri ardori;
Leva all' Eterno un candido
Pensier d'offerta, e muori:
Nel suol che dee la tenera
Tua spoglia ricoprir,
Altre infelici dormono,
Che il duol consunse: orbate
Spose dal brando, e vergini
Indarno fidanzate;
Madri che i nati videro
Trafitti impallidir.
Te, dalla rea progenie
Degli oppressor discesa,
Cui fu prodezza il numero,
Cui fu ragion l'offesa,

E dritto il sangue, e gloria
Il non aver pietà,
Te collocò la provida
Sventura infra gli oppressi:
Muori compianta e placida;
Scendi a dormir con essi:
Alle incolpate ceneri
Nessuno insulterà.
Muori; e la faccia esanime
Si ricomponga in pace;
Com' era allor che improvida
D'un avvenir fallace
Lievi pensier virginei
Solo pingea. Così
Dalle squarciate nuvole
Si svolge il sol cadente,
E dietro il monte imporpora
Il trepido occidente:
Al pio colono augurio
Di più sereno dì.

vi

La Pentecoste

314

MADRE de' Santi; immagine
Della città superna;
Del Sangue incorruttibile
Conservatrice eterna;
Tu che, da tanti secoli,
Soffri, combatti e preghi;
Che le tue tende spieghi
Dall' uno all' altro mar;

Campo di quei che sperano;
  Chiesa del Dio vivente;
  Dov' eri mai? qual angolo
  Ti raccogliea nascente,
  Quando il tuo Re, dai perfidi
  Tratto a morir sul colle,
  Imporporò le zolle
  Del suo sublime altar?
E allor che dalle tenebre
  La diva spoglia uscita,
  Mise il potente anelito
  Della seconda vita;
  E quando, in man recandosi
  Il prezzo del perdono,
  Da questa polve al trono
  Del Genitor salì;
Compagna del suo gemito,
  Conscia de' suoi misteri,
  Tu, della sua vittoria
  Figlia immortal, dov' eri?
  In tuo terror sol vigile,
  Sol nell' obblio secura,
  Stavi in riposte mura,
  Fino a quel sacro dì,
Quando su te lo Spirito
  Rinnovator discese,
  E l'inconsunta fiaccola
  Nella tua destra accese;
  Quando, segnal de' popoli,
  Ti collocò sul monte,
  E ne' tuoi labbri il fonte
  Della parola aprì.

ALESSANDRO MANZONI

Come la luce rapida
 Piove di cosa in cosa
 E i color vari suscita
 Dovunque si riposa:
 Tal risonò moltiplice
 La voce dello Spiro:
 L'Arabo, il Parto, il Siro
 In suo sermon l'udì.
Adorator degl' idoli,
 Sparso per ogni lido,
 Volgi lo sguardo a Solima,
 Odi quel santo grido:
 Stanca del vile ossequio,
 La terra a Lui ritorni:
 E voi che aprite i giorni
 Di più felice età,
Spose che desta il subito
 Balzar del pondo ascoso;
 Voi già vicine a sciogliere
 Il grembo doloroso;
 Alla bugiarda pronuba
 Non sollevate il canto:
 Cresce serbato al Santo
 Quel che nel sen vi sta.
Perchè, baciando i pargoli,
 La schiava ancor sospira?
 E il sen che nutre i liberi
 Invidïando mira?
 Non sa che al regno i miseri
 Seco il Signor solleva?
 Che a tutti i figli d'Eva
 Nel suo dolor pensò?

Nova franchigia annunziano
   I cieli, e genti nove;
   Nove conquiste, e gloria
   Vinta in più belle prove;
   Nova, ai terrori immobile
   E alle lusinghe infide,
   Pace, che il mondo irride,
   Ma che rapir non può.
O Spirto! supplichevoli
   A' tuoi solenni altari;
   Soli per selve inospite;
   Vaghi in deserti mari;
   Dall' Ande algenti al Libano,
   D'Erina all' irta Haiti,
   Sparsi per tutti i liti,
   Uni per Te di cor,
Noi T'imploriam! Placabile
   Spirto discendi ancora,
   A' tuoi cultor propizio,
   Propizio a chi T'ignora;
   Scendi e ricrea; rianima
   I cor nel dubbio estinti;
   E sia divina ai vinti
   Mercede il vincitor.
Discendi Amor; negli animi
   L'ire superbe attuta:
   Dona i pensier che il memore
   Ultimo dì non muta:
   I doni tuoi benefica
   Nutra la tua virtude;
   Siccome il sol che schiude
   Dal pigro germe il fior;

Che lento poi sull' umili
   Erbe morrà non colto,
   Nè sorgerà coi fulgidi
   Color del lembo sciolto,
   Se fuso a lui nell' etere
   Non tornerà quel mite
   Lume, dator di vite,
   E infaticato altor.
Noi T'imploriam! Ne' languidi
   Pensier dell' infelice
   Scendi piacevol alito,
   Aura consolatrice:
   Scendi bufera ai tumidi
   Pensier del violento;
   Vi spira uno sgomento
   Che insegni la pietà.
Per Te sollevi il povero
   Al ciel, ch'è suo, le ciglia,
   Volga i lamenti in giubilo,
   Pensando a Cui somiglia:
   Cui fu donato in copia,
   Doni con volto amico,
   Con quel tacer pudico,
   Che accetto il don ti fa.
Spira de' nostri bamboli
   Nell' ineffabil riso;
   Spargi la casta porpora
   Alle donzelle in viso;
   Manda alle ascose vergini
   Le pure gioie ascose;
   Consacra delle spose
   Il verecondo amor.

ALESSANDRO MANZONI

Tempra de' baldi giovani
    Il confidente ingegno;
    Reggi il viril proposito
    Ad infallibil segno;
    Adorna la canizie
    Di liete voglie sante;
    Brilla nel guardo errante
    Di chi sperando muor.

TOMMASO GROSSI

1791–†1853

315   (*La Rondinella*)

RONDINELLA pellegrina
    Che ti posi in sul verone,
    Ricantando ogni mattina
    Quella flebile canzone,
    Che vuoi dirmi in tua favella,
    Pellegrina rondinella?
Solitaria nell' obblio,
    Dal tuo sposo abbandonata,
    Piangi forse al pianto mio,
    Vedovetta sconsolata?
    Piangi, piangi in tua favella,
    Pellegrina rondinella.
Pur di me manco infelice
    Tu alle penne almen t'affidi,
    Scorri il lago e la pendice,
    Empi l'aria de' tuoi gridi,
    Tutto il giorno in tua favella
    Lui chiamando, o rondinella.

TOMMASO GROSSI

Oh se anch' io!... Ma lo contende
  Questa bassa, angusta volta,
  Dove sole non risplende,
  Dove l'aria ancor m'è tolta,
  Donde a te la mia favella
  Giunge appena, o rondinella.
Il settembre innanzi viene
  E a lasciarmi ti prepari;
  Tu vedrai lontane arene,
  Nuovi monti, nuovi mari,
  Salutando in tua favella,
  Pellegrina rondinella.
Ed io, tutte le mattine
  Riaprendo gli occhi al pianto,
  Fra le nevi e fra le brine
  Crederò d'udir quel canto,
  Onde par che in tua favella
  Mi compianga, o rondinella.
Una croce a primavera
  Troverai su questo suolo;
  Rondinella, in su la sera
  Sovra lei raccogli il volo:
  Dimmi pace in tua favella,
  Pellegrina rondinella.

GIACOMO LEOPARDI

1798–†1837

i

All'Italia

O PATRIA mia, vedo le mura e gli archi
E le colonne e i simulacri e l'erme
  Torri degli avi nostri,
  Ma la gloria non vedo,
  Non vedo il lauro e il ferro ond' eran carchi
I nostri padri antichi. Or fatta inerme,
  Nuda la fronte e nudo il petto mostri.
  Oimè quante ferite,
  Che lividor, che sangue! oh qual ti veggio
Formosissima donna! Io chiedo al cielo
E al mondo: Dite, dite;
  Chi la ridusse a tale? E questo è peggio,
Che di catene ha carche ambe le braccia;
  Sì che sparte le chiome e senza velo
Siede in terra negletta e sconsolata,
  Nascondendo la faccia
  Tra le ginocchia, e piange.
Piangi, che ben hai donde, Italia mia,
  Le genti a vincer nata
  E nella fausta sorte e nella ria.

Se fosser gli occhi tuoi due fonti vive,
  Mai non potrebbe il pianto
  Adeguarsi al tuo danno ed allo scorno;
Che fosti donna, or sei povera ancella.
  Chi di te parla o scrive,
  Che, rimembrando il tuo passato vanto,
  Non dica: Già fu grande, or non è quella?

Perchè, perchè? dov' è la forza antica,
Dove l'armi e il valore e la costanza?
Chi ti discinse il brando?
Chi ti tradì? qual arte o qual fatica
O qual tanta possanza
Valse a spogliarti il manto e l'auree bende?
Come cadesti o quando
Da tanta altezza in così basso loco?
Nessun pugna per te? non ti difende
Nessun de' tuoi? L'armi, qua l'armi: io solo
Combatterò, procomberò sol io.
Dammi, o ciel, che sia foco
Agl' Italici petti il sangue mio.

Dove sono i tuoi figli? Odo suon d'armi
E di carri e di voci e di timballi:
In estranie contrade
Pugnano i tuoi figliuoli.
Attendi, Italia, attendi. Io veggio, o parmi,
Un fluttuar di fanti e di cavalli,
E fumo e polve, e luccicar di spade
Come tra nebbia lampi.
Nè ti conforti? e i tremebondi lumi
Piegar non soffri al dubitoso evento?
A che pugna in quei campi
L'Itala gioventude? O numi, o numi!
Pugnan per altra terra Itali acciari.
Oh misero colui che in guerra è spento,
Non per li patrii lidi e per la pia
Consorte e i figli cari,
Ma da nemici altrui
Per altra gente, e non può dir morendo:
'Alma terra natia,

La vita che mi desti ecco ti rendo.'
Oh venturose e care e benedette
   L'antiche età, che a morte
   Per la patria correan le genti a squadre;
   E voi sempre onorate e glorïose,
   O Tessaliche strette,
   Dove la Persia e il fato assai men forte
   Fu di poch' alme franche e generose!
   Io credo che le piante e i sassi e l'onda
   E le montagne vostre al passeggere
   Con indistinta voce
   Narrin siccome tutta quella sponda
   Coprîr le invitte schiere
   De' corpi ch'alla Grecia eran devoti.
   Allor, vile e feroce,
   Serse per l'Ellesponto si fuggia,
   Fatto ludibrio agli ultimi nepoti;
   E sul colle d'Antela, ove morendo
   Si sottrasse da morte il santo stuolo,
   Simonide salia,
   Guardando l'etra e la marina e il suolo.
E di lacrime sparso ambe le guance,
   E il petto ansante, e vacillante il piede,
   Toglieasi in man la lira:
   'Beatissimi voi,
   Ch' offriste il petto alle nemiche lance
   Per amor di costei ch'al Sol vi diede;
   Voi che la Grecia cole, e il mondo ammira.
   Nell' armi e ne' perigli
   Qual tanto amor le giovanette menti,
   Qual nell' acerbo fato amor vi trasse?
   Come sì lieta, o figli,

L'ora estrema vi parve, onde ridenti
Correste al passo lacrimoso e duro?
Parea ch'a danza e non a morte andasse
Ciascun de' vostri, o a splendido convito:
Ma v'attendea lo scuro
Tartaro, e l'onda morta;
Nè le spose vi fôro o i figli accanto
Quando sull' aspro lito
Senza baci moriste e senza pianto.
Ma non senza de' Persi orrida pena
Ed immortale angoscia.
Come lion di tori entro una mandra
Or salta a quello in tergo e sì gli scava
Con le zanne la schiena,
Or questo fianco addenta or quella coscia:
Tal fra le Perse torme infurïava
L'ira de' Greci petti e la virtute.
Ve' cavalli supini e cavalieri;
Vedi intralciare ai vinti
La fuga i carri e le tende cadute,
E correr fra' primieri
Pallido e scapigliato esso tiranno;
Ve' come infusi e tinti
Del barbarico sangue i Greci eroi,
Cagione ai Persi d'infinito affanno,
A poco a poco vinti dalle piaghe,
L'un sopra l'altro cade. Oh viva, oh viva!
Beatissimi voi
Mentre nel mondo si favelli o scriva.
Prima divelte, in mar precipitando,
Spente nell' imo strideran le stelle,
Che la memoria e il vostro

Amor trascorra o scemi.
La vostra tomba è un' ara; e qua mostrando
Verran le madri ai parvoli le belle
Orme del vostro sangue. Ecco io mi prostro,
O benedetti, al suolo,
E bacio questi sassi e queste zolle,
Che fien lodate e chiare eternamente
Dall' uno all' altro polo.
Deh foss' io pur con voi qui sotto, e molle
Fosse del sangue mio quest' alma terra:
Che se il fato è diverso, e non consente
Ch'io per la Grecia i moribondi lumi
Chiuda prostrato in guerra,
Così la vereconda
Fama del vostro vate appo i futuri
Possa, volendo i numi,
Tanto durar quanto la vostra duri.'

ii

317 *Ad Angelo Mai*

quand' ebbe trovato i libri di Cicerone 'Della Repubblica'

ITALO ardito, a che giammai non posi
Di svegliar dalle tombe
I nostri padri? ed a parlar gli meni
A questo secol morto, al quale incombe
Tanta nebbia di tedio? E come or vieni
Sì forte a nostr' orecchi e sì frequente,
Voce antica de' nostri,
Muta sì lunga etade? e perchè tanti
Risorgimenti? In un balen feconde

Venner le carte; alla stagion presente
I polverosi chiostri
Serbaro occulti i generosi e santi
Detti degli avi. E che valor t'infonde,
Italo egregio, il fato? O con l'umano
Valor forse contrasta il fato invano?
Certo senza de' numi alto consiglio
Non è ch'ove più lento
E grave è il nostro disperato obblio,
A percoter ne rieda ogni momento
Novo grido de' padri. Ancora è pio
Dunque all' Italia il cielo; anco si cura
Di noi qualche immortale:
Ch'essendo questa o nessun' altra poi
L'ora da ripor mano alla virtude
Rugginosa dell' Itala natura,
Veggiam che tanto e tale
È il clamor de' sepolti, e che gli eroi
Dimenticati il suol quasi dischiude,
A ricercar s'a questa età sì tarda
Anco ti giovi, o patria, esser codarda.
Di noi serbate, o glorïosi, ancora
Qualche speranza? in tutto
Non siam periti? A voi forse il futuro
Conoscer non si toglie. Io son distrutto,
Nè schermo alcuno ho dal dolor, chè scuro
M'è l'avvenire, e tutto quanto io scerno
È tal che sogno e fola
Fa parer la speranza. Anime prodi,
Ai tetti vostri inonorata, immonda
Plebe successe; al vostro sangue è scherno
E d'opra e di parola

Ogni valor; di vostre eterne lodi
Nè rossor più nè invidia; ozio circonda
I monumenti vostri; e di viltade
Siam fatti esempio alla futura etade.
Bennato ingegno, or quando altrui non cale
De' nostri alti parenti,
A te ne caglia, a te cui fato aspira
Benigno sì che per tua man presenti
Paion que' giorni allor che dalla dira
Obblivïone antica ergean la chioma,
Con gli studi sepolti,
I vetusti divini, a cui natura
Parlò senza svelarsi, onde i riposi
Magnanimi allegrâr d'Atene e Roma.
Oh tempi, oh tempi avvolti
In sonno eterno! Allora anco immatura
La ruina d'Italia, anco sdegnosi
Eravam d'ozio turpe, e l'aura a volo
Più faville rapia da questo suolo.
Eran calde le tue ceneri sante,
Non domito nemico
Della fortuna, al cui sdegno e dolore
Fu più l'averno che la terra amico.
L'averno: e qual non è parte migliore
Di questa nostra? E le tue dolci corde
Susurravano ancora
Dal tocco di tua destra, o sfortunato
Amante. Ahi dal dolor comincia e nasce
L'Italo canto. E pur men grava e morde
Il mal che n'addolora
Del tedio che n'affoga. Oh te beato,
A cui fu vita il pianto! A noi le fasce

Cinse il fastidio; a noi presso la culla
Immoto siede, e sulla tomba, il nulla.
Ma tua vita era allor con gli astri e il mare,
Ligure ardita prole,
Quand' oltre alle colonne, ed oltre ai liti,
Cui strider l'onde all' attuffar del sole
Parve udir sulla sera, agl' infiniti
Flutti commesso, ritrovasti il raggio
Del Sol caduto, e il giorno
Che nasce allor ch'ai nostri è giunto al fondo;
E rotto di natura ogni contrasto,
Ignota immensa terra al tuo vïaggio
Fu gloria, e del ritorno
Ai rischi. Ahi ahi, ma conosciuto il mondo
Non cresce, anzi si scema, e assai più vasto
L'etra sonante e l'alma terra e il mare
Al fanciullin, che non al saggio, appare.
Nostri sogni leggiadri ove son giti
Dell' ignoto ricetto
D'ignoti abitatori, o del diurno
Degli astri albergo, e del rimoto letto
Della giovane Aurora, e del notturno
Occulto sonno del maggior pianeta?
Ecco svaniro a un punto,
E figurato è il mondo in breve carta;
Ecco tutto è simìle, e discoprendo,
Solo il nulla s'accresce. A noi ti vieta
Il vero appena è giunto,
O caro immaginar; da te s'apparta
Nostra mente in eterno; allo stupendo
Poter tuo primo ne sottraggon gli anni;
E il conforto perì de' nostri affanni.

GIACOMO LEOPARDI

Nascevi ai dolci sogni intanto, e il primo
  Sole splendeati in vista,
  Cantor vago dell' arme e degli amori,
  Che in età della nostra assai men trista
  Empiêr la vita di felici errori:
  Nova speme d'Italia. O torri, o celle,
  O donne, o cavalieri,
  O giardini, o palagi! a voi pensando,
  In mille vane amenità si perde
  La mente mia. Di vanità, di belle
  Fole e strani pensieri
  Si componea l'umana vita: in bando
  Li cacciammo: or che resta? or poi che il verde
  È spogliato alle cose? Il certo e solo
  Veder che tutto è vano altro che il duolo.
O Torquato, o Torquato, a noi l'eccelsa
  Tua mente allora, il pianto
  A te, non altro, preparava il cielo.
  Oh misero Torquato! il dolce canto
  Non valse a consolarti o a sciôrre il gelo
  Onde l'alma t'avean, ch'era sì calda,
  Cinta l'odio e l'immondo
  Livor privato e de' tiranni. Amore,
  Amor, di nostra vita ultimo inganno,
  T'abbandonava. Ombra reale e salda
  Ti parve il nulla, e il mondo
  Inabitata piaggia. Al tardo onore
  Non sorser gli occhi tuoi; mercè, non danno,
  L'ora estrema ti fu. Morte domanda
  Chi nostro mal conobbe, e non ghirlanda.
Torna torna fra noi, sorgi dal muto
  E sconsolato avello,

Se d'angoscia sei vago, o miserando
Esemplo di sciagura. Assai da quello
Che ti parve sì mesto e sì nefando,
È peggiorato il viver nostro. O caro,
Chi ti compiangeria
Se, fuor che di sè stesso, altri non cura?
Chi stolto non direbbe il tuo mortale
Affanno anche oggidì, se il grande e il raro
Ha nome di follia;
Nè livor più, ma ben di lui più dura
La noncuranza avviene ai sommi? o quale,
Se più de' carmi il computar s'ascolta,
Ti appresterebbe il lauro un'altra volta?
Da te fino a quest'ora uom non è sorto,
  O sventurato ingegno,
Pari all' Italo nome, altro ch'un solo,
Solo di sua codarda etate indegno,
Allobrogo feroce, a cui dal polo
Maschia virtù, non già da questa mia
  Stanca ed arida terra,
Venne nel petto; onde privato, inerme,
(Memorando ardimento) in su la scena
Mosse guerra a' tiranni: almen si dia
  Questa misera guerra
E questo vano campo all' ire inferme
Del mondo. Ei primo e sol dentro all' arena
Scese, e nullo il seguì, chè l'ozio e il brutto
Silenzio or preme ai nostri innanzi a tutto.
Disdegnando e fremendo, immacolata
  Trasse la vita intera,
E morte lo scampò dal veder peggio.
Vittorio mio, questa per te non era

Età nè suolo. Altri anni ed altro seggio
Conviene agli alti ingegni. Or di riposo
Paghi viviamo, e scorti
Da medïocrità: sceso il sapiente
E salita è la turba a un sol confine,
Che il mondo agguaglia. O scopritor famoso,
Segui; risveglia i morti,
Poi che dormono i vivi; arma le spente
Lingue de' prischi eroi; tanto che in fine
Questo secol di fango o vita agogni
E sorga ad atti illustri, o si vergogni.

iii
Bruto Minore

POI che divelta, nella Tracia polve
Giacque ruina immensa
L'Italica virtute, onde alle valli
D'Esperia verde, e al Tiberino lido,
Il calpestio de' barbari cavalli
Prepara il fato, e dalle selve ignude,
Cui l'Orsa algida preme,
A spezzar le Romane inclite mura
Chiama i Gotici brandi;
Sudato, e molle di fraterno sangue,
Bruto per l'atra notte in erma sede,
Fermo già di morir, gl'inesorandi
Numi e l'averno accusa,
E di feroci note
Invan la sonnolenta aura percote.

Stolta virtù, le cave nebbie, i campi
    Dell' inquiete larve
    Son le tue scole, e ti si volge a tergo
    Il pentimento. A voi, marmorei numi
    (Se numi avete in Flegetonte albergo
    O su le nubi), a voi ludibrio e scherno
    È la prole infelice
    A cui templi chiedeste, e frodolenta
    Legge al mortale insulta.
    Dunque tanto i celesti odii commove
    La terrena pietà? dunque degli empi
    Siedi, Giove, a tutela? e quando esulta
    Per l'aere il nembo, e quando
    Il tuon rapido spingi,
    Ne' giusti e pii la sacra fiamma stringi?
Preme il destino invitto e la ferrata
    Necessità gl'infermi
    Schiavi di morte: e se a cessar non vale
    Gli oltraggi lor, de' necessarii danni
    Si consola il plebeo. Men duro è il male
    Che riparo non ha? dolor non sente
    Chi di speranza è nudo?
    Guerra mortale, eterna, o fato indegno,
    Teco il prode guerreggia,
    Di cedere inesperto; e la tiranna
    Tua destra, allor che vincitrice il grava,
    Indomito scrollando si pompeggia,
    Quando nell' alto lato
    L'amaro ferro intride,
    E maligno alle nere ombre sorride.
Spiace agli Dei chi vïolento irrompe
    Nel Tartaro. Non fôra

Tanto valor ne' molli eterni petti.
Forse i travagli nostri, e forse il cielo
I casi acerbi e gl'infelici affetti
Giocondo agli ozi suoi spettacol pose?
Non fra sciagure e colpe,
Ma libera ne' boschi e pura etade
Natura a noi prescrisse,
Reina un tempo e Diva. Or poi ch'a terra
Sparse i regni beati empio costume,
E il viver macro ad altre leggi addisse;
Quando gl'infausti giorni
Virile alma ricusa,
Riede natura, e il non suo dardo accusa?
Di colpa ignare e de' lor proprii danni
Le fortunate belve
Serena adduce al non previsto passo
La tarda età. Ma se spezzar la fronte
Ne' rudi tronchi, o da montano sasso
Dare al vento precipiti le membra,
Lor süadesse affanno,
Al misero desio nulla contesa
Legge arcana farebbe
O tenebroso ingegno. A voi, fra quante
Stirpi il cielo avvivò, soli fra tutte,
Figli di Prometeo, la vita increbbe;
A voi le morte ripe,
Se il fato ignavo pende,
Soli, o miseri, a voi Giove contende.
E tu dal mar cui nostro sangue irriga,
Candida luna, sorgi,
E l'inquïeta notte e la funesta
All' Ausonio valor campagna esplori.

Cognati petti il vincitor calpesta,
Fremono i poggi, dalle somme vette
Roma antica ruina;
Tu sì placida sei? Tu la nascente
Lavinia prole e gli anni
Lieti vedesti, e i memorandi allori;
E tu sull' alpe l'immutato raggio
Tacita verserai quando, ne' danni
Del servo Italo nome,
Sotto barbaro piede
Rintronerà quella solinga sede.
Ecco tra nudi sassi o in verde ramo
E la fera e l'augello,
Del consüeto obblio gravido il petto,
L'alta ruina ignora e le mutate
Sorti del mondo: e come prima il tetto
Rosseggerà del villanello industre,
Al mattutino canto
Quel desterà le valli, e per le balze
Quella l'inferma plebe
Agiterà delle minori belve.
Oh casi! oh gener vano! abbietta parte
Siam delle cose; e non le tinte glebe,
Non gli ululati spechi
Turbò nostra sciagura,
Nè scolorò le stelle umana cura.
Non io d'Olimpo o di Cocito i sordi
Regi, o la terra indegna,
E non la notte moribondo appello;
Non te, dell' atra morte ultimo raggio,
Conscia futura età. Sdegnoso avello
Placâr singulti, ornâr parole e doni

Di vil caterva? in peggio
Precipitano i tempi: e mal s'affida
A putridi nepoti
L'onor d'egregie menti e la suprema
De' miseri vendetta. A me d'intorno
Le penne il bruno augello avido roti;
Prema la fera, e il nembo
Tratti l'ignota spoglia;
E l'aura il nome e la memoria accoglia.

iv

L'Infinito

SEMPRE caro mi fu quest'ermo colle,
E questa siepe, che da tanta parte
Dell'ultimo orizzonte il guardo esclude.
Ma sedendo e mirando, interminati
Spazi di là da quella, e sovrumani
Silenzi, e profondissima quïete
Io nel pensier mi fingo; ove per poco
Il cor non si spaura. E come il vento
Odo stormir tra queste piante, io quello
Infinito silenzio a questa voce
Vo comparando: e mi sovvien l'eterno,
E le morte stagioni, e la presente
E viva, e il suon di lei. Così tra questa
Immensità s'annega il pensier mio:
E il naufragar m'è dolce in questo mare.

319

411

v

320   *La sera del dì di festa*

DOLCE e chiara è la notte e senza vento,
E queta sovra i tetti e in mezzo agli orti
Posa la luna, e di lontan rivela
Serena ogni montagna. O donna mia,
Già tace ogni sentiero, e pei balconi
Rara traluce la notturna lampa:
Tu dormi, chè t'accolse agevol sonno
Nelle tue chete stanze; e non ti morde
Cura nessuna; e già non sai nè pensi
Quanta piaga m'apristi in mezzo al petto.
Tu dormi: io questo ciel, che sì benigno
Appare in vista, a salutar m'affaccio,
E l'antica natura onnipossente,
Che mi fece all' affanno. 'A te la speme
Nego — mi disse — anche la speme; e d'altro
Non brillin gli occhi tuoi se non di pianto.'
Questo dì fu solenne: or da' trastulli
Prendi riposo; e forse ti rimembra
In sogno a quanti oggi piacesti, e quanti
Piacquero a te: non io, non già ch'io speri,
Al pensier ti ricorro. Intanto io chieggo
Quanto a viver mi resti, e qui per terra
Mi getto, e grido, e fremo. Oh giorni orrendi
In così verde etate! Ahi, per la via
Odo non lunge il solitario canto
Dell' artigian, che riede a tarda notte,
Dopo i sollazzi, al suo povero ostello;
E fieramente mi si stringe il core,
A pensar come tutto al mondo passa,

E quasi orma non lascia. Ecco è fuggito
Il dì festivo, ed al festivo il giorno
Volgar succede, e se ne porta il tempo
Ogni umano accidente. Or dov'è il suono
Di que' popoli antichi? or dov'è il grido
De' nostri avi famosi, e il grande impero
Di quella Roma, e l'armi e il fragorio
Che n'andò per la terra e l'oceàno?
Tutto è pace e silenzio, e tutto posa
Il mondo, e più di lor non si ragiona.
Nella mia prima età, quando s'aspetta
Bramosamente il dì festivo, or poscia
Ch'egli era spento, io doloroso, in veglia,
Premea le piume; ed alla tarda notte
Un canto che s'udia per li sentieri
Lontanando morire a poco a poco,
Già similmente mi stringeva il core.

vi

321 *Alla luna*

O GRAZĬOSA luna, io mi rammento
Che, or volge l'anno, sovra questo colle
Io venia pien d'angoscia a rimirarti:
E tu pendevi allor su quella selva
Siccome or fai, che tutta la rischiari.
Ma nebuloso e tremulo dal pianto
Che mi sorgea sul ciglio, alle mie luci
Il tuo volto apparia, chè travagliosa
Era mia vita: ed è, nè cangia stile,
O mia diletta luna. E pur mi giova
La ricordanza, e il noverar l'etate

413

Del mio dolore. Oh come grato occorre
Nel tempo giovanil, quando ancor lungo
La speme e breve ha la memoria il corso,
Il rimembrar delle passate cose,
Ancor che triste, e che l'affanno duri!

vii

322   *Alla sua donna*

CARA beltà che amore
Lunge m'inspiri o nascondendo il viso,
Fuor se nel sonno il core
Ombra diva mi scuoti,
O ne' campi ove splenda
Più vago il giorno e di natura il riso;
Forse tu l'innocente
Secol beasti che dall' oro ha nome,
Or leve intra la gente
Anima voli? o te la sorte avara,
Ch'a noi t'asconde, agli avvenir prepara?
Viva mirarti omai
Nulla spene m'avanza;
S'allor non fosse, allor che ignudo e solo
Per novo calle a peregrina stanza
Verrà lo spirto mio. Già sul novello
Aprir di mia giornata incerta e bruna,
Te viatrice in questo arido suolo
Io mi pensai. Ma non è cosa in terra
Che ti somigli; e s'anco pari alcuna
Ti fosse al volto, agli atti, alla favella,
Saria, così conforme, assai men bella.
Fra cotanto dolore

Quanto all' umana età propose il fato,
Se vera, e quale il mio pensier ti pinge,
Alcun t'amasse in terra, a lui pur fôra
Questo viver beato:
E ben chiaro vegg' io siccome ancora
Seguir loda e virtù qual ne' prim' anni
L'amor tuo mi farebbe. Or non aggiunse
Il ciel nullo conforto ai nostri affanni;
E teco la mortal vita saria
Simile a quella che nel cielo india.
Per le valli, ove suona
Del faticoso agricoltore il canto,
Ed io seggo e mi lagno
Del giovanile error che m'abbandona;
E per li poggi, ov' io rimembro e piagno
I perduti desiri, e la perduta
Speme de' giorni miei; di te pensando
A palpitar mi sveglio. E potess' io,
Nel secol tetro e in questo aer nefando,
L'alta specie serbar; chè dell' imago,
Poi che del ver m'è tolto, assai m'appago.
Se dell' eterne idee
L'una sei tu, cui di sensibil forma
Sdegni l'eterno senno esser vestita,
E fra caduche spoglie
Provar gli affanni di funerea vita;
O s'altra terra ne' superni giri
Fra mondi innumerabili t'accoglie,
E più vaga del sol prossima stella
T'irraggia, e più benigno etere spiri;
Di qua dove son gli anni infausti e brevi,
Questo d'ignoto amante inno ricevi.

viii

A Silvia

323

SILVIA, rimembri ancora
Quel tempo della tua vita mortale,
Quando beltà splendea
Negli occhi tuoi ridenti e fuggitivi,
E tu, lieta e pensosa, il limitare
Di gioventù salivi?
Sonavan le quïete
Stanze, e le vie dintorno,
Al tuo perpetuo canto,
Allor che all' opre femminili intenta
Sedevi, assai contenta
Di quel vago avvenir che in mente avevi.
Era il maggio odoroso: e tu solevi
Così menare il giorno.

Io gli studi leggiadri
Talor lasciando e le sudate carte,
Ove il tempo mio primo
E di me si spendea la miglior parte,
D'in su i veroni del paterno ostello
Porgea gli orecchi al suon della tua voce,
Ed alla man veloce
Che percorrea la faticosa tela.
Mirava il ciel sereno,
Le vie dorate e gli orti,
E quinci il mar da lungi, e quindi il monte.
Lingua mortal non dice
Quel ch'io sentiva in seno.

Che pensieri soavi,
Che speranze, che cori, o Silvia mia!

Quale allor ci apparia
La vita umana e il fato!
Quando sovviemmi di cotanta speme,
Un affetto mi preme
Acerbo e sconsolato,
E tornami a doler di mia sventura.
O natura, o natura,
Perchè non rendi poi
Quel che prometti allor? perchè di tanto
Inganni i figli tuoi?

Tu pria che l'erbe inaridisse il verno,
Da chiuso morbo combattuta e vinta,
Perivi, o tenerella. E non vedevi
Il fior degli anni tuoi;
Non ti molceva il core
La dolce lode or delle negre chiome,
Or degli sguardi innamorati e schivi;
Nè teco le compagne ai dì festivi
Ragionavan d'amore.

Anche peria fra poco
La speranza mia dolce: agli anni miei
Anche negaro i fati
La giovanezza. Ahi come,
Come passata sei,
Cara compagna dell' età mia nova,
Mia lacrimata speme!
Questo è quel mondo? questi
I diletti, l'amor, l'opre, gli eventi
Onde cotanto ragionammo insieme?
Questa la sorte delle umane genti?
All' apparir del vero
Tu, misera, cadesti: e con la mano

La fredda morte ed una tomba ignuda
Mostravi di lontano.

ix
Le Ricordanze

324

VAGHE stelle dell' Orsa, io non credea
Tornare ancor per uso a contemplarvi
Sul paterno giardino scintillanti,
E ragionar con voi dalle finestre
Di questo albergo ove abitai fanciullo,
E delle gioie mie vidi la fine.
Quante immagini un tempo, e quante fole
Creommi nel pensier l'aspetto vostro
E delle luci a voi compagne! allora
Che, tacito, seduto in verde zolla,
Delle sere io solea passar gran parte
Mirando il cielo, ed ascoltando il canto
Della rana rimota alla campagna!
E la lucciola errava appo le siepi
E in su l'aiuole, susurrando al vento
I vïali odorati, ed i cipressi
Là nella selva; e sotto al patrio tetto
Sonavan voci alterne, e le tranquille
Opre de' servi. E che pensieri immensi,
Che dolci sogni mi spirò la vista
Di quel lontano mar, quei monti azzurri,
Che di qua scopro, e che varcare un giorno
Io mi pensava, arcani mondi, arcana
Felicità fingendo al viver mio!
Ignaro del mio fato, e quante volte
Questa mia vita dolorosa e nuda

Volentier con la morte avrei cangiato.
Nè mi diceva il cor che l'età verde
    Sarei dannato a consumare in questo
    Natio borgo selvaggio, intra una gente
    Zotica, vil; cui nomi strani, e spesso
    Argomento di riso e di trastullo,
    Son dottrina e saper; che m'odia e fugge,
    Per invidia non già, che non mi tiene
    Maggior di sè, ma perchè tale estima
    Ch'io mi tenga in cor mio, sebben di fuori
    A persona giammai non ne fo segno.
    Qui passo gli anni, abbandonato, occulto,
    Senz' amor, senza vita; ed aspro a forza
    Tra lo stuol de' malevoli divengo;
    Qui di pietà mi spoglio e di virtudi,
    E sprezzator degli uomini mi rendo,
    Per la greggia che ho appresso; e intanto vola
    Il caro tempo giovanil: più caro
    Che la fama e l'allôr, più che la pura
    Luce del giorno, e lo spirar: ti perdo
    Senza un diletto, inutilmente, in questo
    Soggiorno disumano, intra gli affanni,
    O dell' arida vita unico fiore.
Viene il vento recando il suon dell' ora
    Dalla torre del borgo. Era conforto
    Questo suon, mi rimembra, alle mie notti,
    Quando fanciullo, nella buia stanza,
    Per assidui terrori io vigilava,
    Sospirando il mattin. Qui non è cosa
    Ch'io vegga o senta, onde un' immagin dentro
    Non torni, e un dolce rimembrar non sorga
    Dolce per sè; ma con dolor sottentra

Il pensier del presente, un van desio
Del passato, ancor tristo, e il dire: Io fui.
Quella loggia colà, volta agli estremi
Raggi del dì; queste dipinte mura,
Quei figurati armenti, e il Sol che nasce
Su romita campagna, agli ozi miei
Porser mille diletti allor che al fianco
M'era, parlando, il mio possente errore
Sempre, ov'io fossi. In queste sale antiche,
Al chiaror delle nevi, intorno a queste
Ampie finestre sibilando il vento,
Rimbombaro i sollazzi e le festose
Mie voci al tempo che l'acerbo, indegno
Mistero delle cose a noi si mostra
Pien di dolcezza; indelibata, intera
Il garzoncel, come inesperto amante,
La sua vita ingannevole vagheggia,
E celeste beltà fingendo ammira.
O speranze, speranze; ameni inganni
Della mia prima età! sempre, parlando,
Ritorno a voi; chè per andar di tempo,
Per variar d'affetti e di pensieri,
Obbliarvi non so. Fantasmi, intendo,
Son la gloria e l'onor; diletti e beni,
Mero desio; non ha la vita un frutto,
Inutile miseria. E sebben vôti
Son gli anni miei, sebben deserto, oscuro
Il mio stato mortal, poco mi toglie
La fortuna, ben veggo. Ahi, ma qualvolta
A voi ripenso, o mie speranze antiche,
Ed a quel caro immaginar mio primo;
Indi riguardo il viver mio sì vile

E sì dolente, e che la morte è quello
Che di cotanta speme oggi m'avanza;
Sento serrarmi il cor, sento ch'al tutto
Consolarmi non so del mio destino.
E quando pur questa invocata morte
Sarammi allato, e sarà giunto il fine
Della sventura mia; quando la terra
Mi fia straniera valle, e dal mio sguardo
Fuggirà l'avvenir, di voi per certo
Risovverrammi; e quell' imago ancora
Sospirar mi farà, farammi acerbo
L'esser vissuto indarno, e la dolcezza
Del dì fatal tempererà d'affanno.
E già nel primo giovanil tumulto
Di contenti, d'angosce e di desio,
Morte chiamai più volte, e lungamente
Mi sedetti colà su la fontana
Pensoso di cessar dentro quell' acque
La speme e il dolor mio. Poscia, per cieco
Malor, condotto della vita in forse,
Piansi la bella giovanezza, e il fiore
De' miei poveri dì, che sì per tempo
Cadeva: e spesso all' ore tarde, assiso
Sul conscio letto, dolorosamente
Alla fioca lucerna poetando,
Lamentai co' silenzi e con la notte
Il fuggitivo spirto, ed a me stesso
In sul languir cantai funereo canto.
Chi rimembrar vi può senza sospiri,
O primo entrar di giovinezza, o giorni
Vezzosi, inenarrabili, allor quando
Al rapito mortal primieramente

Sorridon le donzelle; a gara intorno
Ogni cosa sorride; invidia tace,
Non desta ancora ovver benigna; e quasi
(Inusitata maraviglia!) il mondo
La destra soccorrevole gli porge,
Scusa gli errori suoi, festeggia il novo
Suo venir nella vita, ed inchinando
Mostra che per signor l'accolga e chiami?
Fugaci giorni! a somigliar d'un lampo
Son dileguati. E qual mortale ignaro
Di sventura esser può, se a lui già scorsa
Quella vaga stagion, se il suo buon tempo,
Se giovanezza, ahi giovanezza, è spenta?

O Nerina! e di te forse non odo
Questi luoghi parlar? caduta forse
Dal mio pensier sei tu? Dove sei gita,
Che qui sola di te la ricordanza
Trovo, dolcezza mia? Più non ti vede
Questa terra natal: quella finestra,
Ond' eri usata favellarmi, ed onde
Mesto riluce delle stelle il raggio,
È deserta. Ove sei, che più non odo
La tua voce sonar, siccome un giorno,
Quando soleva ogni lontano accento
Del labbro tuo, ch'a me giungesse, il volto
Scolorarmi? Altro tempo. I giorni tuoi
Furo, mio dolce amor. Passasti. Ad altri
Il passar per la terra oggi è sortito,
E l'abitar questi odorati colli.
Ma rapida passasti; e come un sogno
Fu la tua vita. Ivi danzando, in fronte
La gioia ti splendea, splendea negli occhi

Quel confidente immaginar, quel lume
Di gioventù, quando spegneali il fato,
E giacevi. Ahi Nerina! In cor mi regna
L'antico amor. Se a feste anco talvolta,
Se a radunanze io movo, infra me stesso
Dico: 'O Nerina, a radunanze, a feste
Tu non ti acconci più, tu più non movi.'
Se torna maggio, e ramoscelli e suoni
Van gli amanti recando alle fanciulle,
Dico: 'Nerina mia, per te non torna
Primavera giammai, non torna amore.'
Ogni giorno sereno, ogni fiorita
Piaggia ch'io miro, ogni goder ch'io sento,
Dico: 'Nerina or più non gode; i campi,
L'aria non mira.' Ahi tu passasti, eterno
Sospiro mio: passasti: e fia compagna
D'ogni mio vago immaginar, di tutti
I miei teneri sensi, i tristi e cari
Moti del cor, la rimembranza acerba.

x

325   *Canto notturno di un pastore*
errante dell' Asia

CHE fai tu, luna, in ciel? dimmi, che fai,
Silenzïosa luna?
   Sorgi la sera, e vai
Contemplando i deserti; indi ti posi.
Ancor non sei tu paga
Di riandare i sempiterni calli?
Ancor non prendi a schivo, ancor sei vaga
Di mirar queste valli?

Somiglia alla tua vita
La vita del pastore.
Sorge in sul primo albore,
Move la greggia oltre pel campo, e vede
Greggi, fontane ed erbe;
Poi stanco si riposa in su la sera:
Altro mai non ispera.
Dimmi, o luna: a che vale
Al pastor la sua vita,
La vostra vita a voi? dimmi: ove tende
Questo vagar mio breve,
Il tuo corso immortale?
Vecchierel bianco, infermo,
Mezzo vestito e scalzo,
Con gravissimo fascio in su le spalle,
Per montagna e per valle,
Per sassi acuti, ed alta rena, e fratte,
Al vento, alla tempesta, e quando avvampa
L'ora, e quando poi gela,
Corre via, corre, anela,
Varca torrenti e stagni,
Cade, risorge, e più e più s'affretta,
Senza posa o ristoro,
Lacero, sanguinoso; infin ch'arriva
Colà dove la via
E dove il tanto affaticar fu volto:
Abisso orrido, immenso,
Ov' ei, precipitando, il tutto obblia.
Vergine luna, tale
È la vita mortale.
Nasce l'uomo a fatica,
Ed è rischio di morte il nascimento.

Prova pena e tormento
Per prima cosa; e in sul principio stesso
La madre e il genitore
Il prende a consolar dell' esser nato.
Poi che crescendo viene,
L'uno e l'altro il sostiene, e via pur sempre
Con atti e con parole
Studiasi fargli core,
E consolarlo dell' umano stato:
Altro ufficio più grato
Non si fa da parenti alla lor prole.
Ma perchè dare al sole,
Perchè reggere in vita
Chi poi di quella consolar convenga?
Se la vita è sventura,
Perchè da noi si dura?
Intatta luna, tale
È lo stato mortale.
Ma tu mortal non sei,
E forse del mio dir poco ti cale.
Pur tu, solinga, eterna peregrina,
Che sì pensosa sei, tu forse intendi
Questo viver terreno,
Il patir nostro, il sospirar, che sia;
Che sia questo morir, questo supremo
Scolorar del sembiante,
E perir dalla terra, e venir meno
Ad ogni usata, amante compagnia.
E tu certo comprendi
Il perchè delle cose, e vedi il frutto
Del mattin, della sera,
Del tacito, infinito andar del tempo.

Tu sai, tu certo, a qual suo dolce amore
Rida la primavera,
A chi giovi l'ardore, e che procacci
Il verno co' suoi ghiacci.
Mille cose sai tu, mille discopri,
Che son celate al semplice pastore.
Spesso quand' io ti miro
Star così muta in sul deserto piano,
Che, in suo giro lontano, al ciel confina,
Ovver con la mia greggia
Seguirmi vïaggiando a mano a mano;
E quando miro in cielo arder le stelle,
Dico fra me pensando:
'A che tante facelle?
Che fa l'aria infinita, e quel profondo
Infinito seren? che vuol dir questa
Solitudine immensa? ed io che sono?'
Così meco ragiono: e della stanza
Smisurata e superba,
E dell' innumerabile famiglia,
Poi di tanto adoprar, di tanti moti
D'ogni celeste, ogni terrena cosa,
Girando senza posa,
Per tornar sempre là donde son mosse,
Uso alcuno, alcun frutto
Indovinar non so. Ma tu per certo,
Giovinetta immortal, conosci il tutto.
Questo io conosco e sento,
Che degli eterni giri,
Che dell' esser mio frale,
Qualche bene o contento
Avrà fors' altri; a me la vita è male.

GIACOMO LEOPARDI

O greggia mia che posi, oh te beata,
    Che la miseria tua, credo, non sai!
    Quanta invidia ti porto!
    Non sol perchè d'affanno
    Quasi libera vai;
    Ch'ogni stento, ogni danno,
    Ogni estremo timòr subito scordi;
    Ma più perchè giammai tedio non provi.
    Quando tu siedi all' ombra, sovra l'erbe,
    Tu se' queta e contenta;
    E gran parte dell' anno
    Senza noia consumi in quello stato.
    Ed io pur seggo sovra l'erbe, all' ombra,
    E un fastidio m'ingombra
    La mente, ed uno spron quasi mi punge
    Sì che, sedendo, più che mai son lunge
    Da trovar pace o loco.
    E pur nulla non bramo,
    E non ho fino a qui cagion di pianto.
    Quel che tu goda o quanto,
    Non so già dir; ma fortunata sei.
    Ed io godo ancor poco,
    O greggia mia, nè di ciò sol mi lagno.
    Se tu parlar sapessi, io chiederei:
    Dimmi: perchè giacendo
    A bell' agio, ozïoso,
    S'appaga ogni animale;
    Me, s'io giaccio in riposo, il tedio assale?
Forse s'avess' io l'ale
    Da volar su le nubi,
    E noverar le stelle ad una ad una,
    O come il tuono errar di giogo in giogo,

Più felice sarei, dolce mia greggia,
Più felice sarei, candida luna.
O forse erra dal vero,
Mirando all' altrui sorte, il mio pensiero;
Forse in qual forma, in quale
Stato che sia, dentro covile o cuna,
È funesto a chi nasce il dì natale.

xi

326   *Il Sabato del Villaggio*

LA donzelletta vien dalla campagna,
In sul calar del sole,
Col suo fascio dell' erba; e reca in mano
Un mazzolin di rose e di vïole,
Onde, siccome suole,
Ornare ella si appresta
Dimani, al dì di festa, il petto e il crine.
Siede con le vicine
Su la scala a filar la vecchierella,
Incontro là dove si perde il giorno;
E novellando vien del suo buon tempo,
Quando ai dì della festa ella si ornava,
Ed ancor sana e snella
Solea danzar la sera intra di quei
Ch'ebbe compagni dell' età più bella.
Già tutta l'aria imbruna,
Torna azzurro il sereno, e tornan l'ombre
Giù da' colli e da' tetti,
Al biancheggiar della recente luna.
Or la squilla dà segno
Della festa che viene;

GIACOMO LEOPARDI

Ed a quel suon diresti
Che il cor si riconforta.
I fanciulli gridando
Su la piazzuola in frotta,
E qua e là saltando,
Fanno un lieto romore:
E intanto riede alla sua parca mensa,
Fischiando, il zappatore,
E seco pensa al dì del suo riposo.
Poi quando intorno è spenta ogni altra face
E tutto l'altro tace,
Odi il martel picchiare, odi la sega
Del legnaiuol, che veglia
Nella chiusa bottega alla lucerna,
E s'affretta, e s'adopra
Di fornir l'opra anzi il chiarir dell' alba.
Questo di sette è il più gradito giorno,
Pien di speme e di gioia:
Diman tristezza e noia
Recheran l'ore, ed al travaglio usato
Ciascuno in suo pensier farà ritorno.
Garzoncello scherzoso,
Cotesta età fiorita
È come un giorno d'allegrezza pieno,
Giorno chiaro, sereno,
Che precorre alla festa di tua vita.
Godi, fanciullo mio; stato soave,
Stagion lieta è cotesta.
Altro dirti non vo'; ma la tua festa
Ch'anco tardi a venir non ti sia grave.

xii

327   *A se stesso*

OR poserai per sempre,
Stanco mio cor. Perì l'inganno estremo,
Ch'eterno io mi credei. Perì. Ben sento,
In noi di cari inganni,
Non che la speme, il desiderio è spento.
Posa per sempre. Assai
Palpitasti. Non val cosa nessuna
I moti tuoi, nè di sospiri è degna
La terra. Amaro e noia
La vita, altro mai nulla; e fango è il mondo.
T'acqueta omai. Dispera
L'ultima volta. Al gener nostro il fato
Non donò che il morire. Omai disprezza
Te, la natura, il brutto
Poter che, ascoso, a comun danno impera,
E l'infinita vanità del tutto.

xiii

328   *Il tramonto della luna*

QUALE in notte solinga,
Sovra campagne inargentate ed acque,
Là 've zefiro aleggia,
E mille vaghi aspetti
E ingannevoli obbietti
Fingon l'ombre lontane
Infra l'onde tranquille
E rami e siepi e collinette e ville;

Giunta al confin del cielo,
Dietro Apennino od Alpe, o del Tirreno
Nell' infinito seno
Scende la luna, e si scolora il mondo;
Spariscon l'ombre, ed una
Oscurità la valle e il monte imbruna;
Orba la notte resta,
E cantando, con mesta melodia,
L'estremo albor della fuggente luce,
Che dianzi gli fu duce,
Saluta il carrettier dalla sua via;
Tal si dilegua, e tale
Lascia l'età mortale
La giovinezza. In fuga
Van l'ombre e le sembianze
Dei dilettosi inganni; e vengon meno
Le lontane speranze,
Ove s'appoggia la mortal natura.
Abbandonata, oscura
Resta la vita. In lei porgendo il guardo,
Cerca il confuso vïatore invano
Del cammin lungo che avanzar si sente
Mèta o ragione; e vede
Che a sè l'umana sede,
Esso a lei veramente è fatto estrano.
Troppo felice e lieta
Nostra misera sorte
Parve lassù, se il giovanile stato,
Dove ogni ben di mille pene è frutto,
Durasse tutto della vita il corso.
Troppo mite decreto
Quel che sentenzia ogni animale a morte,

S'anco mezza la via
Lor non si desse in pria
Della terribil morte assai più dura.
D'intelletti immortali
Degno trovato, estremo
Di tutti i mali, ritrovâr gli eterni
La vecchiezza, ove fosse
Incolume il desio, la speme estinta,
Secche le fonti del piacer, le pene
Maggiori sempre, e non più dato il bene.
Voi, collinette e piagge,
Caduto lo splendor che all' occidente
Inargentava della notte il velo,
Orfane ancor gran tempo
Non resterete: chè dall' altra parte
Tosto vedrete il cielo
Imbiancar novamente, e sorger l'alba;
Alla qual poscia seguitando il sole,
E folgorando intorno
Con sue fiamme possenti,
Di lucidi torrenti
Inonderà con voi gli eterei campi.
Ma la vita mortal, poi che la bella
Giovinezza sparì, non si colora
D'altra luce giammai, nè d'altra aurora.
Vedova è insino al fine; ed alla notte
Che l'altre etadi oscura
Segno poser gli Dei la sepoltura.

329 xiv. La Ginestra o il fiore del deserto

Καὶ ἠγάπησαν οἱ ἄνθρωποι μᾶλλον τὸ σκότος ἢ τὸ φῶς.
E gli uomini vollero piuttosto le tenebre che la luce.   Giovanni iii. 19.

QUI su l' arida schiena
Del formidabil monte,
Sterminator Vesevo,
La qual null' altro allegra arbor nè fiore,
Tuoi cespi solitari intorno spargi,
Odorata ginestra,
Contenta dei deserti. Anco ti vidi
De' tuoi steli abbellir l'erme contrade
Che cingon la cittade
La qual fu donna de' mortali un tempo,
E del perduto impero
Par che col grave e taciturno aspetto
Faccian fede e ricordo al passeggero.
Or ti riveggo in questo suol, di tristi
Lochi e dal mondo abbandonati amante,
E d'afflitte fortune ognor compagna.
Questi campi cosparsi
Di ceneri infeconde, e ricoperti
Dell' impietrata lava,
Che sotto i passi al peregrin risona,
Dove s'annida e si contorce al sole
La serpe, e dove al noto
Cavernoso covil torna il coniglio,
Fur liete ville e colti,
E biondeggiâr di spiche, e risonaro
Di muggito d'armenti;
Fur giardini e palagi,
Agli ozi de' potenti
Gradito ospizio, e fur città famose,

Che coi torrenti suoi l'altero monte
Dall' ignea bocca fulminando oppresse
Con gli abitanti insieme. Or tutto intorno
Una ruina involve,
Ove tu siedi, o fior gentile, e quasi
I danni altrui commiserando, al cielo
Di dolcissimo odor mandi un profumo,
Che il deserto consola. A queste piagge
Venga colui che d'esaltar con lode
Il nostro stato ha in uso, e vegga quanto
È il gener nostro in cura
All' amante natura. E la possanza
Qui con giusta misura
Anco estimar potrà dell' uman seme,
Cui la dura nutrice, ov' ei men teme,
Con lieve moto in un momento annulla
In parte, e può con moti
Poco men lievi ancor subitamente
Annichilare in tutto.
Dipinte in queste rive
Son dell' umana gente
Le magnifiche sorti e progressive.
Qui mira e qui ti specchia,
Secol superbo e sciocco,
Che il calle insino allora
Dal risorto pensier segnato innanti
Abbandonasti, e volti addietro i passi,
Del ritornar ti vanti,
E procedere il chiami.
Al tuo pargoleggiar gl'ingegni tutti
Di cui lor sorte rea padre ti fece,
Vanno adulando, ancora

Ch'a ludibrio talora
T'abbian fra sè. Non io
Con tal vergogna scenderò sotterra;
Ma il disprezzo piuttosto che si serra
Di te nel petto mio
Mostrato avrò quanto si possa aperto:
Bench' io sappia che obblio
Preme chi troppo all' età propria increbbe.
Di questo mal, che teco
Mi fia comune, assai finor mi rido.
Libertà vai sognando, e servo a un tempo
Vuoi di novo il pensiero,
Sol per cui risorgemmo
Della barbarie in parte, e per cui solo
Si cresce in civiltà, che sola in meglio
Guida i pubblici fati.
Così ti spiacque il vero
Dell' aspra sorte e del depresso loco
Che natura ci diè. Per questo il tergo
Vigliaccamente rivolgesti al lume
Che il fe' palese: e, fuggitivo, appelli
Vil chi lui segue, e solo
Magnanimo colui
Che, sè schernendo o gli altri, astuto o folle,
Fin sopra gli astri il mortal grado estolle.
Uom di povero stato e membra inferme,
Che sia dell' alma generoso ed alto,
Non chiama sè nè stima
Ricco d'or nè gagliardo,
E di splendida vita o di valente
Persona infra la gente
Non fa risibil mostra;

Ma sè di forza e di tesor mendico
Lascia parer senza vergogna, e noma
Parlando, apertamente, e di sue cose
Fa stima al vero uguale.
Magnanimo animale
Non credo io già, ma stolto,
Quel che, nato a perir, nutrito in pene,
Dice 'A goder son fatto'
E di fetido orgoglio
Empie le carte, eccelsi fati e nove
Felicità, quali il ciel tutto ignora,
Non pur quest' orbe, promettendo in terra
A popoli che un'onda
Di mar commosso, un fiato
D'aura maligna, un sotterraneo crollo
Distrugge sì, che avanza
A gran pena di lor la rimembranza.
Nobil natura è quella.
Che a sollevar s'ardisce
Gli occhi mortali incontra
Al comun fato, e che con franca lingua,
Nulla al ver detraendo,
Confessa il mal che ci fu dato in sorte,
E il basso stato e frale;
Quella che grande e forte
Mostra sè nel soffrir, nè gli odj e l'ire
Fraterne, ancor più gravi
D'ogni altro danno, accresce
Alle miserie sue, l'uomo incolpando
Del suo dolor, ma dà la colpa a quella
Che veramente è rea, che de' mortali
Madre è di parto e di voler matrigna.

Costei chiama inimica; e incontro a questa
Congiunta esser pensando,
Siccome è il vero, ed ordinata in pria
L'umana compagnia,
Tutti fra sè confederati estima
Gli uomini, e tutti abbraccia
Con vero amor, porgendo
Valida e pronta ed aspettando aita
Negli alterni perigli e nelle angosce
Della guerra comune. Ed alle offese
Dell' uomo armar la destra, e laccio porre
Al vicino ed inciampo,
Stolto crede così, qual fora in campo
Cinto d'oste contraria, in sul più vivo
Incalzar degli assalti,
Gl'inimici obbliando, acerbe gare
Imprender con gli amici,
E sparger fuga e fulminar col brando
Infra i proprj guerrieri.
Così fatti pensieri
Quando fien, come fur, palesi al volgo,
E quell' orror, che primo
Contra l'empia natura
Strinse i mortali in socïal catena,
Fia ricondotto in parte
Da verace saper, l'onesto e il retto
Conversar cittadino,
E giustizia e pietade, altra radice
Avranno allor che non superbe fole,
Ove fondata probità del volgo
Così star suole in piede
Quale star può quel ch'ha in error la sede.

Sovente in queste rive,
    Che desolate a bruno
    Veste il flutto indurato, e par che ondeggi,
    Seggo la notte; e su la mesta landa
    In purissimo azzurro
    Veggo dall' alto fiammeggiar le stelle,
    Cui di lontan fa specchio
    Il mare, e tutto di scintille in giro
    Per lo voto seren brillare il mondo.
    E poi che gli occhi a quelle luci appunto,
    Ch'a lor sembrano un punto,
    E sono immense in guisa
    Che un punto a petto a lor son terra e mare
    Veracemente; a cui
    L'uomo non pur, ma questo
    Globo ove l'uomo è nulla,
    Sconosciuto è del tutto; e quando miro
    Quegli ancor più senz' alcun fin remoti
    Nodi quasi di stelle,
    Ch'a noi paion qual nebbia, a cui non l'uomo
    E non la terra sol, ma tutte in uno
    Del numero infinite e della mole,
    Con l'aureo sole insiem, le nostre stelle
    O sono ignote, o così paion come
    Essi alla terra, un punto
    Di luce nebulosa; al pensier mio
    Che sembri allora, o prole
    Dell' uomo? E rimembrando
    Il tuo stato quaggiù, di cui fa segno
    Il suol ch'io premo; e poi, dall' altra parte,
    Che te signora e fine
    Credi tu data al Tutto, e quante volte

Favoleggiar ti piacque, in questo oscuro
Granel di sabbia, il qual di terra ha nome,
Per tua cagion, dell' universe cose
Scender gli autori, e conversar sovente
Co' tuoi piacevolmente, e che i derisi
Sogni rinnovellando, ai saggi insulta
Fin la presente età, che in conoscenza
Ed in civil costume
Sembra tutte avanzar; qual moto allora,
Mortal prole infelice, o qual pensiero
Verso te finalmente il cor m'assale?
Non so se il riso o la pietà prevale.

Come d'arbor cadendo un picciol pomo,
    Cui là nel tardo autunno
    Maturità senz' altra forza atterra,
    D'un popol di formiche i dolci alberghi
    Cavati in molle gleba
    Con gran lavoro, e l'opre
    E le richezze che adunate a prova
    Con lungo affaticar l'assidua gente
    Avea provvidamente al tempo estivo,
    Schiaccia, diserta e copre
    In un punto; così d'alto piombando,
    Dall' utero tonante
    Scagliata al ciel profondo,
    Di ceneri e di pomici e di sassi
    Notte e ruina, infusa
    Di bollenti ruscelli,
    O pel montano fianco
    Furïosa tra l'erba
    Di liquefatti massi
    E di metalli e d'infocata arena

Scendendo immensa piena,
Le cittadi, che il mar là su l'estremo
Lido aspergea, confuse
E infranse e ricoperse
In pochi istanti: onde su quelle or pasce
La capra, e città nove
Sorgon dall' altra banda, a cui sgabello
Son le sepolte, e le prostrate mura
L'arduo monte al suo piè quasi calpesta.
Non ha natura al seme
Dell' uom più stima o cura
Che alla formica: e se più rara in quello
Che nell' altra è la strage,
Non avvien ciò d'altronde
Fuor che l'uom sue prosapie ha men feconde.
Ben mille ed ottocento
Anni varcâr poi che spariro, oppressi
Dall' ignea forza, i popolati seggi,
E il villanello intento
Ai vigneti, che a stento in questi campi
Nutre la morta zolla e incenerita,
Ancor leva lo sguardo
Sospettoso alla vetta
Fatal, che nulla mai fatta più mite,
Ancor siede tremenda, ancor minaccia
A lui strage ed ai figli ed agli averi
Lor poverelli. E spesso
Il meschino in sul tetto
Dell' ostel villereccio, alla vagante
Aura giacendo tutta notte insonne,
E balzando più volte, esplora il corso
Del temuto bollor, che si riversa

Dall' inesausto grembo
Su l'arenoso dorso, a cui riluce
Di Capri la marina
E di Napoli il porto e Mergellina.
E se appressar lo vede, o se nel cupo
Del domestico pozzo ode mai l'acqua
Fervendo gorgogliar, desta i figliuoli,
Desta la moglie in fretta, e via, con quanto
Di lor cose rapir posson, fuggendo,
Vede lontan l'usato
Suo nido, e il picciol campo,
Che gli fu dalla fame unico schermo,
Preda al flutto rovente,
Che crepitando giunge, e inesorato
Durabilmente sovra quei si spiega.
Torna al celeste raggio
Dopo l'antica obbliviön l'estinta
Pompei, come sepolto
Scheletro, cui di terra
Avarizia o pietà rende all' aperto;
E dal deserto foro
Diritto infra le file
De' mozzi colonnati il peregrino
Lunge contempla il bipartito giogo
E la cresta fumante,
Che alla sparsa ruina ancor minaccia.
E nell' orror della secreta notte
Per li vacui teatri,
Per li templi deformi e per le rotte
Case, ove i parti il pipistrello asconde,
Come sinistra face
Che per voti palagi atra s'aggiri,

Corre il baglior della funerea lava,
Che di lontan per l'ombre
Rosseggia, e i lochi intorno intorno tinge.
Così, dell' uomo ignara e dell' etadi
Ch'ei chiama antiche, e del seguir che fanno
Dopo gli avi i nepoti,
Sta natura ognor verde, anzi procede
Per sì lungo cammino,
Che sembra star. Caggiono i regni intanto,
Passan genti e linguaggi: ella nol vede:
E l'uom d'eternità s'arroga il vanto.
E tu, lenta ginestra,
Che di selve odorate
Queste campagne dispogliate adorni,
Anche tu presto alla crudel possanza
Soccomberai del sotterraneo foco,
Che, ritornando al loco
Già noto, stenderà l'avaro lembo
Su tue molli foreste. E piegherai
Sotto il fascio mortal non renitente
Il tuo capo innocente:
Ma non piegato insino allora indarno
Codardamente supplicando innanzi
Al futuro oppressor; ma non eretto
Con forsennato orgoglio inver le stelle,
Nè sul deserto, dove
E la sede e i natali
Non per voler ma per fortuna avesti;
Ma più saggia, ma tanto
Meno inferma dell' uom, quanto le frali
Tue stirpi non credesti
O dal fato o da te fatte immortali.

GIUSEPPE GIUSTI

1809–†1850

i

La Terra dei Morti

A NOI, larve d'Italia,
  Mummie dalla matrice,
È becchino la balia,
Anzi la levatrice;
Con noi sciupa il Priore
L'acqua battesimale,
E quando si rimuore
Ci ruba il funerale.
Eccoci qui confitti
  Coll' effigie d'Adamo;
  Si par di carne, e siamo
Costole e stinchi ritti.
  O anime ingannate,
Che ci fate quassù?
  Rassegnatevi, andate
Nel numero dei più.
Ah, d'una gente morta
  Non si giova la Storia!
  Di libertà, di gloria,
Scheletri, che v'importa?
  A che serve un'esequie
Di ghirlande o di torsi?
  Brontoliamoci un requie
Senza tanti discorsi.
Ecco, su tutti i punti
  Della tomba funesta
  Vagar di testa in testa

Ai miseri defunti
Il pensiero, abbrunato
D'un panno mortuario.
L'artistico, il togato,
Il regno letterario
È tutto una morìa.
Niccolini è spedito;
Manzoni è seppellito
Co' morti in libreria.
E tu, giunto a compieta,
Lorenzo, come mai
Infondi nella creta
La vita che non hai?
Cos'era Romagnosi?
Un'ombra che pensava
E i vivi sgomentava
Dagli eterni riposi.
Per morto era una cima,
Ma per vivo era corto;
Difatto, dopo morto,
È più vivo di prima.
Dei morti nuovi e vecchi
L'eredità giacenti
Arricchiron parecchi
In terra di viventi:
Campando in buona fede
Sull' asse ereditario,
Lo scrupoloso erede
Ci fa l'anniversario.
Con che forza si campa
In quelle parti là!
La gran vitalità

Si vede dalla stampa.
Scrivi, scrivi e riscrivi,
Que' Genii moriranno
Dodici volte l'anno,
E son lì sempre vivi.
O voi, genti piovute
Di là dai vivi, dite,
Con che faccia venite
Tra i morti per salute?
Sentite, o prima o poi
Quest' aria vi fa male:
Quest' aria anco per voi
È un'aria sepolcrale.
O frati soprastanti,
O birri inquistori,
Posate di censori
Le forbici ignoranti.
Proprio de' morti, o ciuchi,
È il ben dell' intelletto:
Perchè volerci eunuchi
Anco nel cataletto?
Perchè ci stanno addosso
Selve di baionette,
E s'ungono a quest' osso
Le nordiche basette?
Come! guardate i morti
Con tanta gelosia?
Studiate anatomia,
Che il diavolo vi porti!
Ma il libro di natura
Ha l'entrata e l'uscita;
Tocca a loro la vita

E a noi la sepoltura.
E poi, se lo domandi,
Assai siamo campati;
Gino, eravamo grandi,
E là non eran nati.
O mura cittadine,
Sepolcri maestosi,
Fin le vostre ruine
Sono un'apoteosi.
Cancella anco la fossa,
O barbaro inquïeto,
Chè temerarie l'ossa
Sentono il sepolcreto.
Veglia sul monumento
Perpetuo lume il sole,
E fa da torcia a vento:
Le rose, le vïole,
I pampani, gli olivi,
Son simboli di pianto:
O che bel camposanto
Da fare invidia ai vivi!
Cadaveri, alle corte
Lasciamoli cantare,
E vediam questa morte
Dov'anderà a cascare.
Tra i salmi dell' Uffizio
C'è anco il *Dies irae*:
O che non ha a venire
Il Giorno del Giudizio?

ii

La guigliottina a vapore

Hanno fatto nella China
Una macchina a vapore
  Per mandar la *guigliottina*;
  Questa macchina in tre ore
  Fa la testa a centomila
                Messi in fila.
  L'istrumento ha fatto chiasso,
  E quei preti han presagito
  Che il paese passo passo
  Sarà presto incivilito:
  Rimarrà come un babbeo
                L'Europeo.
  L'Imperante è un uomo onesto
  Un po' duro, un po' tirato,
  Un po' ciuco, ma del resto
  Ama i sudditi e lo Stato,
  E protegge i bell' ingegni
                De' suoi regni.
  V'era un popolo ribelle
  Che pagava a malincuore
  I catasti e le gabelle;
  Il benigno Imperatore
  Ha provato in quel paese
                Quest' arnese.
La virtù dell' istrumento
  Ha fruttato una pensione
  A quel boia di talento,
  Col brevetto d'invenzione,

E l'ha fatto mandarino
              Di Pekino.
Grida un frate: Oh bella cosa!
      Gli va dato anco il battesimo.
      Ah perchè (dice al Canosa
      Un Tiberio in diciottesimo)
      Questo genio non m'è nato
              Nel Ducato!

iii

Sant' Ambrogio

332

VOSTRA Eccellenza che mi sta in cagnesco
      Per que' pochi scherzucci di dozzina,
E mi gabella per anti-tedesco
      Perchè metto le birbe alla berlina,
O senta il caso avvenuto di fresco
      A me che girellando una mattina
Capito in Sant' Ambrogio di Milano,
In quello vecchio, là, fuori di mano.

M'era compagno il figlio giovinetto
      D'un di que' capi un po' pericolosi,
Di quel tal Sandro, autor d'un romanzetto
      Ove si tratta di Promessi Sposi . . .
      Che fa il nesci, Eccellenza? o non l'ha letto?
      Ah, intendo: il suo cervel, Dio lo riposi,
In tutt' altre faccende affaccendato,
A questa roba è morto e sotterrato.

Entro, e ti trovo un pieno di soldati,
      Di que' soldati settentrïonali,
      Come sarebbe Boemi e Croati,
      Messi qui nella vigna a far da pali:

Difatto se ne stavano impalati,
Come sogliono in faccia a' Generali,
Co' baffi di capecchio e con que' musi,
Davanti a Dio diritti come fusi.
Mi tenni indietro; chè, piovuto in mezzo
Di quella maramaglia, io non lo nego
D'aver provato un senso di ribrezzo
Che Lei non prova in grazia dell' impiego:
Sentiva un'afa, un alito di lezzo;
Scusi, Eccellenza, mi parean di sego,
In quella bella casa del Signore,
Fin le candele dell' altar maggiore.
Ma in quella che s'appresta il sacerdote
A consacrar la mistica vivanda,
Di subita dolcezza mi percuote
Su, di verso l'altare, un suon di banda.
Dalle trombe di guerra uscian le note
Come di voce che si raccomanda,
D'una gente che gema in duri stenti
E de' perduti beni si rammenti.
Era un coro del Verdi; il coro a Dio
Là de' Lombardi miseri assetati;
Quello: *O Signore, dal tetto natio,*
Che tanti petti ha scossi e inebrïati.
Qui cominciai a non esser più io;
E come se que' côsi doventati
Fossero gente della nostra gente,
Entrai nel branco involontariamente.
Che vuol Ella, Eccellenza, il pezzo è bello,
Poi nostro, e poi suonato come va;
E coll' arte di mezzo, e col cervello
Dato all' arte, l'ubbie si buttan là.

Ma cessato che fu, dentro, bel bello
Io ritornava a star, come la sa;
Quand' eccoti, per farmi un altro tiro,
Da quelle bocche che parean di ghiro,
Un cantico tedesco lento lento
Per l'aer sacro a Dio mosse le penne:
Era preghiera, e mi parea lamento,
D'un suono grave, flebile, solenne,
Tal, che sempre nell' anima lo sento:
E mi stupisco che in quelle cotenne,
In que' fantocci esotici di legno,
Potesse l'armonia fino a quel segno.
Sentia nell' inno la dolcezza amara
De' canti uditi da fanciullo; il core
Che da voce domestica gl'impara
Ce li ripete i giorni del dolore:
Un pensier mesto della madre cara,
Un desiderio di pace e d'amore,
Uno sgomento di lontano esilio,
Che mi faceva andare in visibilio.
E quando tacque, mi lasciò pensoso
Di pensieri più forti e più soavi.
— Costor, dicea tra me, re pauroso
Degl' italici moti e degli slavi
Strappa a' lor tetti, e qua senza riposo
Schiavi li spinge per tenerci schiavi;
Li spinge di Croazia e di Boemme,
Come mandre a svernar nelle Maremme.
A dura vita, a dura disciplina,
Muti, derisi, solitari stanno,
Strumenti ciechi d'occhiuta rapina
Che lor non tocca e che forse non sanno:

E quest' odio, che mai non avvicina
Il popolo lombardo all' alemanno,
Giova a chi regna dividendo, e teme
Popoli avversi affratellati insieme.
Povera gente! lontana da' suoi,
In un paese qui che le vuol male,
Chi sa che in fondo all' anima po' poi
Non mandi a quel paese il principale!
Gioco che l'hanno in tasca come noi. —
Qui, se non fuggo, abbraccio un caporale
Colla su' brava mazza di nocciuolo,
Duro e piantato lì come un piuolo.

iv

La Fiducia in Dio

333

QUASI obliando la corporea salma,
Rapita in Quei che volentier perdona,
Sulle ginocchia il bel corpo abbandona
Soavemente, e l'una e l'altra palma.
Un dolor stanco, una celeste calma
Le appar diffusa in tutta la persona,
Ma nella fronte che con Dio ragiona
Balena l'immortal raggio dell' alma;
E par che dica: 'Se ogni dolce cosa
M'inganna, e al tempo che sperai sereno
Fuggir mi sento la vita affannosa,
Signor, fidando, al tuo paterno seno
L'anima mia ricorre, e si riposa
In un affetto che non è terreno.'

451

GOFFREDO MAMELI

1827-†1849

Inno

FRATELLI d'Italia,
L'Italia s'è desta,
Dell' elmo di Scipio
S'è cinta la testa;
Dov'è la Vittoria?
Le porga la chioma,
Chè schiava di Roma
Iddio la creò.
    Stringiamci a coorte,
    Siam pronti alla morte:
    Italia chiamò!

Noi siamo da secoli
Calpesti e derisi,
Perchè non siam popolo,
Perchè siam divisi;
Raccolgaci un'unica
Bandiera, una speme;
Di fonderci insieme
Già l'ora suonò.
    Stringiamci a coorte,
    Siam pronti alla morte:
    Italia chiamò!

Uniamoci, amiamoci;
L'unione e l'amore
Rivelano ai popoli
Le vie del Signore.
Giuriamo far libero
Il suolo natio:

GOFFREDO MAMELI

Uniti, per Dio,
Chi vincer ci può?
    Stringiamci a coorte,
    Siam pronti alla morte:
    Italia chiamò!
Dall' Alpi a Sicilia,
Dovunque è Legnano,
Ogni uom di Ferruccio
Ha il core, la mano;
I bimbi d'Italia
Si chiaman Balilla;
Il suon d'ogni squilla
I Vespri suonò.
    Stringiamci a coorte,
    Siam pronti alla morte:
    Italia chiamò!
Son giunchi che piegano
Le spade vendute;
Già l'aquila d'Austria
Le penne ha perdute:
Il sangue d'Italia
E il sangue Polacco
Bevè col Cosacco,
Ma il cor le bruciò.
    Stringiamci a coorte,
    Siam pronti alla morte:
    Italia chiamò!

335 *La spigolatrice di Sapri*

ERAN trecento, eran giovani e forti,
E sono morti!
Me ne andava al mattino a spigolare
 Quando ho visto una barca in mezzo al mare:
 Era una barca che andava a vapore,
 E alzava una bandiera tricolore.
 All' isola di Ponza si è fermata,
 È stata un poco e poi si è ritornata;
 S'è ritornata ed è venuta a terra:
 Sceser con l'armi e a noi non fecer guerra.
  Eran trecento . . .
Sceser con l'armi e a noi non fecer guerra,
 Ma s'inchinaron per baciar la terra.
 Ad uno ad uno li guardai nel viso:
 Tutti aveano una lagrima e un sorriso.
 Li disser ladri usciti dalle tane,
 Ma non portaron via nemmeno un pane;
 E li sentii mandare un solo grido:
 'Siam venuti a morir pel nostro lido.'
  Eran trecento . . .
Con gli occhi azzurri e coi capelli d'oro
 Un giovin camminava innanzi a loro.
 Mi feci ardita, e, presol per la mano,
 Gli chiesi: 'Dove vai, bel capitano?'
 Guardommi e mi rispose: 'O mia sorella,
 Vado a morir per la mia patria bella.'
 Io mi sentii tremare tutto il core,
 Nè potei dirgli: 'V'aiuti 'l Signore!'
  Eran trecento . . .

LUIGI MERCANTINI

Quel giorno mi scordai di spigolare,
 E dietro a loro mi misi ad andare:
 Due volte si scontrâr con li gendarmi
 E l'una e l'altra li spogliâr dell' armi.
 Ma quando fur della Certosa ai muri
 S'udirono a suonar trombe e tamburi;
 E tra 'l fumo e gli spari e le scintille
 Piombaron loro addosso più di mille.
  Eran trecento . . .
Eran trecento e non voller fuggire,
 Parean tre mila e vollero morire;
 Ma vollero morir col ferro in mano
 E avanti a loro correa sangue il piano;
 Fin che pugnar vid' io, per lor pregai,
 Ma un tratto venni men, nè più guardai:
 Io non vedeva più fra mezzo a loro
 Quegli occhi azzurri e quei capelli d'oro.
  Eran trecento, eran giovani e forti,
  E sono morti!

NICCOLÒ TOMMASEO

1802–†1874

i

336   *Apparizione*

POCO era a mezzanotte. Il sol novello
 Ratto gigante dal mar si levò:
Non ebbe aurora; e, orribilmente bello,
 L'aria e la terra di fiamma inondò:
Poi, come in acqua fa spranga rovente,
 Lungo-stridente nel mar si tuffò.

ii

337 *Fede, Speranza, Amore*

IN povera capanna amico scende
Ospite il sole, e il verde, il ciel si vede;
    Varca i fiumi lo sguardo, i monti ascende:
            Ecco la Fede!
Sè del suo canto e i vïator consola
    L'uccel volando, e l'aure e il ciel non teme;
    Posa sul ramo e canta, e poi rivola:
            Ecco la Speme!
Della luce di Dio poche scintille
    Empiono i cieli immensi; e a quel calore
    Spuntano i mondi, come foglie, a mille:
            Ecco l'Amore!

iii

338 *Immortalità*

ASCENDERÀ dal cenere
La fiamma del pensiero.
    Alba alle umane tenebre,
    O morte, è 'l tuo mistero.
Cadon le foglie, e florida
    S'innoverà la pianta.
    Muta l'uccel le gracili
    Penne, e rivola e canta.
Lascia le vesti povere
    Sull' arenosa sponda
    Il giovanetto, e a tergersi
    Va nuotator nell' onda.

NICCOLÒ TOMMASEO

I firmamenti invecchiano,
    Mutansi come un velo.
    Ha le sue morti, e germina
    Rinnovellato il cielo.

ALEARDO ALEARDI

1812–†1878

339

Le città italiane
marinare e commercianti

I

'ITALIA, Italia', urlarono con cento
    Lingue diverse e ignote
Dalle guerriere oscurità profonde
Delle runiche selve, e dalle tetre
Dell' Asia borëal steppe remote,
Un giorno di spavento
Genti camuse dalle chiome bionde:
E all' ombra di fatidiche betulle
Dai dòlmini cruenti
Ispirate lanciâr verbi di foco
Druïdiche fanciulle
A rovesciar sul designato loco
Quelle plebi di cupidi credenti;
Perocchè sulla terra itala Dio
Rendere allor dovea
Una grande giustizia ed aspettata
D'una potente Rea
Giunta al soverchio delle sue peccata:
Arrotâr le bipenni, e sui cavalli

Selvatici balzarono que' torvi
Carnefici; e varcâr montagne e valli
Dritti ver l'Alpe, col funereo istinto
D'un nuvolo di corvi
Ch'abbia fiutato un triduano estinto.
Ed ella si sedea, la moritura
Imperadrice, d'orgie insazïata
E imprevidente; e l'ultima libava
Stilla del suo falerno
In una coppa d'Attica fattura
Che le porgea con fina aria di scherno
Bellissima una schiava.
Ma le fur sopra quei feroci, e il petto
Le piagarono e il fianco,
Infin che venne manco,
E giacque. La Penisola fatale
Si converse in un lungo ordin di tombe
Dagli stranier vegliate, e fu divisa
La veste dell' uccisa.
Ma i rapitor contesero sull' urne
Con rabbie dïuturne
Düellando, e la truce
Lancia cognata si vibrâr nel core:
E alla corrusca luce
Delle cittadi in fiamme, elli di rossa
Stroscia rigaron la Romana fossa;
Così che più fecondi
Per le stragi dei nomadi assassini
Riser di messi i piani Eridanini:
E più di pria giocondi
V'imporporaste al sangue dei nemici,
Tumidi grappi delle mie pendici.

II

Ma sull' Itala tomba il benedetto
  Patibolo sorgeva
Del Nazzareno a mallevar che un giorno
I sepolti laggiù risorgeranno;
E così fu. Rianimato ergeva
Dal lungo e infame letto
La patria il capo: e si guatò dintorno.
Non più scettro; non più schiavi: spariti,
E spariti per sempre.
Uno spiro novel di libertade
Aleggiava pei liti,
Per l'erte piazze e per le torte strade
Fortificando le virili tempre.
Da per tutto di scuri e di martelli
Una ressa operosa
Mista d'allegro favellío risuona,
Senza tregua nè posa,
Delle sue coste per l'immensa zona:
È un percoter d'accette entro i pineti
Al favor degl' inerti anni cresciuti;
Un nuotar di fanciulli irrequïeti,
Sfidando i gorghi; un tessere di vele;
Un fervere d'irsuti
Polsi a temprarsi l'àncora fedele.
E in quell' april di civiltà foriero,
Sopra l'azzurro delle tre marine,
Guizzar si vider, come avesser penne,
Navigli a cento a cento,
Superbi di domestiche bandiere
Che ondoleggiavan nobilmente al vento

Sulle libere antenne.
Partian gli audaci, e ripetean le rive
De' naviganti il canto
E delle donne il pianto.
Cotal l'Itala vergine appariva
Ringiovanita per la terza volta:
Patrizia impareggiabile cadea,
E si levò plebea:
Discesa imperadrice entro la bara,
Risorse marinara
Che splendida di maglie
Corse l'oceano, come in pria la terra,
A commerci, a battaglie;
E se lo scettro avito avea perduto,
Fe' del remo uno scettro, e fu temuto.
Dall' aquila latina
Sorse un Lïon con l'ale, e il suo ruggito
L'Orïente contenne impaurito:
Cadde Marte in ruina,
E dalla rada ove Colombo nacque
Volò san Giorgio a cavalcar sull' acque.

III

Veleggiando venia verso Aquilea
   Un dì l'Evangelista,
   Cui s'accompagna il re delle foreste,
Quando il nocchiero improvvido, dall' ôra
Sospinto in grembo d'una pigra e trista
   Laguna, si perdea
   Tra un labirinto d'isolette meste.
   All' appressarsi del naviglio sacro,
   Unico abitatore,

ALEARDO ALEARDI

Volando emerse di colombi un nembo
Dal turbato lavacro.
Il Pio guardò quell' isole dal lembo
Della sua poppa lungamente. In core
Gli sfolgorò del vaticinio il lampo;
E profetò che un giorno
Tra quella d'acque squallida vallea
In trïonfal ritorno
All' avello condotto esser dovea.

E come ei tacque, sulle canne apparve
Lo spettro d'una chiesa bizantina
Che tremolò per l'etere e disparve;
E d'eco in eco per lo tacito arco
Dell' Adriaca marina
Grido immenso volò: 'Viva san Marco!'
Sì, laggiù poserai, ma sotto l'ale
D'un padiglion di cupole dorate;
Laggiù, o celeste, poserai, ma cinto
Da selva di lucenti
Colonne, e sul tuo portico regale
Scintilleranno egregi e impazïenti
I destrier di Corinto;
Al nome tuo, venturo inno di guerra,
Dagli antri funerali
I lividi corsali
Esuleranno; e dai pugnati campi
Prigioniere verran di Palestina
A riflettersi mille arabe lune
Dentro le tue lagune;
E sulle torri dell' infido Greco
Un vecchio ardente e cieco
Guiderà la vittoria

461

A piantar fra i nemici il tuo vessillo,
Logoro dalla gloria.
Verranno i re da regïon lontane
Le tue belle a sposar repubblicane;
E su quella palude
D'alighe immonda sorgeran portenti
Di templi, di trofei, di monumenti:
Da quelle isole nude,
Come dal sen di magiche conchiglie,
Perle usciranno d'inclite famiglie.

IV

E sul primo spuntar dell' alba austera
Di queste età novelle,
Dai meandri partia de' suoi canali,
Sopra dromóni di natio cipresso
E sulla tolda delle fuste snelle,
Venezia mattiniera,
Quando ancora dormian le sue rivali.
E ver le plaghe della bella aurora,
Mercadantessa audace,
De' suoi nobili figli ella volgea
La venturosa prora
Di tesori indovina. E qual riedea
Seco recando dall' Indo ferace
I profumati balsami che manda
L'olibano che piange,
O il cortice del cinnamo riciso
Ne' laureti del Gange;
Qual le stoffe traea nel paradiso
Della vallea di Casimira inteste,
O i persici tappeti, e l'auree lane

ALEARDO ALEARDI

D'Angora, salvi dalle ree tempeste
Dello Ellesponto, ove sovente il flutto
Per cupidigie insane
Fu triste di cadaveri e di lutto.
Esule da Golconda, dove langue
D'amor la baiadera, il dïamante
Fea Rïalto brillar del suo splendore;
E il nitido rubino,
Quasi impietrata gocciola di sangue,
Rutilando ridea sul crin corvino
Delle venete nuore . . .
Ma all' età dei magnanimi perigli
Successero i riposi
Degeneri, i fastosi
Palagi, l'ozio, i carnovali e il sonno.
Volta anch' ella a Orïente, in quell' istesso
Mattin scendea dai pallidi d'ulivi
Amalfitani clivi
Una gagliarda gioventude: l'arme
In sulla spalla; il carme
In sulle labbra; l'onda
Di fronte immensa, e la baldanza in core.
E intanto la profonda
Mente scrivea dei padri una prudente
Legge che resse la marina gente;
E porgeva ai nocchieri,
Per governar dei loro alberi il volo,
L'ago fedele nell' amor del polo;
Perchè nei tempi neri,
Quando notturna infuria la procella,
Scusasse il raggio dell' occulta stella.

v

E tu scendevi, amazzone dell' Arno,
  Pisa tremenda e bella,
  Tu pur scendevi alle marine giostre
  Balzando in cima alle spumanti prue,
  Come a selvaggi corridor in sella:
  E valoroso indarno
  Fu 'l Şaraceno, a cui le olenti chiostre
  Palermitane fulminavi e i chioschi
  Delle Alambre azzurrine.
  L'oro e le merci di rimote arene
  S'accumulâr ne' Toschi
  Stipi: e al tuo nome l'isole Tirrene
  Servíano, come ninfe ocëanine;
  E teco le fraterne acque fendea
  Genova, l'iraconda
  Nelle cacce del mar säettatrice.
  Lïonessa dell' onda,
  Lasciò il teatro della sua pendice,
  E le terrazze candide, e i giardini
  Pensili, e i cedri del natio Bisagno,
  E tra una selva d'ondeggianti pini
  Volò a ruggir con la rabbia inumana
  Del sùbito guadagno,
  Fatta al sultano bizantin sultana:
  E poi che d'oro e di fortuna sazi
  Ebbe i suoi figli, ai popoli largiva
  Il mondo americano . . . Ahi! scellerate
  Nipoti di Caïno!
  Voi che esultaste nei fraterni strazi,
  Dall' abisso dell' Italo destino

Vi maledice il vate.
Oh Meloria! Meloria! Allor che in prima
Quel tuo passando vidi
Cimitero d'Atridi,
Sopra il navil che mi traeva, io piansi
Una lagrima amara. Era di notte:
Un vel copria di languide tenèbre
L'isolotto funèbre:
Quando m'apparve sovra il bruno mare
Un galleggiar di bare;
E quinci un uscir d'ombre
A pugnare implacabili, e le spiaggie
Di cadaveri ingombre,
E il flutto che frangevasi alle arene
Mandava un suono come di catene . . .
Ma venner, Pisa, i giorni
D'espïazione; ed or le capre l'erba
Brucano nella tua piazza superba;
E fin quando t'adorni
Tutta di lumi in festa genïale,
Rassomigli a una pompa funerale.

VI

Mentre nell' ombra l'ispide contrade
Del fëudal straniero
Giaceano avvolte, e pochi vïolenti
Spartiansi i campi d'un immenso e scarno
Vulgo con la ragion del masnadiero,
Col dritto delle spade,
Col terror dei patiboli, fiorenti
Erano di famose arti le folte
Città repubblicane,

Come sciame d'industri api negli orti
Dell' Ausonia raccolte.
Ivano ai giuochi delle gaie corti
O ai festivi tornei le castellane,
Cinte di trina veneta le spalle
Eburnee: ivano ai balli,
E rifulgean dello stranier le sale
Di veneti cristalli.
E felice il guerrier, quando mortale
Più la mischia ruggìa, se di gagliarda
Corazza proteggea gli omeri e il petto
Temprata sulla incudine lombarda;
Chè lui serbava della sposa al caro
Bacio e al materno tetto
La fedele virtù di quell' acciaro.
Patrizie sete e prezïosi panni,
Tinti ne' rai dell' iride, tesori
Fruttaro e glorïosi ozi ed orgoglio
Alla città del Fiore;
Che vide un re degli ultimi Britanni
Oro chiedendo al Tosco mercatore
Tender la man dal soglio.
E uno strepito lieto, un lieto fumo
Di fervide fucine,
Da valli e da colline
Salìano al cielo liberale: e parve
Fin ne' placidi chiostri accompagnata
Da l'uniforme suon della gualchiera
Più santa la preghiera;
E se invitava a tessere la lana,
Più santa la campana.
Ma facil di codardi

Propositi alimento è l'opulenza,
Cui più di molli bardi
Caro è il vezzo e il vagir che non sul campo
L'aspra armonia delle battaglie e il lampo.
Il cittadin fiaccato
La salvezza fidò dei venerandi
Lari al valor di comperati brandi:
E dal venal soldato
Uscîr le ignavie e 'l tradimento e i roghi
Perfidi e il Fato artefice di gioghi.

VII

Vittima illustre di perpetui falli,
  Così da quella estrema
  Cima scendea la peccatrice e grande
  Madre degli avi miei novellamente
  In basso loco. E il vago dïadema
  Di perle e di coralli
  Franto cadea. Le nobili ghirlande,
  Raccolte in dono il dì che venne sposa
  Alle nozze del mare,
  Sperdea, misera Ofelia, a fiore a fiore
  Sulla via dolorosa:
  E come ilota fu respinta fuore
  Dal gran convito delle genti avare.
  Una schiera di vili anni coperti
  Di luttüoso velo,
  Cinti di foglie fracide d'alloro,
  Sotto l'Ausonio cielo
  Passaron lenti a guisa di mortoro,
  Ognun recando qualche spenta gloria
  In silenzio all' avello; e poi che niuna

Più ne restava, sin la lor memoria
Sommersero nell' onda dell' obblio;
E di tanta fortuna
Solo rimaser la speranza e Dio! . . .
E l'Arcadia trillava. Ahi sciagurati
Fantasimi di vati! E quella, in tanto
Strazio comun, la dolce ora vi parve
Da vaneggiar nei folti
Boschi per Clori e Fillide? Dei fati
Scherno crudel fu il vostro canto, o stolti
Fabbri di vacue larve!
E intanto quel gentil popol che corse
Marinaro e guerriero
Sul gemino emispero,
Vedilo là, che asciuga al sol la vela,
Quasi mantel di povero, sdrucita;
E al remo suda inconscio pescadore,
E ignoto vive, e muore
Ignoto, e posa nell' umíl sagrato
Alla sua chiesa allato,
Dove appendeva all' are
Qualche votiva tavola a Maria . . .
Ave, Stella del mare!
Pei mille templi che da Chioggia a Noto
Ti ergea pregando l'Italo devoto;
Per i lumi modesti
Ch'ora ei t'accende ai dì della procella;
Per Raffael che ti pingea sì bella;
Tu sì gentil coi mesti,
Fa' che la gloria ancor spunti, o Divina,
Sui tre orizzonti della mia marina.

GIOVANNI PRATI

1814–†1884

340   *Canto d'Igea*

A CHI la zolla avita
  Ara co' propri armenti,
  E le vigne fiorenti
  Al fresco olmo marita,
  E, i casalinghi Dei
  Bene invocando, al sole
  Mette gagliarda prole
  Da' vegeti imenei;
A chi le capre snelle
  Sparge sul pingue clivo,
  O pota il sacro olivo
  Sotto clementi stelle;
  A chi, le braccia ignude,
  Nel ciclopeo travaglio,
  Picchia il paterno maglio
  Sulla fiammante incude:
A questi Igea dispensa
  Giocondi operatori
  I candidi tesori
  Del sonno e della mensa;
  Le poderose spalle
  E i validi toraci
  Io formo a questi audaci
  Del monte e della valle.
Nè men chi si periglia
  Coi flutti e le tempeste
  Del nostro fior si veste,
  Se il mar non se lo piglia:

Nè men chi suda in guerra
Porta le mie corone,
Se, innanzi il dì, nol pone
Lancia nemica in terra.
Ma guai chi tenta il volo
Per vie senza ritorni!
Languono i rosei giorni
Al vagabondo e solo.
Perchè, mal càuti, il varco
Dare alla mente accesa? . . .
Corda che troppo è tesa
Spezza sè stessa e l'arco.
Dal dì che il mondo nacque,
Io, ch'ogni ben discerno,
Scherzo col riso eterno
Degli árbori e dell' acque;
E dalla bocca mia
Spargo, volenti i numi,
Aure di vita e fiumi
Di forza e d'allegria.
Sul tramite beato
Però più d'uno è vinto
Per doloroso istinto
O iniquità del Fato;
Ma può levarsi pieno
Di gagliardia divina
S'ei la sua testa china
Nel mio potente seno.
Dal sol che spunta e cade
A voi nella pupilla,
Dall' aria che vi stilla
Il ben delle rugiade,

GIOVANNI PRATI

Dai rivi erranti e lieti,
Dal rude fior dei vepri,
Dal fumo dei ginepri,
Dal pianto degli abeti,
Da ogni virtù che il sangue
E il corpo vi compose,
Rispunteran le rose
Sul cespite che langue;
E i liberi bisogni
Che risentir si fanno,
Nell' ombra uccideranno
Le amare veglie e i sogni.
Salvate, oimè, le membra
Dal tarlo del pensiero!
A voi daccanto è il vero
Più che talor non sembra.
L'uom che lo chiese altrove
Dannato è sul macigno,
E lo sparvier maligno
Fa le vendette a Giove.
In voi, terrestri, mesce
Vario vigor Natura;
Ma chi non tien misura
Alla gran madre incresce.
Destrier che l'ira invade,
Fatto demente al corso,
Sui piè barcolla, il morso
Bagna di sangue . . . e cade.
Perchè affrettar l'arrivo
Della giornata negra?
Ne' baci miei t'allegra,
O brevemente vivo!

GIOVANNI PRATI

Progenie impoverita,
Che cerchi un ben lontano,
Nella mia rosea mano
È il nappo della vita.

GIACOMO ZANELLA

1820–†1888

*341   Sopra una conchiglia fossile nel mio
studio*

SUL chiuso quaderno
Di vati famosi,
Dal musco materno
Lontana, riposi:
Riposi marmorea,
Dell' onde già figlia,
Ritorta conchiglia.

Occulta nel fondo
D'un antro marino,
Del giovane mondo
Vedesti il mattino;
Vagavi co' nautili,
Co' murici a schiera;
E l'uomo non era.

Per quanta vicenda
Di lente stagioni,
Arcana leggenda
D'immani tenzoni
Impresse volubile
Sul niveo tuo dorso
De' secoli il corso!
Noi siamo di ieri:

GIACOMO ZANELLA

Dell' Indo pur ora
Sui taciti imperi
Splendeva l'aurora;
Pur ora del Tevere
A' lidi tendea
La vela di Enea.

È fresca la polve
Che il fasto caduto
De' Cesari involve.
Si crede canuto,
Appena all' Artefice
Uscito di mano,
Il genere umano!

Tu, prima che desta
All' aure feconde
Italia la testa
Levasse dall' onde,
Tu, suora de' polipi,
De' rosei coralli
Pascevi le valli.

Riflesso nel seno
De' ceruli piani,
Ardeva il baleno
Di cento vulcani:
Le dighe squarciavano
Di pelaghi ignoti
Rubesti tremoti.

Nell' imo de' laghi
Le palme sepolte,
Nel sasso de' draghi
Le spire rinvolte,
E l'orme ne parlano

De' profughi cigni
Sugli ardui macigni.

    Pur baldo di speme
L'uom, ultimo giunto,
Le ceneri preme
Di un mondo defunto:
Incalza di secoli
Non anco maturi
I fulgidi augùri.

    Sui tumuli il piede,
Ne' cieli lo sguardo,
All' ombra procede
Di santo stendardo:
Per golfi reconditi,
Per vergini lande
Ardente si spande.

    T'avanza, t'avanza,
Divino straniero;
Conosci la stanza
Che i fati ti dièro:
Se schiavi, se lagrime
Ancora rinserra,
È giovin la terra.

    Eccelsa, segreta
Nel buio degli anni
Dio pose la meta
De' nobili affanni.
Con brando e con fiaccola
Sull' erta fatale
Ascendi, mortale!

    Poi quando disceso
Sui mari redenti

GIACOMO ZANELLA

Lo Spirito atteso
Ripurghi le genti,
E splenda de' liberi
Un solo vessillo
Sul mondo tranquillo;
    Compiute le sorti,
Allora de' cieli
Ne' lucidi porti
La terra si celi:
Attenda sull' àncora
Il cenno divino
Per novo cammino.

GIOSUÈ CARDUCCI

1835–†1907

i

'Funere mersit acerbo'

O TU che dormi là su la fiorita
  Collina tosca, e ti sta il padre a canto;
Non hai tra l'erbe del sepolcro udita
  Pur ora una gentil voce di pianto?
È il fanciulletto mio, che a la romita
  Tua porta batte: ei che nel grande e santo
Nome te rinnovava, anch' ei la vita
  Fugge, o fratel, che a te fu amara tanto.
Ahi no! giocava per le pinte aiole,
  E arriso pur di visïon leggiadre
L'ombra l'avvolse, ed a le fredde e sole
Vostre rive lo spinse. Oh, giù nell' adre
  Sedi accoglilo tu, chè al dolce sole
  Ei volge il capo ed a chiamar la madre.

ii

Pianto antico

L'ALBERO a cui tendevi
La pargoletta mano,
Il verde melograno
Da' bei vermigli fior,

Nel muto orto solingo
Rinverdì tutto or ora,
E giugno lo ristora
Di luce e di calor.

Tu fior de la mia pianta
Percossa e inaridita,
Tu de l'inutil vita
Estremo unico fior,

Sei ne la terra fredda,
Sei ne la terra negra;
Nè il sol più ti rallegra
Nè ti risveglia amor.

iii

344

Idillio Maremanno

CO 'l raggio de l'april nuovo che inond
Roseo la stanza tu sorridi ancora
Improvvisa al mio cuore, o Maria bionda;

E il cuor che t'obliò, dopo tant' ora
Di tumulti ozïosi in te riposa,
O amor mio primo, o d'amor dolce aurora.

GIOSUÈ CARDUCCI

Ove sei? senza nozze e sospirosa
Non passasti già tu: certo il natio
Borgo ti accoglie lieta madre e sposa;

Chè il fianco baldanzoso ed il restio
Seno a i freni del vel promettean troppa
Gioia d'amplessi al marital desio.

Forti figli pendean da la tua poppa
Certo, ed or baldi un tuo sguardo cercando
Al mal domo caval saltano in groppa.

Com' eri bella, o giovinetta, quando
Tra l'ondeggiar de' lunghi solchi uscivi
Un tuo serto di fiori in man recando,

Alta e ridente, e sotto i cigli vivi
Di selvatico fuoco lampeggiante
Grande e profondo l'occhio azzurro aprivi!

Come 'l cíano seren tra 'l biondeggiante
Òr de le spiche, tra la chioma flava
Fioria quell' occhio azzurro; e a te d'avante

La grande estate, e intorno, fiammeggiava;
Sparso tra' verdi rami il sol ridea
Del melogran, che rosso scintillava.

Al tuo passar, siccome a la sua dea,
Il bel pavon l'occhiuta coda apria
Guardando, e un rauco grido a te mettea.

Oh come fredda indi la vita mia,
Come oscura e incresciosa è trapassata!
Meglio era sposar te, bionda Maria!

GIOSUÈ CARDUCCI

Meglio ir tracciando per la sconsolata
Boscaglia al piano il bufolo disperso,
Che salta fra la macchia e sosta e guata,

Che sudar dietro al piccioletto verso!
Meglio oprando obliar, senza indagarlo,
Questo enorme mister de l'universo!

Or freddo, assiduo, del pensiero il tarlo
Mi trafora il cervello, ond' io dolente
Misere cose scrivo e tristi parlo.

Guasti i muscoli e il cuor da la rea mente,
Corrose l'ossa dal malor civile,
Mi divincolo in van rabbiosamente.

Oh lunghe al vento sussurranti file
De' pioppi! oh a le bell' ombre in su 'l sacrato
Ne i dì solenni rustico sedile,

Onde bruno si mira il piano arato
E verdi quindi i colli e quindi il mare
Sparso di vele, e il campo santo è a lato!

Oh dolce tra gli eguali il novellare
Su 'l quïeto meriggio, e a le rigenti
Sere accogliersi intorno al focolare!

Oh miglior gloria, a i figliuoletti intenti
Narrar le forti prove e le sudate
Cacce ed i perigliosi avvolgimenti

Ed a dito segnar le profondate
Oblique piaghe nel cignal supino,
Che perseguir con frottole rimate

I vigliacchi d'Italia e Trissottino.

iv

345   *San Martino*

LA nebbia a gl'irti colli
Piovigginando sale,
E sotto il maestrale
Urla e biancheggia il mar;

Ma per le vie del borgo
Dal ribollir de' tini
Va l'aspro odor de i vini
L'anime a rallegrar.

Gira su' ceppi accesi
Lo spiedo scoppiettando:
Sta il cacciator fischiando
Su l'uscio a rimirar

Tra le rossastre nubi
Stormi d'uccelli neri,
Com' esuli pensieri,
Nel vespero migrar.

v

346   *Alla Vittoria*

tra le rovine del tempio di Vespasiano in Brescia

SCUOTESTI, vergin divina, l'auspice
Ala su gli elmi chini de i pèltasti,
Poggiati il ginocchio a lo scudo,
Aspettanti con l'aste protese?

479

GIOSUÈ CARDUCCI

O pur volasti davanti l'aquile,
Davanti i flutti de' Marsi militi,
Co 'l miro fulgor respingendo
Gli annitrenti cavalli de i Parti?

Raccolte or l'ali, sopra la galea
Del vinto insisti fiera co 'l poplite,
Qual nome di vittorïoso
Capitano su 'l clipeo scrivendo?

È d'un arconte, che sovra i despoti
Gloriò le sante leggi de' liberi?
D'un consol, che il nome i confini
E il terror de l'impero distese?

Vorrei vederti su l'Alpi, splendida
Fra le tempeste, bandir ne i secoli:
'O popoli, Italia qui giunse
Vendicando il suo nome e il diritto.'

Ma Lidia intanto de i fiori ch'èduca
Mesti l'ottobre da le macerie
Romane t'elegge un pio serto
E, ponendol soave al tuo piede,

'Che dunque,' dice, 'pensasti, o vergine
Cara, là sotto ne la terra umida
Tanti anni? Sentisti i cavalli
D'Alemagna su 'l greco tuo capo?'

'Sentii,' risponde la diva, e folgora,
'Però ch'io sono la gloria ellenica,
Io sono la forza del Lazio
Traversante nel bronzo pe' tempi.

Passâr l'etadi simili a i dodici
Avvoltoi tristi che vide Romolo,
E sursi "O Italia" annunziando,
"I sepolti son teco e i tuoi numi!"

Lieta del fato Brescia raccolsemi,
Brescia la forte, Brescia la ferrea,
Brescia leonessa d'Italia
Beverata nel sangue nemico.'

vi

347   *Per la morte di Napoleone
Eugenio*

QUESTO la inconscia zagaglia barbara
Prostrò, spegnendo li occhi di fulgida
Vita sorrisi da i fantasmi
Fluttuanti ne l'azzurro immenso.

L'altro, di baci sazio in austriache
Piume e sognante su l'albe gelide
Le dïane e il rullo pugnace,
Piegò come pallido giacinto.

Ambo a le madri lungi; e le morbide
Chiome fiorenti di puerizia
Pareano aspettare anche il solco
De la materna carezza. In vece

Balzâr nel buio, giovinette anime,
Senza conforti; nè de la patria
L'eloquio seguivali al passo
Co' i suon de l'amore e de la gloria.

GIOSUÈ CARDUCCI

Non questo, o fosco figlio d'Ortensia,
Non questo avevi promesso al parvolo:
Gli pregasti in faccia a Parigi
Lontani i fati del re di Roma.

Vittoria e pace da Sebastopoli
Sopian co 'l rombo de l'ali candide
Il piccolo: Europa ammirava:
La Colonna splendea come un faro.

Ma di decembre, ma di brumaio
Cruento è il fango, la nebbia è perfida:
Non crescono arbusti a quell' aure,
O dan frutti di cenere e tòsco.

O solitaria casa d'Aiaccio,
Cui verdi e grandi le querce ombreggiano
E i poggi coronan sereni
E davanti le risuona il mare!

Ivi Letizia, bel nome italico
Che omai sventura suona ne i secoli,
Fu sposa, fu madre felice,
Ahi troppo breve stagione! ed ivi,

Lanciata a i troni l'ultima folgore,
Date concordi leggi tra i popoli,
Dovevi, o consol, ritrarti
Fra il mare e Dio cui tu credevi.

Domestica ombra Letizia or abita
La vuota casa; non lei di Cesare
Il raggio precinse: la còrsa
Madre visse fra le tombe e l'are.

Il suo fatale da gli occhi d'aquila,
Le figlie come l'aurora splendide,
Frementi speranza i nepoti,
Tutti giacquer, tutti a lei lontano.

Sta ne la notte la còrsa Niobe,
Sta su la porta donde al battesimo
Le usciano i figli, e le braccia
Fiera tende su 'l selvaggio mare:

E chiama, chiama, se da l'Americhe,
Se di Britannia, se da l'arsa Africa
Alcun di sua tragica prole
Spinto da morte le approdi in seno.

vii

348   *Fantasia*

TU parli; e, de la voce a la molle aura
Lenta cedendo, si abbandona l'anima
Del tuo parlar su l'onde carezzevoli,
E a strane plaghe naviga.

Naviga in un tepor di sole occiduo
Ridente a le cerulee solitudini:
Tra cielo e mar candidi augelli volano,
Isole verdi passano,

E i templi su le cime ardui lampeggiano
Di candor pario ne l'occaso roseo,
Ed i cipressi de la riva fremono,
E i mirti densi odorano.

Erra lungi l'odor su le salse aure
E si mesce al cantar lento de' nauti,
Mentre una nave in vista al porto ammaina
Le rosse vele placida.

Veggo fanciulle scender da l'acropoli
In ordin lungo; ed han bei pepli candidi,
Serti hanno al capo, in man rami di lauro,
Tendon le braccia e cantano.

Piantata l'asta in su l'arena patria,
A terra salta un uom ne l'armi splendido:
È forse Alceo da le battaglie reduce
A le vergini lesbie?

viii

349   *Alla stazione in una mattina
d'autunno*

OH quei fanali come s'inseguono
Accidïosi là dietro gli alberi,
Tra i rami stillanti di pioggia
Sbadigliando la luce su 'l fango!

Flebile, acuta, stridula fischia
La vaporiera da presso. Plumbeo
Il cielo e il mattino d'autunno
Come un grande fantasma n'è intorno.

Dove e a che mòve questa, che affrettasi
A carri foschi, ravvolta e tacita
Gente? A che ignoti dolori
O tormenti di speme lontana?

GIOSUÈ CARDUCCI

Tu pur pensosa, Lidia, la tessera
Al secco taglio dài de la guardia,
E al tempo incalzante i begli anni
Dài, gl'istanti gioiti e i ricordi.

Van lungo il nero convoglio e vengono
Incappucciati di nero i vigili,
Com' ombre; una fioca lanterna
Hanno, e mazze di ferro: ed i ferrei

Freni tentati rendono un lugubre
Rintocco lungo: di fondo a l'anima
Un eco di tedio risponde
Doloroso, che spasimo pare.

E gli sportelli sbattuti al chiudere
Paion oltraggi: scherno par l'ultimo
Appello che rapido suona:
Grossa scroscia su' vetri la pioggia.

Già il mostro, conscio di sua metallica
Anima, sbuffa, crolla, ansa, i fiammei
Occhi sbarra; immane pe 'l buio
Gitta il fischio che sfida lo spazio.

Va l'empio mostro; con traino orribile
Sbattendo l'ale gli amor miei portasi.
Ahi, la bianca faccia e 'l bel velo
Salutando scompar ne la tenebra.

O viso dolce di pallor roseo,
O stellanti occhi di pace, o candida
Tra floridi ricci inchinata
Pura fronte con atto soave!

Fremea la vita nel tepid' aere,
Fremea l'estate quando mi arrisero;
E il giovine sole di giugno
Si piacea di baciar luminoso

In tra i riflessi del crin castanei
La molle guancia: come un' aureola
Più belli del sole i miei sogni
Ricingean la persona gentile.

Sotto la pioggia, tra la caligine
Torno ora, e ad esse vorrei confondermi;
Barcollo com' ebro, e mi tocco,
Non anch' io fossi dunque un fantasma.

Oh qual caduta di foglie, gelida,
Continua, muta, greve, su l'anima!
Io credo che solo, che eterno,
Che per tutto nel mondo è novembre.

Meglio a chi 'l senso smarrì de l'essere,
Meglio quest' ombra, questa caligine:
Io voglio, io voglio adagiarmi
In un tedio che duri infinito.

ix

350 *Presso l'urna di Percy*
Bysshe Shelley

LALAGE, io so qual sogno ti sorge dal cuore profondo,
So quai perduti beni l'occhio tuo vago segue.

L'ora presente è in vano, non fa che percuotere e fugge;
Sol nel passato è il bello, sol ne la morte è il vero.

GIOSUÈ CARDUCCI

Pone l'ardente Clio su 'l monte de' secoli il piede
Agile, e canta, ed apre l'ali superbe al cielo.

Sotto di lei volante si scuopre ed illumina l'ampio
Cimitero del mondo, ridele in faccia il sole

De l'età nova. O strofe, pensier de' miei giovini anni,
Volate omai secure verso gli antichi amori;

Volate pe' cieli, pe' cieli sereni, a la bella
Isola risplendente di fantasia ne' mari.

Ivi poggiati a l'aste Sigfrido ed Achille alti e biondi
Erran cantando lungo il risonante mare:

Dà fiori a quello Ofelia sfuggita al pallido amante,
Dal sacrificio a questo Ifïanassa viene.

Sotto una verde quercia Rolando con Ettore parla,
Sfolgora Durendala d'oro e di gemme al sole:

Mentre al florido petto richiamasi Andromache il figlio,
Alda la bella, immota, guarda il feroce sire.

Conta re Lear chiomato a Edippo errante sue pene,
Con gli occhi incerti Edippo cerca la sfinge ancora:

La pia Cordelia chiama: 'Deh! candida Antigone, vieni!
Vieni, o greca sorella! Cantiam la pace a i padri.'

Elena e Isotta vanno pensose per l'ombra de i mirti,
Il vermiglio tramonto ride a le chiome d'oro:

Elena guarda l'onde: re Marco ad Isotta le braccia
Apre, ed il biondo capo su la gran barba cade.

Con la regina Scota su 'l lido nel lume di luna
Sta Clitennestra: tuffan le bianche braccia in mare,

E il mar rifugge gonfio di sangue fervido: il pianto
De le misere echeggia per lo scoglioso lido.

487

Oh lontana a le vie de i duri mortali travagli
Isola de le belle, isola de gli eroi,

Isola de' poeti! Biancheggia l'oceano d'intorno,
Volano uccelli strani per il purpureo cielo.

Passa crollando i lauri l'immensa sonante epopea
Come turbin di maggio sopra ondeggianti piani;

O come quando Wagner possente mille anime intona
A i cantanti metalli; trema a gli umani il core.

Ah, ma non ivi alcuno de' novi poeti mai surse,
Se non tu forse, Shelley, spirito di titano

Entro virginee forme: dal divo complesso di Teti
Sofocle a volo tolse te fra gli eroici cori.

O cuor de' cuori, sopra quest' urna che freddo ti chiude
Odora e tepe e brilla la primavera in fiore.

O cuor de' cuori, il sole divino padre ti avvolge
De' suoi raggianti amori, povero muto cuore.

Fremono freschi i pini per l'aura grande di Roma:
Tu dove sei, poeta del liberato mondo?

Tu dove sei? M'ascolti? Lo sguardo mio umido fugge
Oltre l'aurelïana cerchia su 'l mesto piano.

x

351   *Nevicata*

LENTA fiocca la neve pe 'l cielo cinerëo: gridi,
Suoni di vita più non salgon da la città,

Non d'erbaiola il grido o corrente rumore di carro,
Non d'amor la canzon ilare e di gioventù

Da la torre di piazza roche per l'aere le ore
Gemon, come sospir d'un mondo lungi dal dì.

Picchiano uccelli raminghi a' vetri appannati: gli amici
Spiriti reduci son, guardano e chiamano a me.

In breve, o cari, in breve — tu càlmati, indomito cuore —
Giù al silenzio verrò, ne l'ombra riposerò.

xi

352   *La Chiesa di Polenta*

AGILE e solo vien di colle in colle
  Quasi accennando l'ardüo cipresso.
Forse Francesca temprò qui li ardenti
          Occhi al sorriso?

Sta l'erta rupe, e non minaccia; in alto
Guarda, e ripensa, il barcaiol, torcendo
L'ala de' remi in fretta dal notturno
          Adrïa: sopra

Fuma il comignol del villan, che giallo
Mesce frumento nel fervente rame
Là dove torva l'aquila del vecchio
          Guido covava.

Ombra d'un fiore è la beltà, su cui
Bianca farfalla poesia volteggia:
Eco di tromba che si perde a valle
          È la potenza.

Fuga di tempi e barbari silenzi
Vince e dal flutto de le cose emerge
Sola, di luce a' secoli affluenti
          Faro, l'idea.

GIOSUÈ CARDUCCI

Ecco la chiesa. E surse ella che ignoti
Servi morian tra la romana plebe
Quei che fur poscia i Polentani e Dante.
                    Fecegli eterni.

Forse qui Dante inginocchiossi? L'alta
Fronte che Dio mirò da presso chiusa
Entro le palme, ei lacrimava il suo
                    Bel San Giovanni;

E folgorante il sol rompea da' vasti
Boschi su 'l mar. Del profugo a la mente
Ospiti batton lucidi fantasmi
                    Dal paradiso:

Mentre, dal giro de' brevi archi l'ala
Candida schiusa verso l'orïente,
Giubila il salmo *In exitu* cantando
                    Israel de Aegypto.

Itala gente da le molte vite,
Dove che albeggi la tua notte e un'ombra
Vagoli spersa de' vecchi anni, vedi
                    Ivi il poeta.

Ma su' dischiusi tumuli per quelle
Chiese prostesi in grigio sago i padri,
Sparsi di turpe cenere le chiome
                    Nere fluenti,

Al bizantino crocefisso, atroce
Ne gli occhi bianchi livida magrezza,
Chieser mercè de l'alta stirpe e de la
                    Gloria di Roma.

GIOSUÈ CARDUCCI

Da i capitelli orride forme intruse
A le memorie di scalpelli argivi,
Sogni efferati e spasimi del bieco
    Settentrïone,

Imbestïati degeneramenti
De l'orïente, al guizzo de la fioca
Lampada, in turpe abbracciamento attorti,
    Zolfo ed inferno

Goffi sputavan su la prosternata
Gregge: di dietro al battistero un fulvo
Picciol cornuto diavolo guardava
    E subsannava.

Fuori stridea per monti e piani il verno
De la barbarie. Rapido saetta
Nero vascello, con i venti e un dio
    Ch'ulula a poppa,

Fuoco saetta ed il furor d'Odino
Su le arridenti di due mari a specchio
Moli e cittadi a Enosigeo le braccia
    Bianche porgenti.

Ahi, ahi! Procella d'ispide polledre
Avare ed Unne e cavalier tremendi
Sfilano: dietro spigolando allegra
    Ride la morte.

Gesù, Gesù! Spalancano la tetra
Bocca i sepolcri: a' venti, a' nembi, al sole
Piangono rese anch' esse de' beati
    Màrtiri l'ossa.

E quel che avanza il Vínilo barbuto,
Ridiscendendo da i castelli immuni,
Sparte — reliquie, cenere, deserto —
            Con l'alabarda.

Schiavi percossi e dispogliati, a voi
Oggi la chiesa, patria, casa, tomba,
Unica avanza: qui dimenticate,
            Qui non vedete.

E qui percossi e dispogliati anch' essi
I percussori e spogliatori un giorno
Vengano. Come ne la spumeggiante
            Vendemmia il tino

Ferve, e de' colli italici la bianca
Uva e la nera calpestata e franta
Sè disfacendo il forte e redolente
            Vino matura;

Qui, nel conspetto a Dio vendicatore
E perdonante, vincitori e vinti,
Quei che al Signor pacificò, pregando,
            Teodolinda,

Quei che Gregorio invidïava a' servi
Ceppi tonando nel tuo verbo, o Roma,
Memore forza e amor novo spiranti
            Fanno il Comune.

Salve, affacciata al tuo balcon di poggi
Tra Bertinoro alto ridente e il dolce
Pian cui sovrasta fino al mar Cesena
            Donna di prodi,

GIOSUÈ CARDUCCI

Salve, chiesetta del mio canto! A questa
Madre vegliarda, o tu rinnovellata
Itala gente da le molte vite,
            Rendi la voce

De la preghiera: la campana squilli
Ammonitrice: il campanil risorto
Canti di clivo in clivo a la campagna
            Ave Maria.

Ave Maria! Quando su l'aure corrè
L'umil saluto, i piccioli mortali
Scovrono il capo, curvano la fronte
            Dante ed Aroldo.

Una di flauti lenta melodia
Passa invisibil fra la terra e il cielo:
Spiriti forse che furon, che sono
            E che saranno?

Un oblio lene de la faticosa
Vita, un pensoso sospirar quïete,
Una soave volontà di pianto
            L'anime invade.

Taccion le fiere e gli uomini e le cose,
Roseo 'l tramonto ne l'azzurro sfuma,
Mormoran gli alti vertici ondeggianti
            Ave Maria.

GIOVANNI PASCOLI

1855–†1912

i

353   *Pioggia*

CANTAVA al buio d'aia in aia il gallo.

E gracidò nel bosco la cornacchia:
    Il sole si mostrava a finestrelle.
    Il sol dorò la nebbia della macchia,
    Poi si nascose; e piovve a catinelle.
    Poi tra il cantare delle raganelle
    Guizzò sui campi un raggio lungo e giallo.
Stupìano i rondinotti dell'estate
    Di quel sottile scendere di spille:
    Era un brusìo con languide sorsate
    E chiazze larghe e picchi a mille a mille;
    Poi singhiozzi, e gocciar rado di stille:
    Di stille d'oro in coppe di cristallo.

ii

354   *Novembre*

GEMMEA l'aria, il sole così chiaro
    Che tu ricerchi gli albicocchi in fiore,
E del prunalbo l'odorino amaro
                Senti nel cuore . . .

Ma secco è il pruno, e le stecchite piante
    Di nere trame segnano il sereno,
E vuoto il cielo, e cavo al piè sonante
                Sembra il terreno.

Silenzio, intorno: solo, alle ventate,
Odi lontano, da giardini ed orti,
Di foglie un cader fragile. È l'estate,
            Fredda, dei morti.

iii
Mare

355

M'AFFACCIO alla finestra, e vedo il mare:
Vanno le stelle, tremolano l'onde.
Vedo stelle passare, onde passare:
Un guizzo chiama, un palpito risponde.

Ecco sospira l'acqua, alita il vento:
Sul mare è apparso un bel ponte d'argento.

Ponte gettato sui laghi sereni,
Per chi dunque sei fatto e dove meni?

iv
Il lampo

356

E CIELO e terra si mostrò qual era:

La terra ansante, livida, in sussulto;
Il cielo ingombro, tragico, disfatto:
Bianca bianca nel tacito tumulto
Una casa apparì sparì d'un tratto;
Come un occhio, che, largo, esterrefatto,
S'aprì si chiuse, nella notte nera.

v

357

Il tuono

E NELLA notte nera come il nulla,

A un tratto, col fragor d'arduo dirupo
Che frana, il tuono rimbombò di schianto:
Rimbombò, rimbalzò, rotolò cupo,
E tacque, e poi rimareggiò rinfranto,
E poi vanì. Soave allora un canto
S'udì di madre, e il moto di una culla.

vi

358

La quercia caduta

D OV'era l'ombra, or sè la quercia spande
Morta, nè più coi turbini tenzona.
La gente dice: Or vedo: era pur grande!

Pendono qua e là dalla corona
I nidietti della primavera.
Dice la gente: Or vedo: era pur buona!

Ognuno loda, ognuno taglia. A sera
Ognuno col suo grave fascio va.
Nell' aria, un pianto . . . d'una capinera

Che cerca il nido che non troverà.

vii

Il transito

IL cigno canta. In mezzo delle lame
Rombano le sue voci lunghe e chiare,
Come percossi cembali di rame.

È l'infinita tenebra polare.
Grandi montagne d'un eterno gelo
Pontano sopra il lastrico del mare.

Il cigno canta; e lentamente il cielo
Sfuma nel buio, e si colora in giallo;
Spunta una luce verde a stelo a stelo.

Come arpe qua e là tocche, il metallo
Di quella voce tìntina; già sfiora
La verde luce i picchi di cristallo.

E nella notte, che ne trascolora,
Un immenso iridato arco sfavilla,
E i portici profondi apre l'aurora.

L'arco verde e vermiglio arde, zampilla,
A frecce, a fasci; e poi palpita, frana
Tacitamente, e riascende e brilla.

Col suono d'un rintocco di campana
Che squilli ultimo, il cigno agita l'ale:
L'ale grandi grandi apre, e s'allontana,

Candido, nella luce boreale.

viii

Il focolare

I

È NOTTE. Un lampo ad or ad or s'effonde,
E rileva in un gran soffio di neve
Gente che va, nè dove sa, nè donde.

Vanno. Via via l'immensa ombra li beve.
E quale è solo e quale tien per mano
Un altro sè dal calpestio più breve.

E chi gira per terra l'occhio vano,
E chi lo volge al dubbio d'una voce,
E chi l'innalza verso il ciel lontano,

E chi piange, e chi va muto e feroce.

II

Piangono i più. Passano loro grida
Inascoltate: niuno sa ch'è pieno,
Intorno a lui, d'altro dolor che grida.

Ma vede ognuno, al guizzo d'un baleno,
Una capanna sola nel deserto;
E dice ognuno nel suo cuore: Almeno

Riposerò! Dal vagolare incerto
Volgono a quella sotto l'aer bruno.
Eccoli tutti avanti l'uscio aperto

Della capanna, ove non è nessuno.

III

Sono ignoti tra loro, essi, venuti
Dai quattro venti al tacito abituro:
A uno a uno penetrano muti.

Qui non fa così freddo e così scuro!
Dicono tra un sospiro ed un singulto
E si assidono mesti intorno al muro.

E dietro il muro palpita il tumulto
Di tutto il cielo, sempre più sonoro:
Gemono al buio, l'uno all' altro occulto;

Tremano ... Un focolare è in mezzo a loro.

IV

Un lampo svela ad or ad or la gente
Mesta, seduta, con le braccia in croce,
Al focolare in cui non è nïente.

Tremano: in tanto il battito veloce
Sente l'un cuor dell' altro. Ognuno al fianco
Trova un orecchio, trova anche una voce;

E il roseo bimbo è presso il vecchio bianco,
E la pia donna all' uomo: allo straniero
Òmero ognuno affida il capo stanco,

Povero capo stanco di mistero.

V

Ed ecco parla il buon novellatore,
E la sua fola pendula scintilla,
Come un'accesa lampada, lunghe ore

Sopra i lor capi. Ed ecco ogni pupilla
Scopre nel vano focolare il fioco
Fioco riverberìo d'una favilla.

Intorno al vano focolare a poco
A poco niuno trema più nè geme
Più: sono al caldo; e non li scalda il fuoco,

Ma quel loro soave essere insieme.

VI

Sporgono alcuni, con in cuor la calma,
Le mani al fuoco: in gesto di preghiera
Sembrano tese l'una e l'altra palma.

I giovinetti con letizia intiera
Siedon del vano focolare al canto,
A quella fiamma tiepida e non vera.

Le madri, delle mani una soltanto
Tendono; l'altra è lì, sopra una testa
Bionda. C'è dolce ancora un po' di pianto,

Nella capanna ch'urta la tempesta.

VII

Oh! dolce è l'ombra del comun destino,
Al focolare spento. Esce dal tetto
Alcuno e va per suo strano cammino;

E la tempesta rompe aspro col petto
Maledicendo; e qualche sua parola
Giunge a quel mondo placido e soletto,

Che veglia insieme; e il nero tempo vola
Su le loro soavi anime assorte
Nel lungo sogno d'una lenta fola;

Mentre all' intorno mormora la morte.

ix

361   *Il gelsomino notturno*

E S'APRONO i fiori notturni,
  Nell' ora che penso a' miei cari.
    Sono apparse in mezzo ai viburni
    Le farfalle crepuscolari.

Da un pezzo si tacquero i gridi:
Là sola una casa bisbiglia.
    Sotto l'ali dormono i nidi,
    Come gli occhi sotto le ciglia.

Dai calici aperti si esala
L'odore di fragole rosse.
    Splende un lume là nella sala.
    Nasce l'erba sopra le fosse.

Un' ape tardiva sussurra
Trovando già prese le celle.
    La Chioccetta per l'aia azzurra
    Va col suo pigolìo di stelle.

Per tutta la notte s'esala
L'odore che passa col vento.
    Passa il lume su per la scala;
    Brilla al primo piano: s'è spento . . .

È l'alba: si chiudono i petali
Un poco gualciti; si cova,
   Dentro l'urna molle e segreta,
   Non so che felicità nuova.

x

362   *L'ora di Barga*

AL mio cantuccio, d'onde non sento
   Se non le reste brusir del grano,
Il suon dell' ore viene col vento
Dal non veduto borgo montano:
Suono che uguale, che blando cade,
Come una voce che persuade.

Tu dici, È l'ora; tu dici, È tardi,
Voce che cadi blanda dal cielo.
Ma un poco ancora lascia che guardi
L'albero, il ragno, l'ape, lo stelo,
Cose ch'han molti secoli o un anno
   O un'ora, e quelle nubi che vanno.

Lasciami immoto qui rimanere
Fra tanto moto d'ale e di fronde;
E udire il gallo che da un podere
Chiama, e da un altro l'altro risponde,
E, quando altrove l'anima è fissa,
Gli strilli d'una cincia che rissa.

GIOVANNI PASCOLI

E suona ancora l'ora, e mi manda
Prima un suo grido di meraviglia
Tìnnulo, e quindi con la sua blanda
Voce di prima parla e consiglia,
E grave grave grave m'incuora:
Mi dice, È tardi; mi dice, È l'ora.

Tu vuoi che pensi dunque al ritorno
Voce che cadi blanda dal cielo!
Ma bello è questo poco di giorno
Che mi traluce come da un velo!
Lo so ch'è l'ora, lo so ch'è tardi;
Ma un poco ancora lascia che guardi.

Lascia che guardi dentro il mio cuore,
Lascia ch'io viva del mio passato;
Se c'è sul bronco sempre quel fiore,
S'io trovi un bacio che non ho dato!
Nel mio cantuccio d'ombra romita
Lascia ch'io pianga su la mia vita!

E suona ancora l'ora, e mi squilla
Due volte un grido quasi di cruccio,
E poi, tornata blanda e tranquilla,
Mi persuade nel mio cantuccio:
È tardi! è l'ora! Sì, ritorniamo
Dove son quelli ch'amano ed amo.

xi

Alexandros

I

—GIUNGEMMO: è il Fine. O sacro Araldo,
    squilla!
Non altra terra se non là, nell' aria,
Quella che in mezzo del brocchier vi brilla,

O Pezetèri: errante e solitaria
Terra, inaccessa. Dall' ultima sponda
Vedete là, mistofori di Caria,

L'ultimo fiume Oceano senz' onda.
O venuti dall' Haemo e dal Carmelo,
Ecco, la terra sfuma e si profonda

Dentro la notte fulgida del cielo.

II

Fiumane che passai! voi la foresta
Immota nella chiara acqua portate,
Portate il cupo mormorìo, che resta.

Montagne che varcai! dopo varcate,
Sì grande spazio di su voi non pare,
Che maggior prima non lo invidïate.

Azzurri, come il cielo, come il mare,
O monti! o fiumi! era miglior pensiero
Ristare, non guardare oltre, sognare:

Il sogno è l'infinita ombra del Vero.

III

Oh! più felice, quanto più cammino
M'era d'innanzi; quanto più cimenti,
Quanto più dubbi, quanto più destino!

Ad Isso, quando divampava ai venti
Notturno il campo, con le mille schiere
E i carri oscuri e gl'infiniti armenti.

A Pella! quando nelle lunghe sere
Inseguivamo, o mio Capo di toro,
Il sole; il sole che tra selve nere

Sempre più lungi, ardea come un tesoro.

IV

Figlio d'Amynta! io non sapea di meta
Allor che mossi. Un nomo di tra le are
Intonava Timotheo, l'auleta:

Soffio possente d'un fatale andare,
Oltre la morte; e m'è nel cuor, presente
Come in conchiglia murmure di mare.

O squillo acuto, o spirito possente,
Che passi in alto e gridi, che ti segua!
Ma questo è il Fine, è l'Oceano, il Niente . . .

E il canto passa ed oltre noi dilegna. —

V

E cosí, piange, poi che giunse anelo:
Piange dall' occhio nero come morte;
Piange dall' occhio azzurro come cielo.

Chè si fa sempre (tale è la sua sorte)
Nell' occhio nero lo sperar, più vano;
Nell' occhio azzurro il desiar, più forte.

Egli ode belve fremere lontano,
Egli ode forze incognite, incessanti,
Passargli a fronte nell' immenso piano,

Come trotto di mandre d'elefanti.

VI

In tanto nell' Epiro aspra e montana
Filano le sue vergini sorelle
Pel dolce Assente la milesia lana.

A tarda notte, tra le industri ancelle,
Torcono il fuso con le ceree dita;
E il vento passa e passano le stelle.

Olympiàs in un sogno smarrita
Ascolta il lungo favellìo d'un fonte,
Ascolta nella cava ombra infinita

Le grandi quercie bisbigliar sul monte.

xii

364

Il tempo che fu

(*da Percy Bysshe Shelley*)

LO spettro d'un morto che amai
È il tempo che fu.
La voce che più non udrai,
La speme che non avrai più,
L'amor che non spengesi mai
Fu il tempo che fu.

GIOVANNI PASCOLI

Che sogni soavi, le sere
  Del tempo che fu!
Ma i dì, fosse duolo o piacere,
Gettavano un'ombra, che tu
Volevi vederlo cadere
  Quel tempo che fu.

Rimpianto e rimorso ci adombra
  Quel tempo che fu:
È un tuo morticino ch'all' ombra
Tu vegli . . ., e ciò ch'ami ora più
Non è che il ricordo, che l'ombra
  Del tempo che fu.

VITTORIA AGANOOR

1856–†1910

i

365   *Finalmente!*

DUNQUE domani! il bosco esulta al mite
 Sole. Ho da dirvi tante cose, tante
Cose! Vi condurrò sotto le piante
Alte, con me, solo con me! Venite!
Forse, chi sa, non vi potrò parlare
 Subito. Forse finalmente sola
Con voi, cercherò invano una parola.
Ebbene! Noi staremo ad ascoltare.
Staremo ad ascoltare i mormoranti
 Rami, nello spavento dell' ebbrezza;
Senza uno sguardo, senza una carezza,
Pallidi in volto come agonizzanti.

ii

Fantasia

DALLE morte ninfee, che nella vasca
Del vecchio parco il gelo ha soffocate,
Tra poco un fiore portentoso nasca.
Con la verghetta di malíe, vogliate
Il prodigio compir, dolce signora
Delle mie notti e delle mie giornate!
Salga lo stelo, e in bel color d'aurora
S'apra il calice, un calice d'opale
Immenso sopra la gelata gora;
E intorno effonda come un boreale
Lume, e tra i bossi il bianco Érote rida,
Ridan l'erme al novissimo natale.
L'inverno creda April giunto, alla sfida
Superba, e avvolga i suoi tappeti bianchi,
E fugga, e il grave carico lo uccida.

iii

Sogno

IO con scalzi piedi, o Damone,
Non vado ai campi, nè mai con braccia
Ignude, ed alto nella nodosa
Mano il vincastro, guidai la fulva
Giovenca al verde fonte, nè filo
L'umile canape, nè mai sui tini
Salgo a pigiare l'uve, nei giorni
Alla vendemmia sacri e di canti
Lieti e di amori. Io non conobbi
Mai la divina libertà; mai

VITTORIA AGANOOR

La gran dolcezza pur dei ritorni
Sul vespro estivo con lui, che tutto
Il dì fe' sempre balenar presso
Al mio falcetto, tra' solchi, il suo.
Tornare sotto le stelle, stanca
E pur beata, fra l'altre tante
Compagne, e pure sola con lui,
Tacendo e pure tante e amorose
Parole udendo, dicendo . . . Oh immenso
Sogno di gioia che me, rinchiusa
Qui tra le seriche pareti, accende
D'un desiderio folle di vita.

GABRIELE D'ANNUNZIO

1863-†1938

368   *i*

CANTA la gioia! Io voglio cingerti
    Di tutti i fiori perchè tu celebri
La gioia la gioia la gioia,
Questa magnifica donatrice!
    Canta l'immensa gioia di vivere,
D'essere forte, d'essere giovine,
Di mordere i frutti terrestri
Con saldi e bianchi denti voraci,
    Di por le mani audaci e cupide
Su ogni dolce cosa tangibile,
Di tendere l'arco su ogni
Preda novella che il desio miri,
    E di ascoltare tutte le musiche,
E di guardare con occhi fiammei
Il volto divino del mondo

Come l'amante guarda l'amata,
  E di adorare ogni fuggevole
Forma, ogni segno vago, ogni imagine
Vanente, ogni grazia caduca,
Ogni apparenza ne l'ora breve.

  Canta la gioia! Lungi da l'anima
Nostra il dolore, veste cinerea.
È un misero schiavo colui
Che del dolore fa la sua veste.

  A te la gioia, Ospite! Io voglio
Vestirti de la più rossa porpora
S'io debba pur tingere il tuo
Bisso nel sangue de le mie vene.

  Di tutti i fiori io voglio cingerti
Trasfigurata perchè tu celebri
La gioia la gioia la gioia,
Questa invincibile creatrice!

369   *ii*

O FALCE di luna calante
  Che brilli su l'acque deserte,
O falce d'argento, qual messe di sogni
Ondeggia al tuo mite chiarore qua giù!

  Aneliti brevi di foglie,
Sospiri di fiori dal bosco
Esalano al mare: non canto non grido
Non suono pe 'l vasto silenzïo va.

  Oppresso d'amor, di piacere,
Il popol de' vivi s'addorme . . .
O falce calante, qual messe di sogni
Ondeggia al tuo mite chiarore qua giù!

iii

370

O GIOVINEZZA, ahi me, la tua corona
Su la mia fronte già quasi è sfiorita.
Premere sento il peso de la vita,
Che fu sì lieve, su la fronte prona.

Ma l'anima nel cor si fa più buona,
Come il frutto maturo. Umile e ardita,
Sa piegarsi e resistere; ferita,
Non geme; assai comprende, assai perdona.

Dileguan le tue brevi ultime aurore,
O Giovinezza; tacciono le rive
Poi che il tonante vortice dispare.

Odo altro suono, vedo altro bagliore.
Vedo in occhi fraterni ardere vive
Lacrime, odo fraterni petti ansare.

iv

Consolazione

371

NON pianger più. Torna il diletto figlio
A la tua casa. È stanco di mentire.
Vieni; usciamo. Tempo è di rifiorire.
Troppo sei bianca: il volto è quasi un giglio.

Vieni; usciamo. Il giardino abbandonato
Serba ancora per noi qualche sentiero.
Ti dirò come sia dolce il mistero
Che vela certe cose del passato.

Ancora qualche rosa è ne' rosai,
Ancora qualche timida erba odora.
Ne l'abbandono il caro luogo ancora
Sorriderà, se tu sorriderai.

GABRIELE D'ANNUNZIO

Ti dirò come sia dolce il sorriso
Di certe cose che l'oblio afflisse.
Che proveresti tu se ti fiorisse
La terra sotto i piedi, all' improvviso?

   Tanto accadrà, ben che non sia d'aprile.
Usciamo. Non coprirti il capo. È un lento
Sol di settembre; e ancor non vedo argento
Su 'l tuo capo, e la riga è ancor sottile.

   Perchè ti neghi con lo sguardo stanco?
La madre fa quel che il buon figlio vuole.
Bisogna che tu prenda un po' di sole,
Un po' di sole su quel viso bianco.

   Bisogna che tu sia forte; bisogna
Che tu non pensi a le cattive cose . . .
Se noi andiamo verso quelle rose,
Io parlo piano, l'anima tua sogna.

   Sogna, sogna, mia cara anima! Tutto
Tutto sarà come al tempo lontano.
Io metterò ne la tua pura mano
Tutto il mio cuore. Nulla è ancor distrutto.

   Sogna, sogna! Io vivrò de la tua vita.
In una vita semplice e profonda
Io rivivrò. La lieve ostia che monda
Io la riceverò da le tue dita.

   Sogna chè il tempo di sognare è giunto.
Io parlo. Di': l'anima tua m'intende?
Vedi? Ne l'aria fluttua e s'accende
Quasi il fantasma d'un april defunto.

   Settembre (di': l'anima tua m'ascolta?)
Ha ne l'odore suo, nel suo pallore,
Non so, quasi l'odore ed il pallore
Di qualche primavera dissepolta.

Sogniamo, poi ch'è tempo di sognare.
Sorridiamo. È la nostra primavera,
Questa. A casa, più tardi, verso sera,
Vo' riaprire il cembalo e sonare.

Quanto ha dormito, il cembalo! Mancava,
Allora, qualche corda; qualche corda
Ancora manca. E l'ebano ricorda
Le lunghe dita ceree de l'ava.

Mentre che fra le tende scolorate
Vagherà qualche odore delicato,
(M'odi tu?) qualche cosa come un fiato
Debole di vïole un po' passate,

Sonerò qualche vecchia aria di danza,
Assai vecchia, assai nobile, anche un poco
Triste; e il suono sarà velato, fioco,
Quasi venisse da quell' altra stanza.

Poi per te sola io vo' comporre un canto
Che ti raccolga come in una cuna,
Sopra un antico metro, ma con una
Grazia che sia vaga e negletta alquanto.

Tutto sarà come al tempo lontano.
L'anima sarà semplice com'era;
E a te verrà, quando vorrai, leggera
Come vien l'acqua al cavo de la mano.

v

372

Commiato

(*Alla tragedia 'Francesca da Rimini'*)

TU mi nascesti in riva al mare etrusco,
O poema di sangue e di lussuria,
Su le sabbie arse, tra il selvaggio rusco,

GABRIELE D'ANNUNZIO

Laggiù, dove la costa di Liguria
Protesa par grande galèa che salpi,
Aspra di schiume se libeccio infuria.

Quivi hanno patria i venti, e l'aer palpita
Animoso agitando in vasta lite
Le torme delle nubi contro l'Alpi

Di Luni aguzze come le meschite
Cui Dante rosse nella valle cerne
Quando s'appressa la città di Dite.

Impeto fanno al ciel con le superne
Cime l'Alpi, onde spia le stelle Aronta,
Nude e solcate di ferite eterne:

Piene di deità se il dì tramonta
Lento e la notte ammanta i dorsi magni
E il sommo foco l'ombra ne sormonta.

L'Esule vi fisò gli occhi grifagni
Quand' ei posava presso il Malaspina,
L'ira sua valicando i morti stagni.

L'antico sguardo fece sì divina
Al mio pensiero la deserta chiostra
Che l'anima v'alzai sera e mattina,

Forza pregando alla fatica nostra;
Ed è virtù dell' alta mia preghiera
Se talvolta il macigno in te si mostra.

Crescesti in solitudine severa,
In vista al monte alla marina al fiume;
Però sì franco fosti alla bufera.

GABRIELE D'ANNUNZIO

Legato con amore in un volume,
O poema di sogni e di delitti,
Or pellegrino va com'è costume.

Verso il lito adriano, ai derelitti
Campi ove sta la torre portuense
Con l'ombra sua, convien che tu tragitti

Memore sul pallore delle immense
Lande ove febbre è fatta la memoria
Cupa di tante e tante anime offense.

Sorgere dalla melma, ove la gloria
Di Classe qual carena putre affonda,
Con la morte vedrai l'antica Onoria.

Al soglio della selva tremebonda,
Ove rintrona la caccia indefessa,
Vedrai sorgere Elmichi e Rosamonda.

Anche vedrai tra gli alberi, lungh' essa
La taciturna riva, senza pace
Il cavalier britanno e la contessa.

Tributo chiederà quella vorace
Terra che imperi e imperadori ingozza
E sazia di putredini si giace.

Lascia cadere quella testa mozza
In cui fu tronca l'ira ghibellina,
Bevere i fiori nella rossa pozza.

Ma non far sosta; sì per la marina
Più leggero discendi alla cittade
Che nominò la tua dolce eroina.

GABRIELE D'ANNUNZIO

Non scocco di balestre, non di spade
Rugghio, nè squillo di trombe. La forza
Del sole novo tiene le contrade.

È primavera. Per l'erba che ammorza
I passi tra le lapidi corrose,
Ginevra d'Este e Polissena Sforza

Vengonti incontro, le due tristi spose
Che il sire infranse contro la sua cotta
D'arme e poi chiuse in tombe ingloriose.

Piangono. Ed ecco la divina Isotta
Con l'amante superbo cui propizia
Pallade fu nell' infiammata lotta!

Libero come un inno di letizia
E di fecondità sorge alla vista
Il Tempio che il novello culto inizia.

La bella primavera fu l'artista
Che sculse i marmi ed animò d'eterna
Gioia il disegno di Leon Battista.

Come ninfa nell' arbore materna
La gioia nei marmorei pilastri
Palpita senza tregua; ed una interna

Melodia come foco in alabastri
Par trasparire ardentemente in ogni
Stelo, salir per le ghirlande e i nastri.

L'umana giovinezza co' suoi sogni
Trasfigurati quivi in mille vite
Sembra che a un immortale amore agogni.

GABRIELE D'ANNUNZIO

La voluttà degli uomini Afrodite
È nell' arca che portan gli elefanti,
Evio imberbe è nel bronzo della vite.

I satiri biformi e le baccanti
Colmarono di grappoli i canestri,
E premendoli il marmo par che canti.

Son gravi de' più bei frutti terrestri
I festoni ricurvi, e mai alloro
Più ricco fu tessuto da più destri

Artefici in ghirlande, nè mai coro
Di spiriti e di forme più giocondo
Inalzò l'inno ad Afrodite d'oro.

L'inno ascolta il chiomato Sigismondo,
La procellosa anima imperiale
Ch'ebbe poche castella e non il mondo.

Fiore d'eternità, questo fatale
Figlio del Desiderio e della Morte
Riman chiuso nel cerchio trionfale.

Il crine irto nel turbo della sorte,
Cui ricompose la divina Isotta,
Or gli fluisce sopra il collo forte.

Tace il ruggito nella bocca dotta.
Intento alla beltà l'occhio di lince
Arde, che meglio vede quando annotta.

Così per l'arte il gran tiranno vince
Il tempo, assai più vivo che allor quando
Correva le cittadi e le province.

GABRIELE D'ANNUNZIO

La sua voce d'amore e di comando
Io vo' trarre dal marmo, e la sua gesta.
O poema sanguigno, a lui ti mando.

Ti mando a Sigismondo Malatesta
Nel nome de' due spirti cui travaglia
La bufera infernal che mai non resta.

Ch'io lo veda tornare alla battaglia
Come nella giornata di Piombino,
Con quell' arme ch'egli ha nella medaglia;

Cavalcare a traverso l'Apennino
Col pensier disperato per iscorta
E con un buon pugnale dommaschino;

Silenzioso giungere alla porta
Di Roma contra il papa, avendo incisa
La sua ragione su la lama corta;

E trattar la fortuna alla sua guisa.

vi

La pioggia nel pineto

TACI. Su le soglie
Del bosco non odo
Parole che dici
Umane; ma odo
Parole più nuove
Che parlano gocciole e foglie
Lontane.
Ascolta. Piove
Dalle nuvole sparse.

Piove su le tamerici
Salmastre ed arse,
Piove su i pini
Scagliosi ed irti,
Piove su i mirti
Divini,
Su le ginestre fulgenti
Di fiori accolti,
Su i ginepri folti
Di coccole aulenti,
Piove su i nostri volti
Silvani,
Piove su le nostre mani
Ignude,
Su i nostri vestimenti
Leggieri,
Su i freschi pensieri
Che l'anima schiude
Novella,
Su la favola bella
Che ieri
T'illuse, che oggi m'illude,
O Ermione.
Odi? La pioggia cade
Su la solitaria
Verdura
Con un crepitìo che dura
E varia nell' aria
Secondo le fronde
Più rade, men rade.
Ascolta. Risponde
Al pianto il canto

Delle cicale
Che il pianto australe
Non impaura,
Nè il ciel cinerino.
E il pino
Ha un suono, e il mirto
Altro suono, e il ginepro
Altro ancora, stromenti
Diversi
Sotto innumerevoli dita.
E immersi
Noi siam nello spirto
Silvestre,
D'arborea vita viventi:
E il tuo volto ebro
È molle di pioggia
Come una foglia,
E le tue chiome
Auliscono come
Le chiare ginestre,
O creatura terrestre
Che hai nome
Ermione.
Ascolta, ascolta. L'accordo
Delle aeree cicale
A poco a poco
Più sordo
Si fa sotto il pianto
Che cresce;
Ma un canto vi si mesce
Più roco
Che di laggiù sale,

Dall' umida ombra remota.
Più sordo e più fioco
S'allenta, si spegne.
Sola una nota
Ancor trema, si spegne,
Risorge, trema, si spegne.
Non s'ode voce del mare.
Or s'ode su tutta la fronda
Crosciare
L'argentea pioggia
Che monda,
Il croscio che varia
Secondo la fronda
Più folta, men folta.
Ascolta.
La figlia dell' aria
È muta; ma la figlia
Del limo lontana,
La rana,
Canta nell' ombra più fonda,
Chi sa dove, chi sa dove!
E piove su le tue ciglia,
Ermione.
Piove su le tue ciglia nere,
Sì che par tu pianga
Ma di piacere; non bianca
Ma quasi fatta virente,
Par da scorza tu esca;
E tutta la vita è in noi fresca
Aulente,
Il cuor nel petto è come pesca
Intatta,

Tra le palpebre gli occhi
Son come polle tra l'erbe,
I denti negli alveoli
Son come mandorle acerbe.
E andiam di fratta in fratta,
Or congiunti or disciolti
(E il verde vigor rude
Ci allaccia i malleoli
C'intrica i ginocchi)
Chi sa dove, chi sa dove!
E piove su i nostri volti
Silvani,
Piove su le nostre mani
Ignude,
Su i nostri vestimenti
Leggieri,
Su i freschi pensieri
Che l'anima schiude
Novella,
Su la favola bella
Che ieri
M'illuse, che oggi t'illude,
O Ermione.

vii

Undulna

374

Ai piedi ho quattro ali d'alcedine,
Ne ho due per malleolo, azzurre
E verdi, che per la salsedine
Curvi sanno errori dedurre.

GABRIELE D'ANNUNZIO

Pellucide son le mie gambe
Come la medusa errabonda,
Che il puro pancrazio e la crambe
Difforme sorvolano e l'onda.

Io l'onda in misura conduco
Perchè su la riva si spanda
Con l'alga con l'ulva e col fuco
Che fannole amara ghirlanda.

Io regolo il segno lucente
Che lascian le spume degli orli:
L'antico il men novo e il recente
Io so con bell' arte comporli.

I musici umani hanno modi
Lor varii, dal dorico al frigio:
Divine infinite melodi
Io creo nell' esiguo vestigio.

Le tempre dell' onda trascrivo
Su l'umida sabbia correndo;
Nel tramite mio fuggitivo
Gli accordi e le pause avvincendo.

O sabbia mia melodiosa,
Non un tuo granello di silice
Darei per la pomice ascosa
Della fonte all' ombra dell' ilice.

Brilli innumerevole e immensa
Alla mia lunata scrittura;
E l'acqua che bevi t'addensa,
Lo sterile sale t'indura.

GABRIELE D'ANNUNZIO

Il rilievo t'è tanto sottile,
Dedotto con arte sì parca,
Che men gracile in puerile
Fronte sopracciglio s'inarca.

A quando a quando orma trisulca
Il lineamento intercide;
Pesta umana, se ti conculca,
S'impregna di luce e sorride.

Figure di neumi elle sono
In questa concordia discorde.
O cetera curva ch'io suono,
Nè dito nè plettro ti morde.

Io trascorro; e il grande concento
In me taciturna s'adempie,
Dall' unghie de' miei piè d'argento
Alle vene delle mie tempie.

Scerno con orecchia tranquilla
I toni dell' onda che viene,
Indago con chiara pupilla
Più oltre ogni segno più lene;

Così che la musica traccia
M'è suono, e ne' righi leggeri,
Mentre oggi odo ansar la bonaccia,
Leggo la tempesta di ieri.

Che è questo insolito albore
Che per le piagge si spande?
Teti offre alla madre di Core
Dogliosa le salse ghirlande?

GABRIELE D'ANNUNZIO

L'albàsia de' giorni alcionii
Anzi il verno giunge precoce
E dagli arcipelaghi ionii
Attinge del Serchio la foce?

Il molle Settembre, il Tibicine
Dei pomarii, che ha violetti
Gli occhi come il fiore del glicine
Tra i riccioli suoi giovinetti,

Fa tanta chiaria con due ossi
Di gru modulando un partenio
Mentre sotto l'ombra dei rossi
Corbezzoli indulge al suo genio.

Respira securo il mar dolce
Qual pargolo in grembo materno.
La pace alcionia lo molce
Quasi aureo latte, anzi il verno.

Onda non si leva; non s'ode
Risucchio, non s'ode sciacquio.
Di luce beata si gode
La riva su mare d'oblio.

La sabbia scintilla infinita,
Quasi in ogni granello gioisca.
Luccica la valva polita
La morta medusa, la lisca.

In ogni sostanza si tace
La luce e il silenzio risplende.
La Pania di marmi ferace
Alza in gloria le arci stupende.

GABRIELE D'ANNUNZIO

Tra il Serchio e la Magra, su l'ozio
Del mare deserto di vele,
Sospeso è l'incanto. Equinozio
D'autunno, già sento il tuo miele.

Già sento l'odore del mosto
Fumar dalla vigna arenosa.
All' alba la luna d'agosto
Era come una falce corrosa.

Di Vergine valica in Libra
L'amico dell' opere, il Sole;
E già le quadrella ch'ei vibra
Han meno pennute asticciuole.

Silenzio di morte divina
Per le chiarità solitarie!
Trapassa l'Estate, supina
Nel grande oro della cesarie.

Mi soffermo, intenta al trapasso.
Onda non si leva. L'albedine
È immota. Odo fremere in basso,
A' miei piedi, l'ali d'alcedine.

Bianche si dilungan le rive,
Tra l'acque e le sabbie dilegua
La zona che l'arte mia scrive
Fugace. Sorrido alla tregua.

A' miei piedi il segno d'un'onda
Gravato di nero tritume
S'incurva, una macera fronda
Di rovere sta tra due piume,

GABRIELE D'ANNUNZIO

Un'arida pigna dischiusa
Che pesò nel pino sonoro
Sta tra l'orbe d'una medusa
Dispersa e una bacca d'alloro.

Vengono farfalle di neve
Tremolando a coppie ed a sciami:
Nella luce assemprano lieve
Spuma fatta alata che ami.

Azzurre son l'ombre sul mare
Come sparti fiori d'aconito.
Il lor tremolio fa tremare
L'Infinito al mio sguardo attonito.

GUIDO GOZZANO

1885-†1916

375   *Paolo e Virginia*

I

IO fui Paolo già. Troppo mi scuote
Il nome di Virginia. Ebbro e commosso
Leggo il volume senza fine amaro;
Chino su quelle pagine remote
Rivivo tempi già vissuti e posso
Piangere (ancora!) come uno scolaro . . .
Splende nel sogno chiaro
L'isola dove nacqui e dove amai;
Rivedo gli orizzonti immaginari
E favolosi come gli scenari,
La rada calma dove i marinai
Trafficavano spezie e legni rari . . .

Virginia ride al limite del bosco
E trepida saluta . . .
Risorge chiara dal passato fosco
La patria perduta
Che non conobbi mai, che riconosco . . .

II

O soave contrada! O palme somme
Erette verso il cielo come dardi,
Flabelli verdi sibilanti ai venti!
Alberi delle manne e delle gomme,
Ebani cupi, sandali gagliardi,
Liane contorte, felci arborescenti!
Virginia, ti rammènti
Di quella sempiterna primavera?
Rammenti i campi d'indaco e di the,
E le Missioni e il Padre e il Vicerè,
Quel Tropico rammenti, di maniera,
Un poco falso, come piace a me? . . .
Ti rammenti il colore
Del Settecento esotico, l'odore
Di pace, filtro di non so che frutto
E di non so che fiore,
Il filtro che dismemora di tutto? . . .

III

Ti chiamavo sorella, mi chiamavi
Fratello. Tutto favoriva intorno
Le nostre adolescenze ignare e belle.
Era la vita semplice degli avi,
La vita delle origini, il Ritorno
Sognato da Gian Giacomo ribelle.

Di tutto ignari: delle
Scienze e dell' Indagine che prostra
E della Storia, favola mentita,
Abitavamo l'isola romita
Senz' altro dove che la terra nostra,
Senz' altro quando che la nostra vita.
Le dolci madri a sera
C'insegnavano il Bene, la Pietà,
La Fede unica e vera;
E lenti innalzavamo la preghiera
Al Padre Nostro che nei cieli sta . . .

IV

Seduti in coro, nelle sere calme,
Seguivamo i piròfori che ardeano
Nella verzura dell' Eremitaggio;
Fra i dolci intercolunni delle palme
Scintillava la Luna sull' oceano,
Giungeva un canto flebile e selvaggio . . .
Tra noi sedeva il Saggio
E ci ammoniva con forbiti esempi
Ispirati da Omero e da Virgilio . . .
L'isola si chiamò per suo consiglio
Secondo la retorica dei tempi:
Rivo dell' Amistà, Colle del Giglio,
Fonte dei Casti Accenti . . .
Era il tempo dei Nestori morali,
Dei *saggi ammonimenti*,
Era il tempo dei *buoni sentimenti*
Della *virtù*, dei *semplici ideali*.

V

Immuni dalla gara che divampa
Nel triste mondo, crescevamo paghi
Dei beni della rete e della freccia;
Belli e felici come in una stampa
Del tuo romanzo, correvamo i laghi
Nella svelta piroga di corteccia;
Sull' ora boschereccia
Numeravamo l'ora il giorno l'anno:
— Quant' anni avrete poi? — Quanti n'avranno
Quei due palmizi dispari, alle soglie . . . —
— Verrete? — Quando i manghi fioriranno . . . —
— Sorella, già si chiudono le foglie,
Trema la prima stella . . . —
— Il sicomoro ha l'ombra alle radici:
È mezzodì, sorella . . . —
Era la nostra vita come quella
Dei Fauni e delle Driadi felici.

VI

Ma giunse l'ora che non ha conforto.
Seco ti volle nei suoi feudi vasti
La zia di Francia, perfida in vedetta.
Il Viceré ti fece trarre al porto
Dalle sue genti barbare! E lasciasti
Lacrimando la terra benedetta,
Ogni cosa diletta
Più caramente, per la nave errante!
Solo, malcerto della mia sciagura,
Vissi coi negri e le due madri affrante;
Ti chiamavo; nei sassi e nelle piante

Rivedevo la tua bianca figura
Che non avrei rivista...
E volse l'anno disperato... Un giorno
Il buon Padre Battista
Annunciò la tua fuga e il tuo ritorno,
Ed una nave, il San Germano, in vista!

VII

Folle di gioia, con le madri in festa,
Scesi alla rada: — Giunge la mia sposa,
Ritorna a me Virginia mia fedele!...—
Or ecco sollevarsi la Tempesta,
Una tempesta bella e artificiosa
Come il Diluvio delle vecchie tele.
Appaiono le vele
Del San Germano al balenar frequente,
Stridono procellarie gemebonde,
Álbatri cupi. Il mare si confonde
Col cielo apocalittico. La gente
Guata la nave tra il furor dell' onde.
Tutto l'Oceano Indiano
Ribolle spaventoso, ulula, scroscia,
Ma sul fragore s'alza un grido umano
Terribile d'angoscia:
— Virginia è là! Salvate il San Germano!...—

VIII

Il San Germano affonda. I marinai
Tentano indarno il salvataggio. Tutti
Balzano in mare, da che vana è l'arte.

Rotto ha la nave contro i polipai,
Sovra coperta già fremono i flutti,
Spezza il vento governi alberi sarte . . .
Virginia ecco in disparte
Pallida e sola ! . . . Un marinaio nudo
Tenta svestirla e seco darsi all' onda;
Si rifiuta Virginia pudibonda
(Retorica del tempo !) e si fa scudo
Delle due mani . . . Il San Germano affonda,
Il San Germano affonda . . . Un sciabordare
Ultimo, cupo, mozzo:
E non rivedo al chiaro balenare
La nave ! . . . Il mio singhiozzo
Disperde il vasto singhiozzar del mare.

IX

Era l'alba e il tuo bel corpo travolto
Stava tra l'alghe e le meduse attorte,
Placido come in placido sopore.
Muto mi reclinai sopra quel volto
Dove già le viole della morte
Mescevansi alle rose del pudore . . .
Disperato dolore !
Dolore senza grido e senza pianto !
Morta giacevi col tuo sogno intatto,
Tornavi morta a chi t'amava tanto !
Nella destra chiudevi il mio ritratto,
Con la manca premevi il cuore infranto . . .
— Virginia ! O sogni miei !
Virginia ! — E ti chiamai, con occhi fissi . . .
— Virginia ! Amore che ritorni e sei
La Morte ! Amore . . . Morte . . . — E più non dissi.

x

Morii d'amore. Oggi rinacqui e vivo,
Ma più non amo. Il mio sogno è distrutto
Per sempre e il cuore non fiorisce più.
E chiamo invano Amore fuggitivo,
Invano piange questa Musa a lutto
Che porta il lutto a tutto ciò che fu.
Il mio cuore è laggiù,
Morto con te, nell' isola fiorente,
Dove i palmizi gemono sommessi
Lungo la Baia della Fede Ardente . . .
Ah! Se potessi amare! Ah! Se potessi
Amare, canterei sì novamente!
Ma l'anima corrosa
Sogghigna nelle sue gelide sere . . .
Amanti! Miserere,
Miserere di questa mia giocosa
Aridità larvata di chimere!

SERGIO CORAZZINI

1886–†1907

i

376   *Sonetto della neve*

NULLA più triste di quell' orto era,
  Nulla più tetro di quel cielo morto,
Che disfaceva per il nudo orto
L'anima sua bianchissima e leggera.
Maternamente coronò la sera
  L'offerta pura e il muto cuore assorto
  In ricevere il tenero conforto,
  Quasi nova fiorisse primavera.

SERGIO CORAZZINI

Ma poi che l'alba insidïò col lieve
 Gesto la notte, e per l'usata via
 Sorrisa venne di sua luce chiara,
Parve celato come in una bara
 L'orto sopito di melanconia
 Nella tetra dolcezza della neve.

ii

377
Dopo

IL passo degli umani
È simile a un cadere
 Di foglie . . . Oh, primavere
 Di giardini lontani!
Santità delle sere
 Che non hanno domani:
 Congiungiamo le mani
 Per le nostre preghiere.
Chiudi tutte le porte:
 Noi veglieremo fino
 All' alba originale,
Fino che un'immortale
 Stella segni il cammino,
 Novizii, oltre la Morte.

CARLO MICHELSTAEDTER

1887-†1910

378

ONDA per onda batte sullo scoglio;
Passan le vele bianche all' orizzonte;
Monta, rimonta, or dolce or tempestosa,
L'agitata marea senza riposo.

CARLO MICHELSTAEDTER

Ma onda e sole e vento e vele e scogli,
Questa è la terra; quello l'orizzonte
Del mar lontano, il mar senza confini.
Non è il libero mare senza sponde,
Il mare dove l'onda non arriva,
Il mare che da sè genera il vento,
Manda la luce e in seno la riprende,
Il mar che di sua vita mille vite
Suscita e cresce in una sola vita.
Ahi, non c'è mare cui, presso o lontano,
Varia sponda non gravi, e vario vento
Non tolga dalla solitaria pace:
Mare non è che non sia un dei mari.
Anche il mare è un deserto senza vita,
Arido tristo fermo affaticato;
Ed il giro dei giorni e delle lune,
Il variar dei venti e delle coste,
Il vario giogo sì lo lega e preme,
Il mar che non è mare, s'anche è mare.
Ritrova il vento l'onda affaticata,
E la mia chiglia solca il vecchio solco;
E se tra il vento e il mare la mia mano
Regge il timone e dirizza la vela,
Non è più la mia mano che la mano
Di quel vento e quell' onda che non posa:
Chè senza posa come batte l'onde,
Chè senza posa come vola il nembo,
Sì la travaglia l'anima solitaria
A varcar nuove onde, e senza fine
Nuovi confini sotto nuove stelle
Fingere all' occhio fisso all' orizzonte,
Dove per tramontar pur sorga il sole.

CARLO MICHELSTAEDTER

Al mio sole, al mio mar per queste strade
Della terra o del mar mi volgo invano:
Vana è la pena, vana è la speranza;
Tutta è la vita arida e deserta,
Finchè in un punto si raccolga in porto,
Di se stessa in un punto faccia fiamma.

NOTES

San Francesco d'Assisi (page 1)

Born at Assisi. He was the son of Pietro di Bernardone, a merchant who had made his fortune in France (hence his son's name Francesco). Trained as a merchant, St. Francis led a life of pleasure and was the acknowledged chief (*princeps iuventutis*) of a band of happy hedonists in his native town. In 1202 he was taken prisoner by the Perugians. During his captivity he began to dream of military glory, and when free he decided to take arms on behalf of Innocent III but, falling ill at Spoleto in 1205, he was warned in a vision to become the 'new soldier of Christ', and returned to Assisi. He separated himself from his family, and in 1209, having given away all he possessed, went from city to city preaching the new Gospel of poverty, repentance, and love for others. In 1210 the Rules of the new Order were verbally approved by Innocent III. In 1216 St. Francis and his followers took the name of *frati minori*. In 1219 he went to Damiata and St. Jean d'Acre, following the army of the Crusaders, in order to preach Christianity to the infidels, but was soon recalled to Italy owing to dissensions in the Order. After having re-established peace in his Order he handed over the leadership to Pietro Cattani in 1220. After the latter's death the following year, the leadership went to Frate Elia. In 1223 the revised rules of the Order were solemnly ratified by Honorius III. A year later on Mount Alvernia the body of the Saint, worn by long toils and fasting, *prese l'ultimo sigillo* (see Dante, *Paradiso* xi) and on 4 October 1226 he died at the Porziuncola, a small church outside Assisi, where in 1209 he had begun his mission. He was canonized by Gregory IX in 1228 and two years later his remains were transferred to Assisi.

Critical editions of St. Francis' *Opuscola* have been issued by H. Boehmer (*Analekten zur Geschichte des Franciscus von Assisi* (Tübingen and Leipzig, 1904)) and by the Franciscan Fathers of Quaracchi (second edition Ad Claras Aquas, 1941). The *Opuscola* are in Latin, apart from the *Canticum fratris solis* (also called *Laudes creaturarum*). Two critical editions of this text have been recently issued by V. Branca (Firenze, 1950)

537

and by M. Casella in *Studi medievali*, xvi (1943–50). Its composition is attributed to the last years of St. Francis' life.

1. 4. *ene* = *è*.   6. *messor* = *messer*.   18. *enn'* = *ne, ci*.   24. *sostengo* = *sostengono*.   26. *Ca* = *chè, perchè*.   30. *trovarà* = *si troveranno*.

Pietro della Vigna (page 2)

Was born in Capua and studied law at Bologna. In 1221 he joined the court of Frederick II, where he had a brilliant career as notary and judge. Eventually he became Protonotary of the Kingdom of Sicily and chief counsellor to the Emperor. Accused of high treason, he was disgraced, imprisoned, and blinded. While in prison in Tuscany he is alleged to have committed suicide (see Dante, *Inferno* xiii). Apart from his orations and letters in Latin, for which he gained an immense reputation among his contemporaries, four *canzoni* and a sonnet, in the vernacular, have come down to us (cp. C. Salinari, *La poesia lirica del Duecento* (Torino, 1951)).

2. 6. *spanna*, spreads the sails (cp. l. 30: *spanda le mie vele*).   10. *larone* = *ladrone*.   16. *ameraggio* = *amerò*.   21. *aulente lena* = *odoroso spirito*.   24. *spera* = *speranza*.   26. *adesso* = *subito*.   40. *volire* = *volere*.

Iacopo da Lentini (page 3)

No definite date can be given for his birth (probably before 1210). There is evidence in his own poems that he was born at Lentini, in Sicily, and that he was a notary. Documents have been found, dated 1233 and 1240, in which his name appears as that of a notary serving at the court of Frederick II. As a poet his prominence in the Sicilian School is attested throughout the thirteenth century (cp. Dante, *Purgatorio* xxiv. 56). Far more of his poetry has been preserved than of that of any of his contemporaries (cp. C. Salinari, *La poesia lirica del Duecento* (Torino, 1951)). As E. F. Langley stated in his critical edition of Iacopo's poems (Cambridge, Mass., 1915), 'of the thirty-five sonnets of the early Sicilian School that have survived, twenty-five are attributed to him. There can therefore be little doubt that the Notary deserves the honour of being the earliest master of the sonnet, and it is quite possible that he was its inventor'.

3. 13. *forte = penoso* (cp. l. 45 and Dante, *Inferno* i. 5). 22. *vio = vedo.* 27. The sense is: 'though he cannot see within him a visible image of his faith'. 31. *'nvoglia = involge, nasconde.* 32. *loco = ivi.* 52. *signa = segni.* 53. *a lingua = con la lingua.*

4. D. G. Rossetti pointed out that 'there is a peculiar charm in this sonnet'. Cp. also Croce, *Poesia antica e moderna* (Bari, 1941), pages 148–50.

Rinaldo d'Aquino (page 6)

He is thought to have been connected with the illustrious house of Aquino and to have been a relative of St. Thomas. As a poet he was highly esteemed by Dante (cp. *De Vulgari Eloquentia* i. 3 and ii. 5). Critical edition of his poems by O. I. Tallgren in *Mémoires de la Societé néophilologique de Helsingsfors*, vi (1917): cp. also V. De Bartholomaeis in *Studi medievali*, x (1937), xi (1938), and C. Salinari, *La poesia lirica del Duecento* (Torino, 1951).

5. This *canzone* is the lament of a woman over the departure of her lover on a crusade (probably that of 1228). 4. *collare*, hoist sails. 5. *gente = gentile.* 14. *dia = dì*, day. 22. *dottata*, feared. 47. *celata*, secluded place. 49. *so' (=sono) a le colle*, are about to hoist sails (cp. l. 4: *collare*). 57. *Dolcetto*, possibly the name of a minstrel. 61. *abentare*, rest.

Giacomino Pugliese (page 8)

Nothing is known about this very remarkable poet of the Sicilian School. Eight *canzoni* by him are extant (cp. C. Salinari, *La poesia lirica del Duecento* (Torino, 1951)).

6. 39. *m'abbella = mi rallegra.* 53. *ambondoi = ambedue.* 55. *membro = rimembro.*

Odo delle Colonne (page 10)

He is said to have been born at Messina. Possibly a relative of Guido delle Colonne, a better-known Sicilian poet, who also wrote a *Historia Troiana* in Latin.

NOTES

Odo's poems, two *canzoni*, cannot have been written later than the middle of the thirteenth century (cp. E. Monaci, *Crestomazia italiana* (Città di Castello, 1912)).

7. Lament of a woman betrayed by her lover.   8. *bàglia = balìa* (cp. l. 29).   9. *soglio = ero solita.*   22. *accorre = soccorre.*   30. *a segnorato = in signoria.*   34. *lo m'intenza = me lo contende.*   35. *lanza = lancia.*   51. *corina = cuore.*   55–56. *ferisci colei che lo tiene, uccidila senza fallo.*   57. *Poi saccio = non appena so.*   60. *gallo = galloria,* exultation.

Mazzeo di Ricco (page 12)

Nothing is known about him, except that he was born at Messina. As one of Guittone d'Arezzo's *canzoni* is dedicated to him, he must have lived in the second half of the thirteenth century. Of his poems, seven *canzoni* and a sonnet are extant (cp. C. Salinari, *La poesia lirica del Duecento* (Torino, 1951), where the *canzone* in the text is attributed to Guido delle Colonne).

8. 3. *amanza = amore.*   7. *ben aggia = benedetta sia.*   13. *passa = vince.*   16. *aulitusa = odorosa.*   17. *audore = odore.*   19. *la pantera;* it was believed in the Middle Ages that the panther possessed the art of exhaling a delightful odour which entranced the senses of pursuers or victims.   22. *ognunque = ogni, tutta.*   24. *l'Assassino,* the faithful servant of the legendary Old Man of the Mountain.   32. *non ha = che non ha.*   36. *trapassante = trasmodante,* fickle.   39. *ristrinse = costrinse.*   55. *ubriare = obliare.*   59. *mino = meno.*

Ciacco dell' Anguillaia (page 14)

A Florentine, possibly to be identified with Dante's Ciacco (see *Inferno* vi). This is the only poem, and a very remarkable one, that we possess by him.

9. 20. *marangone,* a diver.   29. *s'tu = se tu.*   36. *per far = per quanto si faccia.*   45. *terreni = terreno.*   56. *in fio,* in fee.

NOTES

Guittone d'Arezzo (page 17)

Born at Santa Firmina, near Arezzo. Held office in the Commune of that town. Having been exiled as a Guelf, round about 1265, he enrolled among the Knights of Santa Maria (*Frati Godenti*), a new religious order founded in 1261. Lived in Pisa for some time, and in 1285 was in Bologna. In 1293 he gave a donation to found the monastery *degli Angeli* in Florence. Wrote both verse and prose in Italian: first love poems and later moral and religious poetry. As a poet he enjoyed great renown and had many disciples. More than 200 of his poems are extant (critical edition by F. Egidi (Bari, 1940)). Guittone's letters (critical edition by F. Meriano (Bologna, 1923)) are interesting examples of the earliest Italian prose.

10. Written after the battle of Montaperti (4 September 1260) in which the Guelf Commune of Florence was defeated by the Ghibelline exiles under the leadership of Farinata degli Uberti (see Dante, *Inferno* x) aided by the Sienese and by the German troops of Manfred, King of Sicily. 7. *per' = pere, perisce.* 8. *avaccio = subito.* 20. *mante = molte* (French *maintes*). 26. *poso*, peace. 27. *fulli amoroso*, was pleasing to her. 30. *Leone*, the Marzocco, emblem of the Commune of Florence. 31. *veo = vedo.* 40. *ennantîr sì*, became so arrogant. 53. *cervia*, the hind which was presented every year as a symbol of vassalage. 54. *Poggibonize = Poggibonsi.* 56. *la campana*, the Martinella which hung on the *carroccio* of the Commune, the rallying-point in battle. 60. *quella schiatta*, the Uberti and their adherents. 61. *cher' = chiede.* 62. *i = gli.* 68. *vi adagia*, suits you.

Jacopone da Todi (page 20)

Was a lawyer, born at Todi. After the death of his wife at a banquet, he became a hermit. He entered the Franciscan Order in 1278 and became involved in religious and political struggles. Was imprisoned by Boniface VIII in 1298, but regained his freedom in 1303 and died in the monastery of Collazzone. For his *Laudi* (some 100 religious poems) see the edition by G. Ferri and S. Caramella (Bari, 1930).

11. 6. *allide*, beat.   73. *prenno = prendono*.   84. *desciliato*, mangled.   87. *stuta = spegne*.

Rustico di Filippo (page 25)

Born at Florence. A friend of Brunetto Latini, who dedicated to him his *Favolello*. About sixty sonnets by him are extant, many of them burlesque (edited by A. F. Massera and L. Russo, *Sonetti burleschi e realistici dei primi due secoli* (Bari, 1940)).

12. 4. *Salinguerra*, a famous Ghibelline of Ferrara, died in 1245.

Guido Guinizelli (page 26)

Born at Bologna, a lawyer by profession, was a Ghibelline in politics. In 1274, when the Guelfs rose to power, he was exiled and died shortly after, in Monselice. As a poet he came at first under the influence of Guittone d'Arezzo, but later he evolved a manner of his own by which the poets of the *dolce stil novo* were strongly influenced (see Dante, *Purgatorio* xi. 97, xxvi. 97–99; *De vulgari eloquentia* i. 15; and Petrarca's *canzone*: 'Lasso me ch'i' non so in qual parte pieghi'). Seven *canzoni* and 15 sonnets by him still exist (cp. L. Di Benedetto, *Rimatori del dolce stil novo* (Bari, 1939)).

14. For this *canzone*, which is a milestone in the history of Italian poetry, see M. Casella in *Studi romanzi* xxx (1943). 5. *adesso com'*, as soon as.   28. *prende rivera*, makes its abode.   30. *adamas*, magnet.   41. *intelligenzia*, the heavenly spirit which from the contemplation of God derives its power to move the spheres.   50. *disprende = distoglie*.

15. 8. *raffina miglio* (= *meglio*), comes to greater perfection. 10. *salute = saluto*.

Compiuta Donzella (page 29)

Nothing is known of her life, except that she was born at Florence. It is even uncertain whether Compiuta is a name or an adjective ('the accomplished lady'). She is represented in the Vatican *Libro de varie romanze volgare* (edited by F. Egidi and others (Rome, 1908)) by three sonnets.

16. 8. *marrimenti,* woes (cp. Old French *marrir,* Ital. *smarrimento*).

Ignoto (page 30)

18. Lamentations of betrayed women are frequent in early Italian poetry (cp. No. 7). In this anonymous sonnet, which has been preserved by the Vatican *Libro de varie romanze volgare* (edited by F. Egidi and others (Rome, 1908)), the betrayer is represented as a hawk. 3. *manero,* docile (cp. Old French and Provençal *mannier,* English *mannerly*).

Cecco Angiolieri (page 31)

Born at Siena; fought against the Aretines in 1288, led a dissipated life, wasting his father's inheritance, was exiled from his native town and lived for some time in Rome. Some 150 sonnets by him exist (edited by A. F. Massera and L. Russo, *Sonetti burleschi e realistici dei primi due secoli* (Bari, 1940)). Three of them are addressed to Dante. Boccaccio (*Decameron* ix. 4) tells the story of how he was robbed of his clothes by a friend.

20. 5. *mescianza,* 'mischance'.

Guido Cavalcanti (page 33)

A Florentine, the son of Cavalcante di Schiatta, married the daughter of Farinata degli Uberti (cp. Dante, *Inferno* x). As he belonged to a noble family and had connexions with the exiled Ghibellines, he was forbidden to take any part in public life. Nevertheless he fiercely opposed the faction of the Black Guelfs and was exiled in 1300 to Sarzana, in Lunigiana. He was soon recalled, but he had contracted malaria and died shortly after his return. He appears to have been deeply interested in philosophy (cp. Boccaccio, *Decameron* vi. 9; J. E. Shaw, *G. Cavalcanti's Theory of Love* (Toronto, 1949) and B. Nardi, *Dante e la cultura medievale* (Bari, 1949)). His renown as a poet is abundantly acknowledged by Dante (cp. *Vita nova* iii. 14; *De vulgari eloquentia* i. 13, ii. 6; *Purgatorio* xi. 97–98).

Some thirty poems by him are extant (edited by L. Di Benedetto, *Rimatori del dolce stil novo* (Bari, 1939)).

22. 2. *âre = aere.*

24. 2. *Primavera*: cp. Dante, *Vita nova* xxiv. 3: 'lo nome di questa donna [Cavalcanti's lover] era Giovanna, salvo che per la sua beltate imposto l'era nome Primavera.'   11. *latino = linguaggio.*

26. 12. *Tolosa.* Cavalcanti went on a pilgrimage to St. James of Compostella in 1292 but got no farther than Nîmes and Toulouse, where he fell in love with a woman called Mandetta.   28. *pûi = puoi.*   46. *Dorata*, a church at Toulouse, called *La Daurade.*

28. 2. *Guido*, Orlandi, a Florentine and himself a poet.

29. 10. *fiore*, 'anything'.

Gianni Alfani (page 42)

A Florentine. In his poems (seven only are extant, edited by L. Di Benedetto, *Rimatori del dolce stil novo* (Bari, 1939)) there is sufficient evidence that he was exiled, lived at some time in Pisa and Venice, was a friend of Cavalcanti (cp. the poem in the text, *Guido*, line 18) and was strongly influenced by his poetry.

Lapo Gianni (page 43)

Held legal office in Florence from 1298 to 1328. A friend of Dante (cp. No. **38** in the text and *De vulgari eloquentia* i. 13) and of Cavalcanti. Sixteen poems of his exist (edited by L. Di Benedetto, *Rimatori del dolce stil novo* (Bari, 1939)).

33. 1. *chero = chiedo.*   4. *rughe*, streets.   20. *ciel empiro*, paradise.

Dino Frescobaldi (page 44)

A Florentine. Both his father Lambertuccio and his son Matteo were poets. According to Boccaccio, who in his *Vita di Dante* calls him 'famosissimo dicitore per rima', the seven first cantos of the *Divina Commedia* were returned to the exiled author by Frescobaldi's efforts. Some twenty poems by him still exist (edited by L. Di Benedetto, *Rimatori del dolce stil novo* (Bari, 1939)).

34. 6. *caendo = chiedendo.*

Folgore da san Gimignano (page 45)

Thirty-four sonnets of his exist, (edited by F. Neri (Torino, 1921): among them two cycles on the months of the year and the days of the week. Little is known of his life. Documents have been found, dated 1305–6, in which he is mentioned as a soldier in S. Gimignano's army. Some of his poems refer to political events of 1309–17.

35. 10. *giachita*, 'bowing down'.   14. *Presto Gianni*, Prester John, the fabulous king of Ethiopia.

36. 9. *bigordi*, 'spears'.

37. 7. *ferendo = correndo.*

Dante Alighieri (page 47)

Born at Florence. Studied philosophy and rhetoric, and was influenced by Brunetto Latini (cp. *Inferno* xv) and by Guido Cavalcanti. Probably attended lectures at Bologna, and possibly, at a later period of his life, in Paris. Fought at Campaldino, where the Aretines were defeated in 1289 (cp. *Purgatorio* v), and in the same year was present at the capture of the castle of Caprona, held by the Pisans (cp. *Inferno* xxi. 94).

Was enrolled in the *arte de' medici e speziali* and entered public life in 1295, when he became a member of the *Consiglio speciale del Capitano*. In 1296, and again in 1297, he was a member of the *Consiglio dei Cento*, and in May 1300 he went as ambassador to San Gimignano. In the same year he was one of the six priors who decreed the exile of the chiefs of the Cerchi and Donati factions, in a vain attempt to assure for Florence internal peace and political independence. Dante held various minor offices in 1301, and probably went as ambassador to Boniface VIII, whose interference in Florentine affairs he had consistently opposed. While he was still in Rome the Black Guelfs, with the help of Charles de Valois, rose to power in Florence, and 600 of the White Guelfs (Dante among them) were condemned to death or exiled on various pretexts. The exiled Whites joined the exiled Ghibellines and made an unsuccessful attempt to force their return into Florence. Dante became disgusted with the dissensions of these confederates and dissociated himself from them (cp. *Inferno* xv. 72 and *Paradiso* xvii. 69). He found refuge at the court of the Scaligeri in Verona (cp. *Paradiso* xvii. 70), then in 1306 at Sarzana with the Malaspina (cp. *Purgatorio* vii). A year later he was in Casentino, after that probably in Lucca (cp. *Purgatorio* xxiv. 43). His hopes of returning to Florence were aroused in 1310 by the arrival of the Emperor Henry VII, only to be finally destroyed by the Emperor's death in 1313. A general amnesty was proclaimed at Florence in 1315 for the exiles, on condition that they did penance, but Dante was not among the penitents. In consequence of this a death sentence was once more pronounced upon him and his sons (he had married in his youth Gemma Donati, by whom he certainly had two sons, Pietro and Jacopo, probably a third son, Giovanni, and two daughters). Dante's last refuge was Ravenna, where Guido da Polenta (the nephew of Francesca da Rimini) was ruler. He died there, on his return from a mission to Venice, and was buried in San Piero Maggiore.

Critical editions of Dante's works have been issued by the Società Dantesca Italiana, Firenze, 1921, and by E. Moore and P. Toynbee, Oxford, 1924.

The *Vita nova* was probably written in Florence not later than 1295 (critical edition by M. Barbi (Firenze, 1932)); the unfinished *Convivio* and *De vulgari eloquentia* (in Latin) between 1304 and 1308 (critical edition of the former by G. Busnelli and G. Vandelli (Firenze, 1934–7), by A. Marigo of the latter (Firenze, 1938)); the *Monarchia* (in Latin) probably in 1313 (critical edition by G. Vinay (Firenze, 1950); cp. also A. P. d'Entrèves, *Dante as a Political Thinker* (Oxford, 1952)); the *Quaestio de aqua et terra* (in Latin) at Verona in 1320 (critical edition by V. Biagi (Modena, 1907)). Two Latin eclogues addressed to Giovanni del Virgilio (critical edition by G. Albini (Firenze, 1903); cp. also P. H. Wicksteed and E. G. Gardner, *Dante and Giovanni del Virgilio* (Westminster, 1902)) were also written in his last years, probably at Ravenna. The writing of both the *Divina Commedia* and his seventeen Latin

NOTES

Epistolae (critical edition by P. Toynbee (Oxford, 1920)), as well as that of his scattered *Rime* (critical edition by G. Contini (Torino, 1944)), stretched over a long period of his life. Most of his *Rime*, though, were written at Florence in his youth. For further information on Dante's life and works see U. Cosmo, *A Handbook to Dante Studies* (Oxford, 1950).

The poems in the text are partly taken from the *Rime* (Nos. 38–44), partly from the *Vita nova* (Nos. 45–56) and the *Convivio* (57).

38. 1. *Guido* Cavalcanti (see p. 543) and *Lapo* Gianni (see p. 544). 9. *Vanna*, beloved of Cavalcanti (cp. No. 48, 9); *Lagia*, beloved of Lapo. 10. The lady beloved by Dante (in this sonnet not Beatrice) was the thirtieth in a list of sixty fair ladies of Florence which Dante had drawn up in a 'pistola sotto forma di sirventese' (cp. *Vita nova* vi).

39. This and the following sonnet probably reflect Dante's love for Beatrice, and are close to the poems of the *Vita nova*.

40. 6. *come un greco*, haughtily.

41. This poem is a *sestina*, a metric form which Dante introduced into Italian poetry, following the model of the Provençal poet Arnaut Daniel (cp. *Purgatorio* xxvi; *De vulgari eloquentia* ii. 10). Together with the next *canzone*, it forms part of a group of poems called *Rime Pietrose*, because they are addressed to a lady called, or disguised as, *Pietra*. 36. *do'* = *dove*. 38. *sotto un bel verde*, see line 25. 39. *com'uom* (French *on*) = *come si (fa sparire)*.

43. This *canzone* would probably have formed the text of the unwritten fourteenth treatise of the *Convivio*. The three ladies referred to in the opening line represent, according to Pietro, Dante's son, the *jus divinum et naturale*, the *jus gentium sive jus humanum*, and the actual *lex*. 8. *a pena . . . s'aita*, hardly needs. 23. *l'oraggio*, tempest (French *orage*) of tears. 35. Justice is, like Venus, a daughter of Jupiter. 50. Natural Law was born in the Earthly Paradise, in which the River Nile was believed to originate. 52. *portato* = *creatura*. 57. *folli*, because they did not recognize the three ladies. 75. such

noble exiles.   79. Possibly an allusion to the events in
Florence just before Dante's exile (see lines 101–2).

45. This *canzone*, the first of the *Vita nova*, is referred to in
Purgatorio xxiv. 51.

48. 9. *Monna Vanna*, beloved of Cavalcanti (cp. No. 38) and
called by him Primavera (cp. No. 24).

50. 12. *pui = poi.*   59. *audesse = udisse.*

57. This *canzone*, the first of the *Convivio*, is referred to in
Paradiso viii. 37.

Cino da Pistoia (page 71)

Born at Pistoia, of a distinguished family, the Sighibuldi.
Studied at Bologna. From 1303 to 1306 he shared the exile of
the Black Guelphs. When they regained power he returned to
Pistoia and held office in the city. In 1310 he was legal adviser
to Louis of Savoy in Rome. He favoured the Emperor Henry
VII, whose death he lamented in one of his *canzoni*. Lectured
at the universities of Siena, Florence, Naples, and Perugia
(1321–31), wrote many legal works, and was one of the most
prominent jurists of his age. Died at Pistoia, where his monu-
ment, representing him as a professor among his disciples, still
exists in the Cathedral.

As a poet he was highly praised by both Dante and Petrarch.
Some two hundred poems by him are extant, most of them
dedicated to a lady called Selvaggia (edited by L. Di Benedetto,
Rimatori del dolce stil novo (Bari, 1939)).

58. 4. *agghiada = ferisce a morte.*   8. *lada = laida.*

59. 1. *monte*, possibly the Sambuca in the Apennines.   2.
sasso, the grave of Selvaggia.

60. 27. the great struggle between Whites and Blacks.   44.
pui = poi.

Francesco Petrarca (page 77)

Born at Arezzo. His father, Ser Petracco (= Pietro; hence
his son's latinized name, Petrarca), was a Florentine lawyer who
had been exiled with the White Guelfs in 1302 and had found
a temporary refuge at Arezzo.

Petrarch spent his early years at Incisa in Valdarno, the

place of origin of his family, and went with his father to Pisa in 1310, then to Provence in 1311. Here they settled, first at Avignon, which was at that time the residence of the Pope, then at Carpentras.

Petrarch studied law at the universities of Montpellier and Bologna. He took minor orders at Avignon in 1326 and entered the service of Giacomo Colonna, Bishop of Lombez, in 1330, and that of his brother Cardinal Giovanni a year later. Travelled in France and Belgium in 1333, and went to Rome in 1337. In the same year he retired from Avignon to Vaucluse.

In 1340 he was offered the laureate's crown both by the University of Paris and by the Roman Senate; having accepted the latter offer, he was crowned on the Capitol on Easter Day 1341. From Rome he went to Parma to the Court of Azzo di Correggio and returned to Avignon in 1342, where he met Cola di Rienzo.

In 1343 Cardinal Colonna sent him again to Italy. Whilst in Verona he discovered Cicero's letters to Atticus. From 1345 to 1347 he lived peacefully at Vaucluse. At the end of 1347 he left the service of Cardinal Colonna, went to Italy, was entertained by the rulers of Parma, Padua, Verona, Ferrara, and Mantua, and took an active part in political affairs.

Whilst in Parma he heard of Laura's death, in April 1348. According to his poems, he had seen her for the first time in the Church of St. Clara in Avignon on 6 April 1327. His love survived Laura's death and poignantly inspired him to the end. In 1350 he went to Rome for the Jubilee; on the way visited Arezzo and Florence, where he met Boccaccio. After that, he returned once again to Avignon and Vaucluse. Two years later he came back to Italy and lived in Milan, where he was favoured by the Visconti, from 1353 to 1361. Twice, in 1356 and 1360, he was sent as ambassador to Prague and Paris.

From 1362 onwards he lived mostly in Venice and Padua. He spent his last years at Arquà on the Euganean Hills.

Besides his Italian poems, the *Rime sparse* or *Canzoniere* (the edition by G. Carducci and S. Ferrari is still fundamental; see also that by E. Chiorboli (Milano, 1924, with notes; Bari, 1930, text only) and cp. H. E. Wilkins, *The Making of the Canzoniere and other Petrarchan Studies* (Roma, 1951). An edition of *Rime disperse* (most of them wrongly attributed to Petrarch) was issued by A. Solerti (Firenze, 1909)) and the *Trionfi* (critical edition by C. Appel (Halle, 1901); cp. also R. Weiss, *Un inedito Petrarchesco* (Rome, 1950)), Petrarch wrote many Latin works (first edition Basle, 1496; no later edition than Basle, 1581) whose influence on Humanism remained supreme until the end of the fifteenth century. They include *Africa*, an epic in hexameters on the second Punic war (critical edition by N. Festa (Firenze, 1926)), some sixty *Epistolae metricae* (see D. Rossetti, *Poesie minori del Petrarca* (Milano, 1831–4)), *Bucolicum carmen*, a collection of twelve eclogues (critical edition by A. Avena (Padova, 1906)), seven *Psalmi penitentiales* (edited by H. Cochin (Paris, 1929)), three moral and religious treatises, *De vita solitaria* (unsatisfactory modern edition by A. Altamura (Napoli, 1943)), *De otio religioso*, *De remediis utriusque fortunae*, three dialogues between Petrarch himself and St. Augustine, entitled *Secretum* (viz. 'de secreto conflictu curarum mearum'), two unfinished historical works *De viris illustribus* (edited by L. Razzolini (Bologna, 1874–9)) and *Rerum memorandarum libri* (critical edition by G. Billanovich (Firenze, 1945)), some polemical pamphlets such as the *De sui ipsius et multorum ignorantia* (edited by L. M. Capelli (Paris, 1906)) and the *Invective contra medicum* (critical edition by P. G. Ricci (Roma, 1950)), and a most important collection of letters (critical edition of the *Familiarum rerum libri XXIV* by V. Rossi and U. Bosco (Firenze, 1933–42); of the *Sine nomine* by P. Piur (Halle, 1925); of the *Epistula Posteritati*, which is Petrarch's autobiography, by E. Carrara in *Annali dell' Istituto superiore di magistero del Piemonte*, iii, 1929; see also E. H. Wilkins, *The Prose Letters of Petrarch: a Manual* (New York, 1951)).

Comprehensive books on Petrarch by E. H. R. Tatham (London, 1926) and by U. Bosco (Torino, 1946). Full bibliography in M. Fowler's *Catalogue of the Petrarch Collection bequeathed by W. Fiske to Cornell University Library*. For recent research see *Studi Petrarcheschi*, edited by C. Calcaterra (Bologna, 1948–52), 5 vols. See also the edition of Petrarch's *Rime, Trionfi e Poesie Latine* by F. Neri, G. Martellotti, E. Bianchi, N. Sapegno (Milano, 1951).

Poems in the text are taken from the *Rime sparse*.

65. Possibly addressed to Cola di Rienzo in 1347.   **71.** *Orsi, lupi, leoni, aquile e serpi*, the Orsini, Tusculi, Savelli, and Caetani, enemies of the Colonna family.   **74.** *gentil donna*, Rome.   **84.** *il maggior padre*, the Pope.

67. 5. *un grande amico*, Christ.

71. 6. Petrarch was in Lombardy when he wrote this *canzone*, possibly at Parma in 1344–5.   43. *popol senza legge*, the Teutones, defeated by Marius at Aquae Sextiae, 102 B.C., in which battle, according to Florus iii. 3, 'tanto ardore pugnatum est eaque caedes hostium fuit ut victor romanus de cruento flumine non plus aquae biberit quam sanguinis'. 67. *alzando 'l dito*, surrendering to the enemy, instead of fighting.

72. 44. *sua figlia perde*: Helen, Leda's daughter, would appear to be less beautiful than Laura.

75. 2. the Rhône, 'rodens Rhodanus'. Petrarch possibly wrote this sonnet during a halt at Lyon, while on his way back from Italy to Provence.

86. 3. *terzo cerchio*, the third heaven.

87. 3. *Progne*, the swallow, and *Filomena*, the nightingale, whom *Zefiro rimena a garrire e a piangere.*   6. *sua figlia*, Proserpine.

Fazio degli Uberti (page 114)

Born, probably at Pisa, of a famous Florentine family. He was an adherent of the Visconti and Scaligeri. Travelled in France and Germany. Composed a geographical and historical poem, *Dittamondo*, which showed Dante's influence (latest edition Milano, 1826). His *Liriche* (among them, the poem in the text) were edited by R. Renier (Firenze, 1883).

Giovanni Boccaccio (page 117)

He is conjectured to have been born in Paris. What we know for certain is that his family came from Certaldo in Valdelsa and that his father, a Florentine merchant, sent him to Naples when still a boy, probably to practise commerce.

There he fell in love with a lady whom he called Fiammetta, led a gay life, and devoted himself to literary and legal studies.

NOTES

In 1341 his father compelled him to return to Florence. There he met Petrarch in 1350 and visited him at Padua in 1351.

From about this time he held various appointments at Florence and went on several embassies. In 1362 a monk almost frightened him into leaving his profane literary studies, but Petrarch dissuaded him from doing so. Yet his career, as a writer, had already turned from vernacular prose and poetry towards classical erudition.

In his last years he wrote in Latin such works as the *De claris mulieribus*, the *De casibus virorum et feminarum illustrium*, the *De montium, sylvarum . . . nominibus*, the *Genealogie deorum gentilium* (edited by V. Romano (Bari, 1951); cp. also C. S. Osgood, *Boccaccio on Poetry* (Princeton, 1930)) and a *Bucolicum carmen* (edited with other *Opere latine minori* by A. F. Massera (Bari, 1928)).

His cult of Dante lasted to the end of his life: in 1373 he began to read and expound the *Divina Commedia* in the Church of San Stefano di Badia at Florence, but his course of lectures was broken off by the failure of his health (an edition of Boccaccio's work on Dante was issued by D. Guerri (Bari, 1924)).

Shortly afterwards he retired to Certaldo, where he died and was buried.

Besides his chief work, the *Decameron* (edited by A. F. Massera (Bari, 1927); and with notes by G. Petronio (Torino, 1949)), which was written in Florence about 1350, Boccaccio's works in prose are: the *Filocolo* (edited by S. Battaglia (Bari, 1938)), a novel on the legend of Florus and Blanchefleur, written in Naples about 1336; the *Fiammetta* (edited by V. Pernicone (Bari, 1939)), an autobiographical love story written in Florence about 1343; the *Ameto*, a pastoral in prose and poetry, and the *Corbaccio*, an invective against a widow who disliked him (edition of both the *Ameto* and the *Corbaccio*, together with a few letters, by N. Bruscoli (Bari, 1940)).

In his youth, shortly after the *Filocolo*, he wrote also two romances in *ottava rima*, the *Filostrato* (edited by V. Pernicone (Bari, 1937); see also the translation with parallel text by N. E. Griffin and A. B. Myrick (Philadelphia, 1929)) and the *Teseida* (critical edition by S. Battaglia (Firenze, 1938) and by A.

Roncaglia (Bari, 1941)). Later he made use of the same *ottava rima* in a short mythological poem, the *Ninfale Fiesolano* (edited together with the *Filostrato* by V. Pernicone).

Less successful were his attempts to imitate Dante's allegory and *terza rima* in the poetical passages of the *Ameto* and in another poem, the *Amorosa visione* (critical edition by V. Branca (Firenze, 1944)). Some of his *Rime*, mostly sonnets, also exist (edited by V. Branca (Bari, 1939), together with the *Amorosa visione* and the *Caccia di Diana*, a mythological allegory and possibly the first poem Boccaccio wrote, when he was in Naples).

Full bibliography in V. Branca, *Linee di una storia della critica al Decameron* (Genova, 1939). Three comprehensive studies may be quoted: by E. Hutton (London, 1910), H. Hauvette (Paris, 1913), G. Grabher (Torino, 1946).

Poems in the text are taken from the *Rime*, with the exception of No. 98, which is a ballad included in the *Decameron* (giornata IX).

Antonio Pucci (page 119)

Born at Florence. Was a bell-ringer and, from 1349 to 1369, a town-crier of the Commune. Wrote much verse, commenting on historical events and on moral topics. Was a typical representative of the middle class which held power in Florence during the fourteenth century.

His poems have not been collected (full bibliography in N. Sapegno, *Il trecento* (Milano, 1934), 451–2). For many of them the reader is referred to F. Ferri, *La poesia popolare in A. Pucci* (Bologna, 1909). Four of his *cantari* (*Gismirante*, *Bruto*, *Madonna lionessa*, and *Reina d'oriente*) are included in E. Levi, *Fiore di leggende* (Bari, 1914). There is a critical edition of his *Noie* by K. McKenzie (Princeton, 1931), of his *Contrasto delle donne* by A. Pace (Menasha, Wisconsin, 1944).

Poems in the text are taken from G. Volpi, *Rime di trecentisti minori* (Firenze, 1907).

Franco Sacchetti (page 121)

Born at Ragusa, where his father, Benci, of an old Florentine family (cp. Dante, *Paradiso* xvi. 104), had settled. They returned to Florence in 1340.

NOTES

Franco was enrolled in the *Arte del Cambio* in 1351 and became a merchant. He entered public life in 1363 and held various appointments, mostly as *podestà* of such small towns as Empoli Bibbiena and San Miniato, which were subject to Florence. His chief works are the *Trecentonovelle* (of which 223 exist, edited by V. Pernicone (Firenze, 1947)), and *Il libro delle rime* (edited by A. Chiari (Bari, 1936)). He wrote also a poem in four cantos, *La battaglia delle belle donne*, some letters, and *Sposizioni dei vangeli* (edited by A. Chiari (Bari, 1938)).

Poems in the text are taken from the *Libro delle rime*. The third one is, metrically, a *caccia* (see N. Pirrotta's article on this metrical form in *Rivista musicale italiana*, 1946–7).

Ignoti (pages 124–30)

Poems in the text, with the exception of No. 108 and No. 110, are taken from G. Carducci, *Cantilene e ballate strambotti e rispetti nei sec. XIII e XIV* (Pisa, 1871). They were probably written by Tuscan poets of the fourteenth or early fifteenth century. All are ballads, with the exception of No. 109 which is a *cantilena*, a metrical form closely connected with popular poetry, and of No. 110, which is a sonnet.

105. This ballad has been attributed to Dante, because of some passages which are in fact suggestive of Dante's lyrics: the *pargoletta*, the *ghirlandetta*, and the *nodo Salamone*, the inextricable knot of Solomon (cp. Dante's ballads *I' mi son pargoletta bella e nova*, *Per una ghirlandetta*, and one of his sonnets to Forese Donati, *Ben ti faranno il nodo Salamone*). In the last line *Fe' = fei = feci*.

107. This ballad is on the popular theme of the *Contrasto della madre e della figlia innamorata*. For the lover represented as a nightingale (*lusignolo*), cp. No. 18.

108. This ballad, published by T. Casini, *Studi di poesia antica* (Città di Castello, 1914), page 191, provides an example of another of the main themes of popular Italian poetry, the *Lamento della malmaritata*. The anonymous poet knew his Dante well: cp. 16, *d'ogni allegrezza rasa*, with *Inferno* viii. 118.

110. Since the sixteenth century this sonnet has been attributed to Boccaccio, owing to his well-known devotion to Dante. There is, however, no evidence that Boccaccio wrote it, or that it was written in the fourteenth century. It appeared for the first time in an edition of Dante's *Comedy* published in Venice, 1477.

Leonardo Giustinian (page 131)

Born at Venice. Entered public life in 1407 and became head of the Council of Ten and *Procuratore di S. Marco* in 1443. A classical scholar; translated Plutarch and wrote Latin orations and letters. He also wrote many vernacular poems modelled on popular songs, and set them to music. There is a comprehensive book on him, as well as a selection of his poems by M. Dazzi (Bari, 1934). A critical edition has been attempted by G. Billanovich (see his articles in *Giornale storico della letteratura italiana*, 1937, and in *Annali della scuola normale di Pisa*, 1939). Poems in the text are taken from a series of twenty-seven *strambotti* (Dazzi edition, pages 103–9).

Pietro Andrea dei Bassi (page 133)

A Ferrarese; held office under Niccolò III and Leonello d'Este. Wrote a mythological treatise *Le fatiche d'Ercole* and a commentary on Boccaccio's *Teseide*, which were both published in Ferrara in 1475.

A study of his life and work by G. Orlandi has appeared in *Giornale storico della letteratura italiana*, lxxxiii, 1924, pages 285–320.

The *canzone* in the text was first published by G. Baruffaldi in a collection of *Rime scelte de' poeti ferraresi* (Ferrara, 1713). Its authenticity is doubtful.

Leon Battista Alberti (page 136)

Born at Genoa, the illegitimate son of Lorenzo Alberti, who had been exiled from Florence in 1402. He studied Latin and Greek at Padua and Canon Law at the University of Bologna. Entered the service of Cardinal Albergati in 1428, and travelled with him to France, Belgium, and Germany. Went to Rome in 1431 and was appointed *abbreviatore apostolico* by Eugenius IV.

From 1434 to 1443 he followed the papal court first to Florence, then to Bologna and Ferrara, finally once again to Florence. His reputation, both as a writer and as an expert in all fine arts, had been steadily growing throughout Italy. His chief work in Latin, the *De re aedificatoria*, was completed in 1450 (first edition by Politian (Florence, 1480)). He was favoured by the humanist Popes Nicholas V (1447–55) and Pius II (1458–64), and was commissioned by the Malatesta, the Gonzaga, and the Rucellai to build churches and palaces (Tempio Malatestiano in Rimini, the S. Andrea and S. Sebastiano in Mantua, the Palazzo Rucellai and the façade of S. Maria Novella in Florence). Died in Rome.

A study of his life and works was made by P. H. Michel (Paris, 1930). See also K. Clark, *L. B. Alberti on Painting* (London, 1945). Of his Latin works the *Momus* has been recently edited by G. Martini (Bologna, 1942); some apologues and pamphlets are included in the *Opera inedita et pauca separatim impressa*, edited by G. Mancini (Firenze, 1890). An edition of all his *Opere volgari* was published by A. Bonucci (Firenze, 1844–9, 5 vols.).

For the most important four *Libri della famiglia* readers are referred to the edition by G. Mancini (Firenze, 1908). See also *I primi tre libri della famiglia*, edited by F. C. Pellegrini and R. Spongano (Firenze, 1946). Alberti was chiefly a prose writer, and very few poems by him exist. They are all included in Bonucci's edition.

Lucrezia Tornabuoni de' Medici (page 137)

Born at Florence; married Piero de' Medici in 1443; exerted a strong influence on her son, Lorenzo the Magnificent.

She patronized, among others, Poliziano and Pulci; the latter dedicated to her his *Morgante*.

Wrote some remarkable poems, mostly of a religious character (her *Laudi* were edited by G. Volpi (Pistoia, 1900); see also A. Parducci in *Annali delle Università Toscane*, 1926). For the *Lauda* in the text see F. Neri, *Letteratura e leggende* (Torino, 1951), pages 73–77.

NOTES

Matteo Maria Boiardo (page 139)

Born at Scandiano, a feudal possession of his family. A life-long favourite at the Court of Ferrara, he was one of the courtiers appointed to receive the Emperor Frederick III in 1469. Two years later he went to Rome with Borso d'Este, when the latter was granted the title of Duke by Paul II. In 1473 he was sent to escort from Naples to Ferrara Eleonora d'Aragona, the bride of Ercole I, who had succeeded Borso. He was governor of Modena from 1481 to 1483 and of Reggio from 1487 to his death.

Besides his chief work, the *Orlando innamorato*, he wrote Latin and vernacular poems (the latter are collected in three *Amorum libri*) and a comedy, *Timone*, based on one of Lucian's dialogues. He also translated Herodotus, Xenophon, and Apuleius into Italian. Apart from these translations, all his works have been edited by A. Zottoli (Milan, 1944, 2 vols.). Poems in the text are taken from the *Amorum libri*.

116. 14. *odete* = *udite*.

118. 2. *iubato*, radiant (cp. Latin *jubar*).   7. *aspetto* = *vista*, *occhio* (cp. Dante, *Purgatorio* xxix. 149).

Pandolfo Collenuccio (page 143)

Born at Pesaro; studied law in Padua and was judge in Bologna in 1472–3. Entered the service of Costanzo Sforza, ruler of Pesaro, in 1477, but in 1488 he became involved in a legal controversy and was imprisoned for sixteen months and afterwards exiled. He found refuge at the court of Lorenzo de' Medici and was *podestà* of Florence in 1490. A year later he went to Ferrara and was employed by Duke Ercole d'Este on several embassies. In 1500 he obtained the restitution of his confiscated property from Cesare Borgia, who had expelled Giovanni Sforza, Costanzo's son and successor, from Pesaro. When the latter returned to power Collenuccio lost his property again and went back to Ferrara.

He was enticed back to Pesaro in 1504 and was murdered in prison by order of Giovanni Sforza.

A modern edition of some of his works has been issued by A. Saviotti (Bari, 1929, 2 vols.). It includes the *Compendio de le istorie del regno di Napoli*, the *Commedia di Jacop e di Josef*, four Latin apologues and two Lucianic dialogues in Italian, a Latin poem, *Florentia*, some of his letters, and his few existing *Rime*. He also wrote a *Descriptio rerum germanicarum* and a *Defensio Pliniana*.

The *Canzone alla Morte* in the text was probably written during his first captivity.

Lorenzo de' Medici (page 147)

Born at Florence, the son of Piero di Cosimo and Lucrezia Tornabuoni. He was taught philosophy and literature by Marsilio Ficino and Cristoforo Landino; Pulci and Poliziano stimulated his taste for poetry. He succeeded his father as leader of Florence in 1469 and displayed great wisdom and courage in political affairs. After the Pazzi conspiracy (1478), in which his brother Giuliano was killed, he successfully resisted a powerful coalition of internal and external enemies. One of them, King Ferrante of Naples, eventually became Lorenzo's ally and was won over to his policy of securing peace and maintaining a balance of power throughout Italy. The success of this policy was ensured, against the opposition of Venice and Pope Sixtus IV, by the peace of Bagnolo in 1484.

During his last years Lorenzo enjoyed an unparalleled reputation, both for his skill in diplomacy and for the splendour of his household. Hence the well-deserved title of Magnificent, given to him by his contemporaries. He died in his villa at Careggi.

Two years later Charles VIII of France entered Italy, Savonarola rose to power in Florence, and the Medici were exiled. It would appear that by his premature death Lorenzo narrowly escaped being involved in a political crisis which he could hardly have mastered and which was to overthrow the whole system of the Italian states.

Lorenzo's works (edited by A. Simioni (Bari, 1939)) include *Rime* in the manner of Petrarch and Dante (whose *Vita nova* he attempted to imitate in his *Comento sopra alcuni de' suoi sonetti*), *Canzoni a ballo* and *Canti carnascialeschi*, two *Selve d'amore*, two eclogues, and some *Poemetti* of a mythological

NOTES

(*Ambra*), philosophical (*Altercazione*) or burlesque character (*Caccia col falcone*, *Nencia da Barberino*, *Simposio*). He also wrote spiritual songs and a religious drama, *Rappresentazione di San Giovanni e Paolo*.

W. Roscoe's *Life of Lorenzo de' Medici* (first edition 1795) is fundamental. There is a recent comprehensive book on him by R. Palmarocchi (Torino, 1941); full bibliography in the *Archivio storico italiano* (1949), pages 216–35.

Of the poems in the text, five (Nos. 124–8) are taken from the *Rime* and three (Nos. 129–31) from the *Comento*; Nos. 132 and 133 are *canzoni a ballo*, No. 134 is a *canto carnascialesco*.

Angelo Poliziano (page 156)

Born at Montepulciano (Latin *Mons Politianus*): hence his humanistic name, his real name being Ambrogini. He came to Florence when still a boy and studied there under the patronage of the Medici, showing an exceptionally precocious talent for languages and literature. He was sixteen when he undertook a poetical translation into Latin of Homer's *Iliad*.

In 1474 Lorenzo de' Medici entrusted him with the education of his son Piero. About that time he started writing the *Stanze per la giostra di Giuliano*, which was to be his chief contribution to Italian poetry. The poem, however, was interrupted shortly after Giuliano de' Medici's tragic death in the Pazzi conspiracy (1478).

Politian, who had been a witness of this event, wrote in the same year a Latin *Pactianae coniurationis commentarium*. In 1479 he quarrelled with Lorenzo's wife and went to Mantua, to the court of the Gonzaga. There he wrote his mythological drama *Favola di Orfeo*. A year later he returned to Florence and was appointed Professor of Greek and Latin at the University. During the last years of his life he was considered to be the chief Italian humanist of his age. He had taken minor orders in 1477, held many benefices, and would probably have been made a cardinal if he had lived longer.

A collection of his Latin works, including some poems in Greek, was published by Aldus Manutius in Venice, 1498. Partial editions have been published by I. Del Lungo, *Prose*

559

volgari inedite e poesie latine e greche edite ed inedite di Angelo Poliziano (Firenze, 1867) and *Le selve e la strega. Prolusioni nello studio fiorentino (1482–1492)* (Firenze, 1925).

There is an edition of all his *Opere volgari* by T. Casini (Firenze, 1885), but Carducci's edition of his *Rime* (Firenze, 1863) is still fundamental.

Three of the poems quoted in the text (Nos. **135–7**) are lyrical passages of the *Orfeo*, the others are *ballate* or *canzoni a ballo*, included in his *Rime*.

137. 26. *Poi col sono farem fiacco*, then, while singing, we will make merry.

138. 41. *caendo* = *chiedendo*.

Giovanni Antonio Petrucci (page 163)

Probably born in Naples, the second son of Antonello who, though of very humble origin, had become chief secretary to King Ferrante.

Giovanni Antonio himself was first counsellor and later secretary to the King, with the title of Count of Policastro. In August 1486 he was imprisoned and accused of high treason together with his father, his elder brother, and some other barons. On 11 December he was executed.

During his captivity he wrote some eighty sonnets (edited by E. Perito, *La congiura dei baroni e il conte di Policastro* (Bari, 1926)).

Il Cariteo (page 164)

Born in Barcelona. His real name was Benedetto Gareth. Hence the humanistic name *Charitaeus* (Ital. *Cariteo*). He came to Naples in 1468, held various appointments under King Ferrante, and in 1495 succeeded Pontanus as chief secretary during the short reign of King Ferrandino. Went into exile when Naples was conquered by the French in 1501 and lived for two years in Rome. He returned to Naples after the French had been expelled by the Spaniards and became governor of Nola in 1504. Died in Naples. He was a friend of Pontanus and Sannazaro and one of the most distinguished members of the humanistic Academy of Naples. A critical edition of his *Rime* has been issued by E. Percopo (Napoli, 1892, 2 vols.).

Jacopo Sannazaro (page 164)

Was born and died in Naples. First he was attached to the household of Alfonso, Duke of Calabria, later to that of Alfonso's brother, Frederick, the last Aragonese King of Naples. In 1501, when the King surrendered to the French invaders, Sannazaro loyally followed him to France and shared his exile.

After the King's death (1504) he returned to Naples and lived a retired life at Mergellina, in the villa which had been given to him by King Frederick. The villa was destroyed by the Spaniards during their siege of Naples in 1528, and he died in the house of Cassandra Marchese, the lady he had praised for many years in his love poems.

A friend of Pontanus and, after him, the most authoritative member of the humanistic Academy of Naples, Sannazaro wrote excellent Latin: see the edition of his *Poemata* (Patavii (Padua), 1751); of his *Piscatory Eclogues*, by W. P. Mustard (Baltimore, 1914); and of his poem *De partu virginis*, by A. Altamura (Napoli, 1948).

His chief work in Italian, the *Arcadia*, which is a pastoral novel written in prose and verse (first authorized edition Napoli, 1504, critical edition by M. Scherillo (Torino, 1888)), enjoyed European popularity for about two centuries. His *Rime* (first edition Napoli, 1530) helped largely to establish sixteenth-century *Petrarchismo*.

His letters (see F. Nunziante, *Un divorzio alla corte di Leone X* (Roma, 1887)) prove that he was a man of character as well as a genuine writer. A study of his life has been written by E. Percopo (Napoli, 1931). Poems in the text are taken from the *Arcadia* (No. 143) and from the *Rime* (Nos. 144-5).

Niccolò Machiavelli (page 168)

Was born and died in Florence. In 1498 he was appointed secretary to the first chancellor of the Signoria. Went on various missions, among others to the King of France in 1500,

1504, and 1510, to Cesare Borgia in 1502, to the Pope in 1503 and 1506, to the Emperor Maximilian in 1507.

Some of his reports were given the form of political and historical pamphlets (*Ritratto di cose di Francia, Ritratto delle cose della Magna, Descrizione del modo tenuto dal Duca Valentino nell' ammazzare V. Vitelli, Oliverotto da Fermo, il Signor Pagolo e il Duca di Gravina Orsini*).

On the return of the Medici to Florence in 1512 he lost office and was banished for a year. In 1513 he was involved in a conspiracy against the Medici and was imprisoned and tortured but was in the end pronounced not guilty. He retired to San Casciano, and lived there in poverty for about seven years, embittered by disgrace and inactivity.

During that period he wrote his chief works: the *Prince* (edited by L. A. Burd (Oxford, 1891)), the *Discorsi sopra la prima deca di Tito Livio* (English translation by L. J. Walker, London, 1950), the *Arte della guerra* (first edition 1521), the *Vita di Castruccio Castracani*, the *Mandragola* (for this and his other very remarkable comedy, *Clizia*, see the edition by D. Guerri (Torino, 1932)). In 1519 he regained the favour of the Medici and was invested with some minor offices. In 1520 he was commissioned to write the *Istorie fiorentine* (critical edition by P. Carli (Firenze, 1927)).

The fall of the Medici in 1527 raised his hopes of being restored to the position he had lost in 1512, but his recent connexions with them made him suspect to the new rulers of Florence, who ignored him. He died shortly afterwards and was buried in Santa Croce.

An edition of *Tutte le opere storiche e letterarie di N. Machiavelli* has been issued by G. Mazzoni and M. Casella (Firenze, 1929). It does not include all his political reports or his official letters, for which the reader is referred to some older edition of his *Opere* (Italia, 1813, 8 vols.; Firenze, 1872–7, 5 vols., unfinished) and to the edition of his *Scritti inediti* by G. Canestrini (Firenze, 1857). P. Villari's *N. Machiavelli e i suoi tempi* (English translation, London, 1892) and O. Tommasini's *La vita e gli scritti di N. Machiavelli* (Roma, 1883–1911) are fundamental. Readers are also referred to the studies by A. Renaudet (Paris, 1942); J. H. Whitfield (Oxford, 1947); L. Russo

(Bari, 1950); and to *Machiavelli in Inghilterra e altri saggi* (Roma, 1942), by M. Praz.

Machiavelli was a master of prose. He believed himself a poet as well, and complained that Ariosto had not mentioned him as such in his *Orlando furioso*. In fact his poems are of little merit. Both the *Decennali*, a history of events from 1494 to 1509, and the *Asino d'oro*, an autobiographical satire, were left unfinished. He also wrote a few *Rime* and four *Capitoli* (*Dell' ingratitudine*, *Dell' ambizione*, *Di fortuna*, and *Dell' occasione* which appears in the text).

Pietro Bembo (page 169)

Born at Venice. His father, Bernardo, was a distinguished statesman and an accomplished scholar to whom Pietro owed the first-rate education he was given in Florence (1478–80), Venice, Padua, Messina (1492–4), and Ferrara (1498–1500). He studied Latin and Greek, law and philosophy.

In Venice he strongly supported the editorial work of Aldus Manutius: his Latin dialogue, *De Aetna*, and his edition of Petrarch's *Rime*, published in 1495 and 1501 respectively, were landmarks in the history of the Aldine press.

At the age of thirty, being a patrician by birth, he was expected to take an active part in Venetian public life. He hesitated for some time and finally went to Ferrara instead. There, in 1503, he fell in love with Lucrezia Borgia. In 1505 he published his first Italian work, the *Asolani*.

In 1506 he renounced all thought of a political career in Venice and went to Urbino. There, at the Court of the Montefeltro—which Castiglione was to describe in his *Cortegiano*—he spent about six years devoting himself entirely to his favourite literary pursuits. Meanwhile he had taken minor orders and held some benefices from Julius II. In 1512 he went to Rome; a year later he was appointed Papal Secretary by Leo X.

In 1520, after his father's death, he resigned his office and retired to Padua. He took with him his Roman mistress, Morosina, by whom he had three children. In 1525 he published his *Prose della volgar lingua* (critical edition by C.

Dionisotti (Torino, 1931)), in 1530 his *Rime* and a second revised edition of the *Asolani* (critical edition by the same, Torino, 1932). In the same year he was commissioned by the Council of Ten to continue the Venetian History, which Andrea Navagero had left unfinished at his death.

In 1535 he published a collection of the *Brevia* which he had written while Secretary to Leo X. During his last years he enjoyed an unparalleled reputation for his wide knowledge and the delicacy of his style: in fact he held as it were the dictatorship in Italian literature. In 1539 he was made a Cardinal by Paul III.

Although appointed Bishop of Gubbio in 1543, and of Bergamo in 1544, he lived mostly in Rome. He died there and was buried in the choir of Santa Maria sopra Minerva, close to the monuments of Leo X and Clement VII.

A complete edition of his works was published in Venice in 1729 in 4 volumes. V. Cian's *Un decennio della vita di P. Bembo* (Torino, 1887) is fundamental. See also a study of his life and work by M. Santoro (Napoli, 1937).

Poems in the text are taken from the *Rime*. The second one was written in 1531 and addressed to Veronica Gambara as a reply to a sonnet by her (see No. 161, page 178).

Ludovico Ariosto (page 170)

Born at Reggio, where his father was *capitano della cittadella* on behalf of Duke Ercole d'Este. Studied law at the University of Ferrara and was privately taught literature by the humanist Gregory of Spoleto. In 1497 he was attached to the household of the Duke; in 1502 he was appointed Captain of Canossa. Meanwhile his father had died (1500), leaving him as the head of a large family in financial straits.

In 1503 he entered the service of Cardinal Ippolito d'Este, who sent him on various missions. He hated travelling, and longed for a quiet life, wishing to devote himself to love and poetry. His mistress was Alessandra Benucci, the widow of one of the Strozzi family. He lived with her for many years in Ferrara and eventually married her (between 1526 and 1530), although the marriage could not be acknowledged, as he held some ecclesiastical benefices.

In 1516 he published the first edition (in forty cantos) of his *Orlando furioso*. In 1517 he refused to go with the Cardinal to Hungary; a year later he entered the service of Duke Alfonso d'Este. In 1522 he was made governor of the Garfagnana, a district in the Apennines on the borders of the Ferrarese and Papal territories. He disliked the office, but fulfilled his duties faithfully. He returned to Ferrara in 1525.

In 1532 he published a third, fully revised and enlarged edition of his poem (the second, slightly different from the first, had appeared in 1521). He died at Ferrara and was buried in the church of San Benedetto.

Besides the *Orlando furioso* (edited by S. Debenedetti (Bari, 1928); see also, by the same, *I frammenti autografi dell' Orlando furioso* (Torino, 1937)), Ariosto wrote seven *Satire* (edited by G. Tambara (Livorno, 1903); see also the articles by C. Bertani and S. Debenedetti in *Giornale storico della letteratura italiana*, 1926, 1927, and 1944) which contain vivid sketches of his life; five *Commedie* (edited by M. Catalano (Bologna, 1940)), and a number of Italian and Latin lyrical poems (some hundred of the former and seventy of the latter exist, edited by G. Fatini (Bari, 1924); the Latin poems only, by E. Bolaffi (Modena, 1938)). His letters were collected by A. Cappelli (Milano, 1887).

M. Catalano's *Vita di L. Ariosto* (Genève, 1931) is fundamental. So is the critical appreciation of his poetry by B. Croce, *Ariosto, Shakespeare e Corneille* (Bari, 1929). Readers are also referred to E. G. Gardner, *The King of Court Poets* (London, 1906); and to H. Hauvette, *L'Arioste et la poésie chevaleresque à Ferrare* (Paris, 1927).

Poems in the text are taken from the Fatini edition of his *Lirica*.

Michelangelo Buonarroti (page 174)

Born at Caprese, in the Casentino. Was brought up in Florence and was favoured by Lorenzo de' Medici. Went to Bologna in 1494 and to Rome in 1496. Returned to Florence in 1501 and sculptured his first important work, the 'David'.

From 1505 onwards he was given several commissions by Pope Julius II. In 1508 he went to Rome and, during four years of hard work, painted the ceiling of the Sistine Chapel. He lost favour under Leo X, who preferred Raphael. From 1520 onwards he was employed by Cardinal Medici (afterwards Clement VII) and worked in Florence for about fourteen years (Medici Chapel and Library of San Lorenzo).

In 1529 he was appointed governor of the Florentine fortifications and took part in the resistance of the town, when it was besieged by the Papal and Imperial army. In 1534 he moved to Rome and was commissioned by Paul III to paint the Last Judgement in the Sistine Chapel and the frescoes in the Pauline Chapel of the Vatican. He completed the former work in 1541, the latter in 1550.

From 1546 onwards he worked also as an architect on the Capitol, the Palazzo Farnese, and St. Peter's. Died in Rome and was buried in Santa Croce, Florence.

The reader is referred to E. Steinmann and R. Wittkower, *Michelangelo Bibliographie* (Leipzig, 1927), and to D. De Tolnay's recent studies, *The Youth of Michelangelo, The Sistine Ceiling, The Medici Chapel* (Princeton Univ. Press, 1943, 1945, 1948).

Michelangelo's poems (critical edition by C. Frey (Berlin, 1897)) are of secondary importance in comparison with his work in the visual arts. They are, however, by no means negligible, as evidence of his emotions and his thoughts, and for a number of passages of high poetical value (see W. Pater's essay in his *Studies in the History of the Renaissance*; B. Croce, *Poesia popolare e poesia d'arte* (Bari, 1933), pages 391–400, and G. Contini, *Esercizi di lettura* (Firenze, 1939), pages 259–78). Some of his poems were addressed to Vittoria Colonna (e.g. No. 152 in the text).

153. 17. *tommi = toglimi.*

154. Written in reply to the following epigram by Giovan Battista Strozzi (see p. 573) on the figure of Night in the Medici Chapel:

> 'La Notte, che tu vedi in sì dolci atti
> Dormir, fu da un Angelo scolpita
> In questo sasso, e perchè dorme, ha vita:
> Destala, se nol credi, e parleratti.'

NOTES

The second line of Michelangelo's epigram probably refers to the political situation of Florence under the tyrannical rule of Alessandro de' Medici (1531-7).

Baldassare Castiglione (page 178)

Born at Casatico, near Mantua, a feudal possession of his family. Studied in Milan. In 1499, after his father's death, he entered the service of Francesco Gonzaga, Marquis of Mantua, and in 1503 went to Naples with him on an expedition against the Spaniards.

In 1504 he quarrelled with the Marquis and entered the service of Guidobaldo da Montefeltro, Duke of Urbino. He came to London in 1506 to receive the Garter for Guidobaldo from Henry VII. From 1509 to 1512 he served with distinction in several campaigns. In 1513 Francesco Maria della Rovere, who had succeeded Guidobaldo as Duke of Urbino, sent him to Rome as ambassador to the new Pope Leo X.

In 1516 Francesco Maria was excommunicated and expelled from Urbino. Castiglione followed him into exile to Mantua. In the same year he married Ippolita Torelli. In 1519 he again went to Rome as ambassador for the Gonzaga and while he was there his wife died at Mantua in 1520. A year later he took minor orders.

In 1524 Clement VII sent him as Papal Nuncio to Spain. In 1527 the Spaniards sacked Rome and Clement suspected Castiglione of complicity, but eventually he proved his innocence. In 1528 he was elected Bishop of Avila. Died at Toledo. 'Io vos digo', said Charles V, 'que es muerto uno de los mejores caballeros del mundo.' He was buried in the church Madonna delle Grazie, near Mantua.

His chief work is the *Cortegiano* (first edition Venice, 1528; critical edition by V. Cian (Firenze, 1947); English translation by L. E. Opdycke (New York, 1901)). He also wrote some Latin and Italian poems (edited together with his letters by P. A. Serassi (Padova, 1769-71, 2 vols.)). Readers are referred to the studies of his life and work by I. Cartwright (London, 1908), by E. Bianco di San Secondo (Verona, 1941), and by V. Cian (Roma, 1951).

160. Castiglione went to Rome for the first time in 1503. On 16 March he wrote to his mother: 'Gran cosa è Roma!' The last line of this sonnet refers to his love (*mio tormento*).

Veronica Gambara (page 178)

Born at Pratalboino, near Brescia. In 1508 she married Giberto X, lord of Correggio, near Parma. After his death in 1518 she carefully supervised the education of her two children (Ippolito distinguished himself in the army of Charles V and Girolamo became a cardinal in 1561) and held the regency of Correggio with great sagacity and courage throughout a difficult period.

In 1529 she went to Bologna and was there at the time of the eventful meeting of Clement VII and Charles V. The latter was twice her guest at Correggio in 1530 and 1532. She had friendly relations with many contemporary writers and was praised by them (see Ariosto's *Orlando furioso* xlvi. 3). Bembo particularly exerted a strong influence on her poetry from its very beginning. One of the sonnets which she addressed to him is in the text (see Bembo's reply, p. 169, No. 148).

An edition of her poems and letters was issued by P. Mestica Chiappetti (Firenze, 1879); a study of her life by L. De Courten (Milano, 1934).

Francesco Maria Molza (page 179)

Was born and died in Modena, but spent most of his life in Rome. A favourite at the papal court under Leo X, Clement VII, and Paul III, he was celebrated for both his Italian and his Latin poems (edited by P. A. Serassi (Bergamo, 1774), 3 vols.).

Vittoria Colonna (page 182)

Born at Marino, a fief of her family. In 1509 she married the Marchese di Pescara, a most distinguished warrior, but hardly the paragon of virtue described in her poetry. After his death (1525) she returned to her castle on the island of Ischia, near

Naples, where she had lived as a bride; later she retired to convents at Ferrara, Orvieto, Viterbo, and Rome.

She entertained friendly relations with, and exerted a strong influence on, many famous people; among them, Marguerite of Navarre, Cardinal Pole, and Michelangelo. In her last years she became one of the leading figures of the religious movement which aimed at reforming the Catholic Church. A. von Reumont's *Vita di V. Colonna* (Torino, 1892) is fundamental; see also the studies by M. F. Jerrold (London, 1906) and by A. A. Bernardy (Firenze, 1928).

Her letters were collected by E. Ferrero, G. Müller, and D. Tordi (Torino, 1889–92). A critical edition of her *Rime* was attempted by P. E. Visconti (Roma, 1840).

167. 1. *il mio bel sole*, her husband (cp. also No. **168**, 10, *del mio gran sol*).

Bernardo Tasso (page 184)

Born in Venice, of a distinguished family from Bergamo. Little is known of his early youth. He was secretary, first to Guido Rangone, General of the Papal army, later to the Duchess of Ferrara and, from 1532 onwards, to Ferrante Sanseverino, Prince of Salerno. In 1531 he published in Venice a collection of his poems, *Libro primo degli Amori*, which was followed by a second and a third book in 1534 and 1537.

Served with Ferrante Sanseverino on the expedition of the Imperial army against Tunis in 1535, and was sent by him on various missions to France, Spain, Flanders, and Germany. In 1537 he married Porzia de' Rossi, by whom he had a daughter and a son, Torquato. In 1549 Ferrante Sanseverino was disgraced by the Emperor and deprived of his hereditary fiefs. Tasso followed him into exile in Italy and France.

In 1554 he settled in Rome, where he was joined by his son. In 1556 he heard of his wife's death at Salerno. In 1557 he was dismissed by Ferrante Sanseverino and sought the hospitality of the Duke of Urbino at Pesaro. In 1558 he went to Venice and helped to found the Accademia Veneziana, was appointed Chancellor of it in 1560, and published in the same year his chivalrous poem, *Amadigi*, and a complete edition of his Lyrics.

In 1562 he went to Ferrara and was favoured by Cardinal Luigi d'Este. In 1563 he entered the service of the Duke of Mantua. Died at Ostiglia, where he had been sent as *podestà* by the Duke. A chivalrous poem, *Il Floridante*, which he had left unfinished, was published by his son in 1587 (critical edition by M. Catalano (Torino, 1931)). An edition of his letters was issued by A. F. Seghezzi and P. A. Serassi (Padova, 1733–51). A critical appreciation of his lyrical poems was given by F. Pintor in the *Annali della Scuola normale di Pisa* (1899). See also a comprehensive study of his life and work by E. Williamson (Roma, 1951).

171. This poem is taken from Tasso's *Odi*, which were something of a novelty in the Italian poetry of the Cinquecento (cp. E. Williamson's article in *Publications of the Modern Languages Association of America*, lxv, 1950, pages 550–67).

Luigi Alamanni (page 189)

Born at Florence. In 1522 he conspired against Cardinal Medici; having narrowly escaped capital punishment, he went into exile first to Venice, then to Provence. He returned to Florence in 1527 (the Medici having left the city on one of their enforced absences); went to Genoa on Florentine affairs, and when his city fell into the hands of the Pope and the Emperor, he went again to Provence.

Henceforth he considered France as his country (see the poems in the text). Was émployed by François Ier on various missions to Italy (1537–44), became a favourite at his court, and was eventually appointed major-domo to Catherine de Médicis. Died at Amboise.

His chief works are: *Opere toscane* (1532–3, 2 vols.), a collection of lyrical poems; *Coltivazione* (1546), a didactic poem in unrhymed hendecasyllabics; *Girone il cortese* (1548) and *Avarchide* (posthumous edition, 1570), chivalrous poems in *ottava rima*. An edition of his *Versi e prose* was published by P. Raffaelli (Firenze, 1859, 2 vols.). H. Hauvette, *Un exilé florentin à la cour de France au XVIe siècle* (Paris, 1903), is fundamental.

NOTES

Francesco Berni (page 190)

Born at Lamporecchio in Tuscany. Was brought up in Florence. At nineteen he went to Rome and was attached to the household of Cardinal Bibbiena. From 1524 to 1531 he was secretary to the Papal Datary Gianmatteo Giberti. Spent his last years in the service of Cardinal Ippolito de' Medici and became involved in the latter's bitter struggle against Duke Alessandro for power in Florence. He is alleged to have been poisoned by Cardinal Cibo, who was enraged at his refusal to offer a poisoned goblet to Cardinal Salviati.

Berni remodelled Boiardo's *Orlando innamorato* in competition with, and taking suggestions from, the *Orlando furioso* of Ariosto. He also wrote some excellent Latin poems and numerous sonnets and *Capitoli* in a whimsical style which was to be called 'bernesque' (critical edition of his *Poesie e prose* by E. Chiorboli (Genève–Firenze, 1934)).

176. 1. *Il Papa*, Clement VII.

177. This sonnet is a parody of the Petrarchan style and particularly of Bembo's sonnet 'Crin d'oro crespo e d'ambra tersa e pura'.

Giovanni Guidiccioni (page 191)

Born at Lucca, of a wealthy family. Studied at the universities of Bologna, Padua, and Ferrara. In 1527 he entered the service of Cardinal Farnese (afterwards Paul III); in 1534 was appointed Governor of Rome and Bishop of Fossombrone, a year later Papal Nuncio to Spain. Returned to Italy in 1538. Was Governor of Romagna in 1540, of the Marca Anconitana in 1541. Died at Macerata.

An edition of his *Opere* was published by C. Minutoli (Firenze, 1867, 2 vols.). It includes the vigorous *Orazione ai nobili di Lucca* (critical edition by C. Dionisotti (Roma, 1945)), his *Rime*, mostly love and moral sonnets (critical edition by E. Chiorboli (Bari, 1912)), and some letters.

The four sonnets in the text are taken from a series of fourteen, which he dedicated to one of his friends, Vincenzo Buonviso (cp. B. Croce, *Poesia popolare e poesia d'arte* (Bari, 1933), pages 400–3).

NOTES

Anton Francesco Grazzini (page 194)

Was born and died in Florence; a druggist. Helped to found the Accademia degli Umidi in 1540 ('Lasca' was his academic nickname) and the Accademia della Crusca in 1582. He wrote many *Rime* (critical edition of the *Rime burlesche* by C. Verzone (Firenze, 1882)), a most remarkable collection of *novelle*, under the title of *Cene* (critical edition by C. Verzone (Firenze, 1890)), and six comedies (included in the edition of *Le Cene ed altre prose* by P. Fanfani (Firenze, 1857)).

182. This sonnet was addressed to Benedetto Varchi (1502–65), whose comedy, *La suocera*, printed in 1569, is conjectured to have been written and dedicated to the Duke of Florence in 1546.   9. *il Gello*, Giovan Battista Gelli (1498–1563), whose comedy *La sporta* (1543) was supposed by Lasca to be a plagiarism of an unfinished and unpublished comedy by Machiavelli. Gelli wrote another comedy, *L'errore* (1555), which, as he himself declared, was a close imitation of Machiavelli's *Clizia* (see I. Sanesi, *La commedia* (Milano, 1911), vol. i, pages 283–5).

183. Reference is made in this poem to the frescoes by Vasari and Zuccari in the cupola of Santa Maria del Fiore in Florence.

Giovanni della Casa (page 196)

Born in Florence, of a wealthy family. Studied at the universities of Bologna and Padua. Went to Rome, took minor orders, and was attached to the Papal Court.

In 1544 Paul III appointed him Archbishop of Benevento and Papal Nuncio to Venice. Led a retired life under Julius III (1549–55), mostly in Venice. In 1555 he was recalled to Rome by Paul IV, who made him Papal Secretary. Died in Rome.

A complete edition of his Latin and Italian works was issued by G. B. Casotti (Venezia, 1752, 3 vols.). It includes his famous treatise on courtliness, called *Il Galateo* (edited by P. Pancrazi (Firenze, 1940)), and his excellent *Rime* (edited by A. Seroni (Firenze, 1944)).

NOTES

Giovan Battista Strozzi (page 199)

Was born and died in Florence. Studied at the University of
Padua. Consul of the Accademia Fiorentina in 1540. Spent a
leisurely life in his magnificent palace in Florence. Wrote many
poems, chiefly madrigals (first edition of some 300 of them,
Firenze, 1593, reprinted by L. Sorrento (Strasbourg, 1909)).
For his epigram on Michelangelo's Night, see note to No. **154**
in the text.

The madrigal is a metrical form which was not used much
by Italian poets of the fourteenth and fifteenth centuries (an
example by Boiardo is No. **116** in the text). It rose to immense
popularity during the second half of the sixteenth century (see
A. Obertello, *Madrigali italiani in Inghilterra* (Milano, 1950)).

Angelo di Costanzo (page 201)

Was born and died in Naples. Lived there, except for three
years during which he was confined to his castle of Cantalupo,
as the result of a quarrel with another Neapolitan knight.

Published the first eight books of his *Istoria del regno di
Napoli* in 1572, the whole work (twenty books) in 1581. His
poems were much admired by his contemporaries and even
more by the Arcadians of the eighteenth century. An edition
of his *Poesie italiane e latine e prose* was issued by A. Gallo
(Palermo, 1843).

For a critical appreciation of his work see B. Croce, *Uomini
e cose della vecchia Italia* (Bari, 1943), vol. i, pages 88–107.

Luigi Tansillo (page 202)

Born at Venosa. In 1535 he was attached to the household of
Don Pietro di Toledo, Viceroy of Naples. Spent his last years
as Captain of Justice at Gaeta. Died at Teano. Wrote an
eclogue, an obscene poem, *Il vendemmiatore*, which shocked
Pope Paul IV; a vast quantity of lyrics; two didactic poems,
Il podere and *La balia*; and a religious epic, *Le lagrime di San
Pietro*.

An edition of his *Poesie liriche edite ed inedite* was published by F. Fiorentino (Napoli, 1882); one of his *Egloga* and *Poemetti* by F. Flamini (Napoli, 1893).

Of a new critical edition of his *Canzoniere* by E. Percopo the first volume only has appeared (Napoli, 1926). It includes *Poesie amorose, pastorali e pescatorie, personali, famigliari e religiose*. The poems in the text come from this edition.

Galeazzo di Tarsia (page 200)

Probably Galeazzo III, sixth Baron of Belmonte, born in Naples. Little is known of his life. Died at Cosenza.

Some fifty poems of his exist (first edition by G. B. Basile (Napoli, 1617), critical editions by F. Bartelli (Cosenza, 1888) and by G. Contini and D. Ponchiroli (Paris, 1950)).

Gaspara Stampa (page 205)

Born at Padua. Went to Venice about 1531. Had friendly relations with many scholars and poets. Her brother Baldassare, who died in 1544 at the age of twenty, was a poet too.

In 1548 she fell in love with Collaltino di Collalto, a brilliant youth of a most distinguished family. Her passion for him was not reciprocated for long, and in her latter years she seems to have had other love affairs. Modern critics have argued that she was a courtesan. Died in Venice. A posthumous edition of her *Rime* (some 300 poems, mostly sonnets) was published in 1554, with a prefatory letter by her sister Cassandra to Giovanni della Casa (see page 572). A critical edition was published by A. Salza (Bari, 1913). It includes the *Rime* by Veronica Franco, who was in fact a courtesan. The best study of G. Stampa's poetry is by E. Donadoni (Messina, 1919).

Celio Magno (page 207)

Was born and died in Venice. Held office in the Venetian Chancellery, became Secretary of the Senate and of the Council of Ten. His *Rime*, published in 1600, exerted a great influence on baroque lyric poetry.

NOTES

Torquato Tasso (page 213)

Born at Sorrento. Was brought up by his father Bernardo (see p. 569) in Rome, Urbino, and Venice. Went to the University of Padua in 1560 and published his first chivalrous poem, *Rinaldo*, in 1562 (critical edition by L. Bonfigli (Bari, 1936)). In the same year he moved to the University of Bologna. In January 1564 he had to leave because of a pasquinade on the manners of some professors and students and returned to Padua. There he became a member of the Accademia degli Eterei. In 1565 he joined the Court of Ferrara and was attached first to the service of Cardinal Luigi d'Este, later to that of Duke Alfonso. In 1573 he wrote his pastoral, *Aminta*. In 1575, when he had almost finished his chief work, *Gerusalemme liberata*, he began to develop an obscure mental disease: he disappeared from the court on various occasions, wandering aimlessly through Italy. In 1579 he had to be put under restraint in the hospital of Sant' Anna in Ferrara (cp. No. 225 in the text). While he was there, in 1580, an unauthorized edition of the *Gerusalemme liberata* appeared in Venice. Many others were published in the same and in the following years. During his confinement Tasso wrote most of his dialogues and the *Apologia*, a cool and learned defence of his father's and his own poems against the criticism of the Florentine Accademia della Crusca. He also wrote countless poems and letters, in which he begged unceasingly to be set free (cp. Nos. 223, 224, 226 in the text).

In 1586 Prince Vincenzo Gonzaga succeeded in extorting Alfonso d'Este's permission to take the poet with him to Mantua. There he resumed a tragedy, *Torrismondo*, which he had begun in 1574, and published it in 1587. From 1587 to 1592 he wandered again from place to place, living mostly in Rome and Naples. Eventually he settled in Rome. There, in 1593, he published a substantially revised edition of his poem under the title *Gerusalemme conquistata* (critical edition by L. Bonfigli (Bari, 1936)). In his last years he wrote another poem of a different kind, *Le sette giornate del mondo creato*, which was published after his death (critical edition by G. Petrocchi (Firenze, 1951)). Died in the monastery of Sant' Onofrio in Rome, when Clement VIII was about to crown him Poet Laureate on the Capitol.

An edition of all his works was issued by G. Rosini (Pisa, 1821–2, 33 vols.); critical edition of the *Gerusalemme liberata* by A. Solerti (Firenze, 1895–6, 3 vols.), and by L. Bonfigli (Bari, 1930); of his *Opere minori in versi* by A. Solerti (Bologna, 1891–5, 3 vols.); of his *Rime* by A. Solerti (Bologna, 1898–1902, 4 vols.); of his *Lettere*, *Dialoghi* and *Prose diverse* by C. Guasti (Firenze, 1853–5, 5 vols.; 1858–9, 3 vols.; 1875, 2 vols). See also the *Appendice alle opere in prosa* by A. Solerti (Firenze, 1892). Solerti's *Vita di T. Tasso* (Torino, 1895, 3 vols.) is fundamental. A *Bibliografia analitica Tassiana (1896–1930)* has been compiled by A. Tortoreto and I. G. Fucilla (Milano, 1935); it has been brought up to date (1931–45) by A. Tortoreto in the Milanese periodical *Aevum*, vol. xx, 1946, pages 14–72. A remarkable study of Tasso's work was written by E. Donadoni (Firenze, 1930, second edition). Poems in the text are taken from the *Rime* with the exception of Nos. 216–17.

210. Written for Laura Peperara, of a Mantuan family (hence the *Mincio* referred to in line 20). Many of Tasso's love poems are addressed to her (cp. in the text No. 211, l. 13 and No. 212, l. 10: *l'aura* = Laura).

216. Compare this chorus with that of Guarini's *Pastor fido* (No. 228 in the text).

219. For this sonnet see L. Caretti, *Studi sulle Rime del Tasso* (Roma, 1950), pages 197–217.

226. This *canzone* was addressed to Leonora and Lucrezia d'Este, daughters of Ercole II and Renata of France. Duke Alfonso II is referred to in line 15.

227. This unfinished *canzone* was written in 1578. It should have been addressed to the Duke of Urbino, whose arms (*l'alta Quercia*) are referred to in line 7. The Metauro is the river referred to in the opening lines.

Giovan Battista Guarini (page 233)

Born at Ferrara. A descendant of the great fifteenth-century humanist, Guarino Veronese. Studied at Padua. Became professor of rhetoric at Ferrara in 1557. Gave up his chair in 1564, went back to Padua, and devoted himself entirely to literature.

Turned to politics in 1567, when he joined the Court of Alfonso II d'Este. Went on political missions to Venice, Turin, Rome, and in 1574–5 to Poland; was finally appointed Secretary to the Duke in 1585. Two years later he suddenly left the Court of Ferrara and went to Turin, where he entered the service of Carlo Emanuele of Savoy. Like his former friend and rival, Tasso, although for quite different reasons, he proved unable either to find a suitable appointment or to secure an independent position. From Turin he soon returned to Ferrara, went to the Court of Mantua in 1592, lived in Ferrara, Padua, and Venice from 1595 to 1598, went to the Court of Florence in 1599, to that of Urbino in 1602, to Rome in 1605. Died in Venice.

His chief work, the *Pastor fido*, a *tragicommedia pastorale* written in competition with Tasso's *Aminta*, was published in Venice in 1590 and was acted for the first time at Crema in 1596. It was followed in 1601 by a theoretical and polemical treatise, *Compendio della poesia tragicomica* (critical edition of the *Pastor fido* and the *Compendio* by G. Brognoligo (Bari, 1914)). A collection of his *Rime* appeared in 1598, one of his *Lettere* in 1593. He also wrote a dialogue, *Il segretario* (Venezia, 1594), and a comedy, *L'idropica*, which was acted in 1608 at Mantua.

V. Rossi's work, *G. B. Guarini e il Pastor fido* (Torino, 1886), is fundamental. The poem in the text, which is taken from the *Pastor fido*, should be compared with Tasso's chorus in the *Aminta* (No. 216 in the text).

Gabriello Chiabrera (page 235)

Born at Savona, educated at the Jesuits' College in Rome. In 1576 he was involved in a quarrel and had to return to Savona, where he held various public appointments. Later in his life he travelled in Italy, found many patrons, amongst them Ferdinando I and Cosimo II de' Medici, Carlo Emanuele of Savoy, the Duke of Mantua, and Urban VIII. Spent his last years at Savona. Besides his *Autobiografia* and some dialogues and discourses in prose, he wrote an enormous quantity of verse: epics, tragedies, pastoral and musical dramas, lyrics.

Although he set himself up as a zealous imitator of the Greek and Latin poets, he was by no means indifferent to modern French models (cp. F. Neri, *Il Chiabrera e la Pléiade francese* (Torino, 1920)). His remarkable attempt to adapt classical metres to Italian poetry is represented in the text by No. **232** (for an analogous attempt by Campanella, see No. **237**). The best edition of his works is still the one which appeared in Venice in 1757, in five volumes. Selections of his lyrics have been issued by F. L. Polidori (Firenze, 1865), by G. A. Venturi (Milano, 1925), and by F. L. Mannucci (Torino, 1926). A valuable study of his life and work, by L. Negri, is included in *Atti della deputazione di storia patria per la Liguria, Sez. di Savona*, vol. xx, 1938.

Federigo della Valle (page 242)

Born at Asti. Little is known of his life. During at least fifteen years (1585–1601) he was attached to the Court of Carlo Emanuele of Savoy. Spent his last years in Milan, probably in the service of the Spanish governor. Wrote a 'tragicommedia', *Adelonda di Frigia*, which was acted in 1595, and three tragedies *Judit, Ester*, and *Reina di Scotia* (Queen Mary Stuart), which he published in Milan in 1626–7 (critical edition by C. Filosa (Bari, 1939)).

His importance as a poet has been lately established by B. Croce, *Nuovi saggi sulla letteratura del seicento* (Bari, 1931), pages 46–74 (see also E. G. Gardner in *Modern Language Review*, July 1930).

233. This passage is taken from the *Ester* (Filosa edition, pages 104–6) in which a chorus of the Jews enslaved by Ahasuerus is introduced. They voice their reaction to Esther's attempt to redeem them.

Ottavio Rinuccini (page 244)

Born in Florence, of an old and wealthy family. Spent his whole life there, except for journeys to France (1601–4), to Rome, Bologna, and Mantua. Helped to found the Camerata de' Bardi and was the first to write lyrical dramas for music:

his *Dafne* was acted in 1595, *Euridice* in 1600, *Arianna*, with music by Monteverdi, in 1608.

An edition of his *Poesie* was issued in 1622; a modern edition of his *Drammi per musica* was made by A. Della Corte (Torino, 1926). The poem in the text is taken from the *Arianna* (Della Corte edition, page 85).

Tommaso Campanella (page 245)

Born at Stilo in Calabria. Became a Dominican in 1582, went to Naples in 1589. His first philosophical work, the *Philosophia sensibus demonstrata* (1591), aroused suspicions about his orthodoxy. Instead of returning to his monastery at Cosenza as he had been ordered to do, he fled first to Florence (1592), then to Bologna and Padua.

In 1593 he was imprisoned, a year later he was handed over to the S. Uffizio in Rome. In 1595 he was acquitted on condition that he was held in confinement at the monastery of S. Sabina on the Aventine. In 1597 he was again imprisoned and was sent to his native town for stricter confinement.

In 1599 a political conspiracy was discovered among friars and peasants in Calabria, and he was convicted of having been their leader. He escaped the death penalty by simulating madness, but was kept in prison for twenty-seven years in Naples and for two more years in Rome. In 1628 he was set at liberty, and even enjoyed the favour of Urban VIII. In 1634, at the outbreak of a new conspiracy in Naples, headed by one of his former pupils, the Pope himself persuaded him to leave Rome and to go to France. He spent his last years in Paris, where he was favoured by Louis XIII and Richelieu. Died in the Dominican monastery in the Rue St. Honoré.

He wrote a vast number of works, both in Latin and in Italian (full bibliography by L. Firpo (Torino, 1940)). There have been recent critical editions of some: *Città del sole*, by N. Bobbio (Torino, 1941); *Aforismi politici* (Torino, 1941); *Antiveneti* (Firenze, 1944); *Poetica* (Roma, 1944); *Discorsi ai principi d'Italia* (Torino, 1945), all by L. Firpo. The same editor has also produced a selection which includes some poems, the *Città del sole*, and the *Discorsi universali del governo eccle-siastico* (Bruno e Campanella, *Scritti scelti* (Torino, 1949)).

Two critical editions of Campanella's poems have been issued by M. Vinciguerra (Bari, 1938) and by G. Gentile (Firenze, 1939) (English translation of some sixty sonnets and one *canzone* by J. A. Symonds (London, 1878)). A critical appreciation of his poetry is included in A. Momigliano's *Cinque saggi* (Firenze, 1945, pages 43–70).

235. The original title of this sonnet is 'Gli uomini son giuoco di Dio e degli Angeli'.

236. This sonnet was probably written in 1594, while Campa-nella was in the prison of the S. Uffizio in Rome.

237. The original title of this elegy is 'Al senno latino, che e' volga il suo parlare e misura di versificare dal latino al barbaro idioma'. For the attempt to adapt classical metres to Italian poetry see No. **232**, by Chiabrera.

Giovan Battista Marino (page 247)

Born in Naples. A gay fellow; imprisoned for disorderly behaviour in 1598. Escaped in 1599 and went to Rome, where he was favoured by Cardinal Aldobrandini. Went with his patron to Turin in 1608. Was soon attached to the household of Duke Carlo Emanuele I of Savoy.

In 1609 he quarrelled with another poet, Gaspare Murtola, who was secretary to the Duke, was shot at by him but was unhurt. In 1610 he was imprisoned by the Duke; soon after he was set free and regained favour. In 1615 he went to France, was patronized by Louis XIII, to whom he dedicated his poem *Adone* (Paris, 1623), and was *persona grata* at the Hôtel de Rambouillet. Went back to Italy in 1623, and was accorded a triumph in Naples. Died there.

Besides his chief work, the *Adone*, edited by G. Balsamo-Crivelli (Torino, 1922), and another poem, *La strage degli innocenti*, published after his death (Roma, 1647), Marino wrote countless lyrics. The main collections of them are, *La Lira* (part of it has been reprinted by C. Calcaterra, *Lirici del Seicento e dell' Arcadia* (Milano, 1936), pages 45–224), *La Galleria*, and *La Sampogna*, which includes eight *Idilli favo-*

losi (edited by G. Balsamo Crivelli (Torino, 1923)). Poems in the text are taken from *Poesie varie*, a selection of his lyrics by B. Croce (Bari, 1913). Marino's *Dicerie sacre* in prose were published in 1614. A critical edition of his letters has been issued by A. Borzelli and F. Nicolini (Bari, 1911–12, 2 vols.). A. Borzelli's *Storia della vita e delle opere di G. B. Marino* (Napoli, 1927) is fundamental.

Fulvio Testi (page 250)

Born at Ferrara, educated at the universities of Bologna and Ferrara. Entered the service of the dukes of Modena and was sent by them on various missions to Turin, Rome, Vienna, and Madrid. Was Governor of the Garfagnana from 1640 to 1642. In 1646 he was imprisoned by the Duke, probably because he had engaged in secret negotiations with the French statesman Cardinal Mazarin. Died in prison. Wrote a tragedy, *L'isola d'Alcina* (first edition 1632); a remarkable political poem, *Il pianto d'Italia* (forty-three octaves, addressed to Carlo Emanuele of Savoy, first anonymous edition 1617), and a number of lyrics (a *Raccolta generale* was published at Modena in 1655). G. Tiraboschi's *Vita del Conte F. Testi* (Modena, 1780) is fundamental. See also G. De Castro, *F. Testi e le corti italiane nella prima metà del sec. XVII* (Milano, 1875).

Francesco Redi (page 261)

Born at Arezzo. Studied philosophy and medicine at the University of Pisa. Went to Rome in 1648, taught rhetoric in the Colonna Palace. Returned to Florence in 1654 and was appointed physician to the Duke of Tuscany. In 1666 he became also Professor of Tuscan at the University of Florence. Was a member of various academies (Cimento, Crusca, Arcadia) and a man of universal knowledge. Died at Pisa. Besides his scientific works (Milano, 1809, 11 vols.) he wrote some poems: among them, his famous dithyramb, *Bacco in Toscana*, which was first published in 1685 (see G. Imbert, *Il Bacco in Toscana di F. Redi e la poesia ditirambica* (Città di Castello, 1890); the same, *F. Redi, l'uomo* (Milano, 1925)). Two passages from this poem (lines 807–80, 924–73) are in the text.

NOTES

Carlo Maria Maggi (page 265)

Was born and died in Milan. Secretary of the Senate and Professor of Greek. A member of the Accademia della Crusca and of the Arcadia. An edition of his *Rime varie* was issued by L. A. Muratori (Milano, 1700). He also wrote poems and comedies in the Milanese dialect (see L. Medici and G. A. Maggi, *C. M. Maggi poeta meneghino* (Milano, 1930)).

Francesco di Lemene (page 266)

Was born and died at Lodi. Became a member of the Arcadia in 1691. Wrote dramas and lyrics for music (some in the Lombard dialect), burlesque and, from 1684 onwards, religious poems. An edition of his *Poesie diverse* appeared in 1726. See also C. Calcaterra, *Lirici del seicento e dell' Arcadia* (Milano, 1936), pages 445–72.

Vincenzo da Filicaia (page 266)

Was born and died in Florence. Studied law at the University of Pisa. Entered the Accademia della Crusca in 1664. Reduced circumstances compelled him to leave Florence and settle in the country. Found favour with Christina of Sweden. Became a member of the Arcadia in 1691. Cosimo III appointed him Governor of Volterra in 1696 and of Pisa in 1700. Spent his last years at the Court of Florence.

An edition of his *Poesie toscane* appeared in 1707. A selection of his *Poesie e lettere* was issued by U. A. Amico (Firenze, 1864).

250-1. Probably written in 1690, when the French Army invaded Piedmont and Duke Vittorio Amedeo II of Savoy was defeated in the battle of Staffarda.

Benedetto Menzini (page 268)

Born at Florence, of a poor family. He took holy orders, taught literature at Florence and Prato. Went to Rome in 1685 and found favour with Christina of Sweden. Became a member of the Arcadia in 1691. Was appointed Professor of Rhetoric in 1701 at the university. Died in Rome. His works (complete edition, Firenze, 1731, 4 vols.) include *Poesie liriche* (first edition 1680), twelve remarkable satires, a poem, *Arte poetica*, in terza rima, and the *Accademia tusculana* in prose and verse, influenced by Sannazaro.

Alessandro Guidi (page 269)

Born at Pavia. Was attached to the Court of Parma in 1666. Went to Rome in 1683, entered the service of Christina of Sweden. After her death he found favour with Cardinal Albani (afterwards Clement XI). Became a member of the Arcadia in 1691. Won a high reputation by his drama *Endimione* (1692) and particularly by his lyrics (edited by G. M. Crescimbeni (Verona, 1726)).

Giambattista Pastorini (page 274)

Was born and died in Genoa. A Jesuit. He taught philosophy and theology at Milan and Genoa. Was a student of Dante.

A collection of his poems appeared in 1756 at Palermo. His reputation as a poet is chiefly based on the sonnet in the text. It was written in 1684, when the French Navy bombed Genoa. (see B. Croce, *La letteratura italiana del settecento* (Bari, 1949), pages 28–36).

Giovambattista Felice Zappi (page 275)

Born at Imola. Studied at Bologna. Held legal office in Rome from 1687 to the end of his life. Was one of the founders of the Arcadia. His wife, Faustina Maratti, was a distinguished poetess. For his *Rime* (Venezia, 1723), and particularly for the sonnet in the text, see B. Croce, *La letteratura italiana del settecento* (Bari, 1949), pages 24–27.

Eustachio Manfredi (page 275)

Was born and died at Bologna. A great scientist and a member of many learned academies. As a poet and a student of literature he was the leader of the Bolognese school (see D.

Provenzal, *I riformatori della bella letteratura italiana* (Rocca S. Casciano, 1900).

An edition of his *Rime e prose* appeared in 1760 at Bologna. For a critical appreciation of the *canzone* in the text see B. Croce, *La letteratura italiana del settecento* (Bari, 1949), pages 93–105.

Paolo Rolli (page 279)

Born in Rome. Came to London in 1715 and taught the royal family Italian. Returned to Italy in 1744. Died at Todi. He translated Greek, Latin, French, and English (*Paradise Lost*, 1735). Distinguished himself by his lyrics (critical edition by C. Calcaterra (Torino, 1926)). As a writer of *canzonette* he was second only to Metastasio.

Carlo Innocenzo Frugoni (page 280)

Born at Genoa. Joined the religious order of the Somaschi when he was hardly sixteen. Taught rhetoric in various colleges at Brescia, Rome, Genoa, and Bologna. In 1731 he was absolved from his vows by Clement XII and settled at the court of Parma. Wrote a vast quantity of verse (*Opere poetiche* (Parma, 1779, 10 vols.; another edition at Lucca, 1779–80, 15 vols.)) and enjoyed in his last years an immense reputation as the chief representative of the Arcadian School of poetry ('Comante' was the name he assumed as an Arcadian; see the poem by Monti, No. **294** in the text). An exhaustive study of his work has been written by C. Calcaterra, *Storia della poesia Frugoniana* (Genova, 1920).

Pietro Metastasio (page 282)

Born in Rome. His real name was Trapassi; it was altered by the Abate Gravina (1664–1718, one of the founders of the Arcadia), who adopted him in 1709. Metastasio was given a gentleman's education: studied philosophy in Calabria and law in Rome. In 1718, soon after Gravina's death, he became a member of the Arcadia and devoted himself entirely to literature. In 1720, having dissipated his patrimony, he went to

Naples and practised law. In 1722 he fell in love with La Romanina, a famous singer, and was persuaded by her to write lyrical dramas for music. The first, *Didone abbandonata*, was performed triumphantly at Naples in 1724. In 1730 he went to the Court of Vienna to replace Apostolo Zeno as *poeta cesareo*. La Romanina died in 1734. Metastasio had meantime forgotten her in his devotion to the Countess of Althan, whom he is said to have married secretly. Lived in Vienna till the end of his life. His fame was immense, but he produced little after the *Attilio Regolo* (1750), the climax of his triumphs. Many editions of his works appeared in the late eighteenth and early nineteenth centuries; a new critical edition by B. Brunelli (Milano, 1943–52, 3 vols.) has not yet been completed.

A collection of *Lettere disperse e inedite* was edited by G. Carducci (Bologna, 1883), another of *Lettere al fratello* by A. Costa (Palermo, 1924). A study of his work has been written by L. Russo (Bari, 1945) (see also Vernon Lee, *Studies of the Eighteenth Century in Italy* (London, 1880)).

Giuliano Cassiani (page 289)

Was born and died at Modena. Professor of Rhetoric in the university. A selection of his *Rime* was published in 1770. For a critical appreciation of them, and particularly of the sonnet in the text, see B. Croce, *La letteratura italiana del settecento* (Bari, 1949), pages 178–83.

Giuseppe Parini (page 289)

Born at Bosisio in Lombardy, of a poor family. Was brought up in Milan by his aunt, who granted him a small annuity on condition that he took holy orders. Studied literature and theology, earning his livelihood by copying documents and giving lessons. Published his first collection of poems, *Rime di Ripano* (= Parino) *Eupilino*, in 1752. Became a member of the Milanese Accademia dei Trasformati and got involved in literary and linguistic controversies. Was engaged as tutor by various great families. Soon after his dismissal from one of them he published *Il mattino* (Milano, 1763), which was to be the first part of his chief work, *Il giorno*, a satire on the frivolous life of the young Italian aristocrats of his time (cp. Foscolo's

Sepolcri, No. 305 in the text, lines 57–61), showing the influence of Thomson and Pope. The second part, *Il mezzogiorno*, followed in 1765. A third part, *La sera*, which he eventually divided into two, *Vespro* and *Notte*, was left unfinished and was published after his death. In 1769 he became Professor of Literature at the 'Scuole Palatine' in Milan. In 1771 he wrote a drama, *Ascanio in Alba*, which the young Mozart set to music. In 1777 he became a member of the Roman Arcadia. In 1791 he published his *Odi*. When the Cisalpine Republic was formed by Napoleon he held various public offices, manifesting a high ideal of honour and a great independence of spirit. Died in Milan. Critical editions of his works have been issued by E. Bellorini (Bari, 1913–29, 4 vols.) and by G. Mazzoni (Firenze, 1925). See also *Poesie e Prose, con appendice di poeti satirici e didascalici del settecento*, edited by L. Caretti (Milano–Napoli, 1951). Poems in the text are taken from the *Odi*, with the exception of No. 269, which is a *canzonetta*, written in 1777.

268. Written in 1764 and addressed to Carlo Imbonati, one of Parini's pupils, on his recovering from a serious illness.

271. Written in 1793. The *inclita Nice* was Contessa Maria di Castelbarco.

272. Written in 1795 and addressed to Marchese Febo (cp. line 34) D'Adda (cp. line 54). D'Adda, who was a former pupil of Parini's (cp. lines 37–40), had married in 1794 (cp. line 43).

Ludovico Savioli Fontana (page 308)

Born at Bologna, of an old and wealthy family. As a poet he gained popularity by his *Amori* (first edition 1765, reprinted by L. Donati, *Poeti minori del settecento* (Bari, 1912, pages 1–100)). Later in his life he turned to history and prose; his *Annali bolognesi* were published in 1784. In his very last years he took an active part in politics; went to Paris in 1797 and to Lyons in 1801 as a representative of the Cisalpine Republic. Died at Bologna. For a study of his poetry readers are referred to A. Momigliano, *Cinque saggi* (Firenze, 1945), pages 7–42. The poem in the text is taken from the *Amori*. Pope's Belinda is referred to in line 58 (*la minacciata Inglese*).

NOTES

Jacopo Vittorelli (page 311)

Was born and died at Bassano. Lived there and in Venice, where he held a public appointment. Was called the last of the Arcadians. Byron liked his poems (critical edition by L. Simioni (Bari, 1911)).

Vittorio Alfieri (page 313)

Born at Asti, of a noble family. Was educated at the Academy of Turin, entered the Piedmontese Army in 1766. In the same year he was granted leave to travel in Italy. In 1767 he went to France, then to England (1768, and again 1771, 1783, 1791), Germany, Denmark, Sweden, Russia, Spain, Portugal. In 1772 he returned to Turin and led a disssipated and restless life. In 1775 he suddenly decided to devote himself entirely to literature. A year later he went to Tuscany to learn Italian; at Florence he met the Countess of Albany, wife of Charles Edward Stuart, and remained deeply attached to her for the rest of his life. In 1778 he made over all his property to his sister in order to free himself from allegiance to Piedmont. Lived in Rome from 1780 to 1783, and later settled in France. Published his nineteen tragedies in Paris, 1787–9, 5 vols. (ten of them had already appeared at Siena in 1783). At the outbreak of the French Revolution he was in Paris; was obliged to leave in 1792, and returned to Florence, where he died. Was buried in Santa Croce (cp. Foscolo's poems in the text: No. 300, lines 7–8; No 305, lines 188–97).

His chief works are tragedies, among them *Filippo, Agamennone, Oreste, Saul, Mirra* (critical edition by F. Maggini (Firenze, 1926, 2 vols.) and by N. Bruscoli, including *Tragedie postume* (Bari, 1946–7, 4 vols.)). In addition he wrote comedies (edited by F. Maggini (Firenze, 1928)), *Rime* (edited by F. Maggini (Firenze, 1933)), the *Misogallo*, which is a furious polemic against the French, sixteen satires, and many epigrams (critical edition by R. Renier (Firenze, 1884)). His chief work in prose is his *Vita* (edited by F. Maggini (Firenze, 1928)). An unsatisfactory edition of all his works was published in 1903 at Turin in eleven volumes. E. Bertana, *V. Alfieri studiato nella vita, nel pensiero e nell' arte* (Torino, 1903) is fundamental. Readers are also referred to B. Croce, *Poesia e non poesia* (Bari, 1935), pages 7–20; M. Fubini, *V. Alfieri, il pensiero e la tragedia* (Firenze, 1937); A. Momigliano, *Introduzione ai poeti* (Roma, 1946), pages 101–45; U. Calosso, *L'anarchia di V. Alfieri* (Bari, 1949). Poems in the text are taken from the *Rime*, with the exception of No. **278** (from the satires) and No. **289** (from the *Misogallo*).

278. 2. 'Strissimo = Illustrissimo.   43. *desco molle*, dessert. 67. *Frigio-Vandala*, corrupt and barbarous.

280. Cp. Petrarch's sonnet, No. **76** in the text.

Ippolito Pindemonte (page 323)

Born at Verona of an old family. Studied at Modena. From 1778 to 1796 he travelled over most of Italy and Europe. Was in Paris at the outbreak of the French Revolution. Came to London in 1789. Retired to Verona in 1796 and lived there for the rest of his life. Had friendly relations with almost all the distinguished Italian writers of his time: among others Parini, Alfieri, Monti, and Foscolo (see No. **305** in the text).

Was a member of the Arcadia and the Accademia della Crusca. Wrote tragedies (*Ulisse*, 1778; *Arminio*, 1804), poems (*La Fata Morgana*, 1784; *Francia*, 1789), lyrics (*Poesie campestri*, 1788; *Epistole*, 1805; *Sermoni poetici*, 1819), a romantic novel in rhyme, *Antonio Foscarini e Teresa Contarini*, an autobiographical novel in prose, *Abaritte*. Translated Greek (*Odyssey*, 1822), Latin, and English. An edition of his *Poesie originali* was issued by A. Torri (Firenze, 1858).

Vincenzo Monti (page 328)

Born near Fusignano. Studied at Faenza and Ferrara. Went to Rome in 1778, was appointed secretary to Duke Braschi, Pius VI's nephew, in 1781. Won popularity by his lyrics and poems (*Saggio delle poesie* (Livorno, 1779); *Versi* (Siena, 1788)). Was one of the leading members of the Arcadia. In 1793 he voiced in his *Bassvilliana* the indignation aroused by the execution of Louis XVI. Nevertheless, he was suspect at the Sacred College for his liberal opinions. In 1797 he became a friend of Marmont, Napoleon's aide-de-camp, and went to Bologna with him, resigning his appointment in Rome. In spite of his unpopularity (the *Bassvilliana* was solemnly burnt in the Piazza del Duomo at Milan), he was given a secretarial post in the government of the Cisalpine Republic at Milan. It was at this time (1799) that he composed a poem in execration of Louis XVI, whom he had formerly praised. After the fall of the Cisalpine Republic he went to Genoa and thence to Paris. Returned to Italy in 1801 (see No. **296** in the text). In 1802 he was elected Professor of Poetry at the University of Pavia and, in 1804, *poeta del governo italiano*. He was in fact Napoleon's poet. He had extolled Napoleon in 1797, and went on flattering him till 1811. After Napoleon's fall in 1814 he wrote poems in praise of the Austrian Government. Died in Milan. The best edition of his poems is that by G. Carducci (Firenze, 1858–9). It includes: *Poesie liriche*; *Canti e poemi* in 2 vols. (among them *La bellezza dell' universo*, 1781, influenced by Milton; *Prometeo*, 1797; *Mascheroniana*, 1801–2; *Il bardo della selva nera*, 1806, influenced by Ossian; *Feroniade*, partly written in Rome, resumed in his last years); *Tragedie, drammi e cantate* (the tragedies are three: *Aristodemo*, 1786, *Galeotto Manfredi*, 1788, *Caio Gracco*, 1802; the second and the third were strongly influenced by Shakespeare); *Versioni poetiche* (the translation of the *Iliad*, 1812, is one of Monti's chief works). For Monti's prose works (the *Proposta di alcune correzioni ed aggiunte al Vocabolario della Crusca*, 1817–26, is particularly remarkable) readers are referred to his *Opere* (Milano, 1839–42), 6 vols. His letters have been collected by A. Bertoldi (*Epistolario* (Firenze, 1928–31), 6 vols.). Poems in the text are taken from his lyrics.

293. Written in 1779 and read in the Arcadia. Two Greek statues of Pericles and Aspasia had been discovered in 1779 at Tivoli and Civitavecchia. The *Pio* referred to in line 40 is Pope Pius VI.

294. Bodoni's edition of Tasso's *Aminta* was published in 1789 at Parma. The wedding of one of Anna Malaspina's daughters is referred to in lines 7–11 of Monti's poem. Line 25 is by Petrarch (son. *Arbor vittoriosa e trionfale*).

56. *Comante*, C. I. Frugoni (see p. 584). A study of his relations with Anna Malaspina is included in C. Calcaterra, *Il Barocco in Arcadia* (Bologna, 1950), pages 99–113.   61. *Savonesi accenti*, Chiabrera's lyrics (see p. 577).   86. *Fernando*, Duke Ferdinand of Parma. 94. *Paciaudi*, Paolo Maria Paciaudi (1710–1785), the learned librarian of the Palatina of Parma and a good friend of Monti's.

295. Written in 1792, influenced by Shakespeare's *As You Like It*. Monti knew the French translation by P. Letourneur, published in 1776.

297. Written in 1826. Monti married Teresa Pikler in 1791 in Rome. Costanza, their only surviving daughter, is referred to in lines 30–31 (*sventurata*, because she had lost her husband, G. Perticari, in 1822).

Giovanni Fantoni (page 345)

Was born and died at Fivizzano. Studied in Rome. Became a member of the Arcadia. His academic name was 'Labindo'. From 1774 to 1779 he served first in the Tuscan Army, then in that of Piedmont. Was dismissed for his extravagance, and had to return to Fivizzano. Published a collection of his lyrics in 1782. Went to the Court of Naples in 1785 and was favoured by Queen Caroline, but once again he got into debt and had to leave. Went to Rome, where he could not settle, and was eventually obliged to retire to Fivizzano (1789). When the French entered Italy in 1796 he joined them and took an active part in political affairs. Like many other Italian patriots, he soon felt disillusioned. When Napoleon came to power he gave up politics and devoted himself entirely to his studies. In 1805 he was appointed secretary of the Academia of Carrara and became its President in 1807.

An edition of his works was published in 1823 (3 vols.). Best edition of his poems by G. Lazzeri (Bari, 1913). Carducci's essay *La gioventú poetica di G. Fantoni* (included in his *Opere*, vol. xviii, pages 55–133) is fundamental.

NOTES

Ugo Foscolo (page 346)

Born at Zante, in the Ionian Islands (see nos. 302 and 304, lines 85, 91–92, in the text). Educated at Spalato, went to Venice about 1793. In 1797 he hailed Napoleon as the liberator of Italy, joined a cavalry regiment at Bologna, and took part in the new government established at Venice by the French. When the treaty of Campoformio ceded Venetian territory to Austria he went into exile, first to Milan, then to Bologna and Florence. In 1799 he joined the Italian legion of the French Army, fought against the Austrians and Russians, and was in Genoa during the siege. Returned to Milan in 1801, and published there his *Ultime lettere di Jacopo Ortis* in 1802 and some of his lyrics in 1803. In 1804 he was sent to France. In 1806 he returned on leave to Milan. In 1807 he went to Brescia and published there his chief work, *I sepolcri* (No. 305 in the text). In 1808 he was made Professor of Italian Rhetoric at the University of Pavia, but the chair was abolished almost immediately. Had to leave Milan because his tragedy *Ajace*, produced at La Scala in 1811, contained satirical references to Napoleon. Lived in Bologna and Florence, wrote a tragedy, *Ricciarda*, and most of his unfinished poem, *Le grazie*. His translation of Sterne's *Sentimental Journey* appeared in 1813 at Pisa. He returned to Milan shortly before Napoleon's fall, served the Austrians for a short time, and was offered by them the editorship of a new literary periodical. In 1815, however, he refused to swear allegiance to the Austrian Government, fled to Switzerland, and came to London in 1816. He met most of the interesting people in England and published some of his most remarkable essays on Italian literature, but, partly as a result of his own extravagance, he lived in poverty (see E. R. Vincent, *Byron, Hobhouse and Foscolo* (Cambridge, 1949)). Died at Turnham Green and was buried at Chiswick. His remains were transferred to Santa Croce (the *tempio* referred to in line 180 of the *Sepolcri*) in 1871. An unsatisfactory edition of his works was published by F. S. Orlandini (Firenze, 1856, 11 vols.). Of a new critical edition five volumes only have appeared in Florence: *Lezioni, articoli di critica e di polemica, 1809–1811*, by E. Santini (1933), *Prose politiche e letterarie dal 1811 al 1816*, by

L. Fassò (1933), *Prose varie d'arte*, by M. Fubini (1951),
and two volumes of the *Epistolario* by P. Carli (1949–52).
A critical edition of his *Poesie* was published by G. Chiarini
(Livorno, 1904). The same scholar wrote a valuable study of
his life (Firenze, 1927 (latest edition)). The best study of his
work is by M. Fubini (Firenze, 1931).

299. Cp. Alfieri's sonnet, no. 282 in the text.

300. 8. *fero vate*, Alfieri.

303. Foscolo's brother committed suicide in 1801 at Venice.

304. Written in 1802. The *amica* was Antonietta Fagnani
Arese. Foscolo's letters to her are included in the *Epistolario*.

305. Nelson is referred to in line 134; Machiavelli, Michelangelo, Galileo, and Newton in lines 154–64; Dante and
Petrarch in lines 173–9; Alfieri in lines 189–95.

306. This fragment of Foscolo's *Grazie* is taken from *Outline,
Engravings and Descriptions of the Woburn Abbey
Marbles* (London, 1822).

Gabriele Rossetti (page 364)

Born at Vasto. Went to Naples in 1804. Held office under
Murat in 1813. Joined the Carboneria and took part in the
revolution of 1820. Fled to Malta when Ferdinand Bourbon
returned, then to England, and lectured at King's College,
London. Father of Dante Gabriele Rossetti; wrote critical
works on Dante and much verse (*Poesie*, edited by G. Carducci
(Firenze, 1861); *Opere inedite e rare*, edited by D. Ciampoli
(Vasto, 1929–31, 3 vols.)). See D. Waller, *The Rossetti Family*
(Manchester, 1932), and E. R. P. Vincent, *G. Rossetti in
England* (Oxford, 1936).

307. *La costituzione di Napoli*. In 1820 Ferdinand I swore to
it on the Gospels, but a year later the Bourbon tyranny
was re-established after a hideous succession of massacres.

Giovanni Berchet (page 368)

Born in Milan. His *Lettera semiseria di Grisostomo* (1816)
started the romantic movement in Italy. Took refuge from the

Austrian tyranny in London, where he published some of his poems (1824), then he went to Belgium and France. Returned to Italy in 1847; after the Cinque Giornate he was the Director of Public Instruction in Milan; after the defeat of the Italians he lived in Tuscany and Piedmont. Died in Turin. Critical edition of his works by E. Bellorini (Bari, 1911–12, 2 vols. (second edition of vol. i, containing the *Poesie*, 1941)); a study of his life by E. Li Gotti (Firenze, 1933). For a critical appreciation of his poetry readers are referred to C. De Lollis, *Saggi sulla forma poetica italiana dell' ottocento* (Bari, 1929), pages 34–54; B. Croce, *Poesia e non poesia* (Bari, 1935), pages 151–64; and to A. Momigliano, *Introduzione ai poeti* (Roma, 1946), pages 197–204.

308. Published in London, 1824. *Silvio*, referred to in line 112, is Silvio Pellico.

Alessandro Manzoni (page 373)

Born in Milan. Educated at Merate, near Como (1791–6), at Lugano (1796–8), and Milan. Wrote a poem, *Il trionfo della libertà*, in 1801. Became a friend of Monti and Foscolo. Went to Paris in 1805. Married Enrichetta Blondel, of a Swiss Protestant family, in 1808; two years later she was converted to Catholicism. Manzoni himself, who had been a free-thinker for some time, turned into a devout follower of the Church and showed a new conception of both life and art. He returned to Milan in 1810, wrote his *Inni sacri* (four published in 1815, the fifth—No. **314** in the text—in 1822); two tragedies, the *Conte di Carmagnola* (1820, see No. **309**) and the *Adelchi* (1822, see Nos. **312–13**); his Odes, *Marzo 1821* (No. **310**) and *Il cinque maggio* (No. **311**); and his chief work in prose, *I promessi sposi* (first edition, 1827). For many years he carried on a thorough revision of the language and style of his novel, and in this connexion visited Florence in 1827 and on several other occasions. The second, revised edition of the *Promessi sposi* appeared in 1840. After that he produced very little. Spent nearly all his life in his native city, a very tranquil life, even in the eventful years of the Risorgimento, though his intense patriotism is unquestionable. A critical edition of his works was published by M. Barbi and F. Ghisalberti (Milano, 1942–50, 3 vols.).

NOTES

An edition of his *Epistolario* was issued by G. Sforza (Milano, 1882–3, 2 vols.). A critical edition (*Carteggio*) had been undertaken by G. Sforza and G. Gallavresi, but two volumes only appeared (Milano, 1912–14), covering the period 1803–31. *Epistolario* and *Carteggio* were supplemented by G. Gallavresi and M. Scherillo, *Manzoni intimo* (Milano, 1923, 3 vols.). An excellent appreciation of Manzoni's work was written by A. Momigliano (Milano, 1948). For recent literature on him readers are referred to the *Annali Manzoniani* (1939–49), 5 vols. (see also A. P. D'Entrèves's lecture (British Academy, 1950) and B. Reynolds, *The Linguistic Writings of A. Manzoni* (Cambridge, 1950)).

309. The battle of Maclodio took place in 1427. The Milanese Army was defeated by the Venetians led by Carmagnola.

310. *Marzo 1821*. The date of the Carbonari rising in Piedmont.

311. *Cinque maggio*, 1821: Napoleon's death.

312. This chorus refers to the invasions of Italy by the French Army of Charlemagne in 799.

Tommaso Grossi (page 395)

Born at Bellano (Como). Studied law at Pavia, then settled in Milan. A friend of Manzoni. Wrote in Milanese dialect at first. A romantic; won popularity by his *Ildegonda*, a sentimental tale in *ottava rima*, published in 1820, and by the historical novel, *Marco Visconti* (1834), which he dedicated to Manzoni. An epic by him in fifteen cantos, *I lombardi alla prima crociata* (1826), was far less successful.

Readers are referred to his *Opere* (Milano, 1862) and to G. Brognoligo, *T. Grossi* (Messina, 1916). The song in the text is included in *Marco Visconti* (chap. xxvi).

Giacomo Leopardi (page 397)

Born at Recanati, near Ancona, of a noble family. Was taught at home by his father, who was himself particularly interested in literature. At the age of sixteen he had already written two tragedies, many Italian poems and Latin pamphlets,

studies of Greek literature, and a history of astronomy. His
weak constitution was impaired by continual overwork and he
remained an invalid throughout his life. In 1818 he published
his canzoni *All' Italia* (No. 316 in the text) and *Sul monumento
di Dante*, in 1820 the canzone *Ad Angelo Mai* (No. 317). He
escaped from his depressing native place in 1822 and went to
Rome, where he met Niebuhr, who appreciated his genius, but
he was obliged to return to Recanati in 1823. Went to Milan
in 1825, to Bologna in 1826, to Florence and Pisa in 1827.
Meanwhile he had published two collections of his poems:
Canzoni (1824) and *Versi* (1826), his commentary on Petrarch's
Canzoniere (1826), and his chief work in prose, the *Operette
morali* (1827). In 1830 he was able to leave his home finally.
Lived with his friend Antonio Ranieri, first in Florence and,
from 1833 to the end of his life, in Naples. His *Canti*, by which
he was to be considered the greatest modern poet of Italy,
appeared in 1831 at Florence; a second edition of them in 1835
at Naples. His *Paralipomeni alla Batracomiomachia*, an heroi-
comic history of contemporary events in ottava rima, was
written in Naples and was published after his death. His works
(latest critical edition by F. Flora (Milano, 1937–49, 5 vols.))
also include the *Zibaldone*, which is a memorandum-book of
his 'pensieri di varia filosofia e di bella letteratura', and a large
collection of his letters (critical edition by F. Moroncini and
G. Ferretti (Firenze, 1934–41, 7 vols.)). Both are of the utmost
importance. A *Bibliografia Leopardiana* has been issued by
G. Mazzatinti, M. Menghini, and G. Natali (Firenze, 1930–2)
(see also I. G. Fucilla's and N. D. Evola's additions in *Philo-
logical Quarterly*, xiii, 1934, and in *Aevum*, 1941). Readers are
referred to G. L. Bickersteth, *The Poems of Leopardi* (Cambridge, 1923); G. Ferretti, *Vita di G. Leopardi* (Bologna, 1940);
G. De Robertis, *Saggio sul Leopardi* (Firenze, 1944); A. Zottoli,
Leopardi: storia di un'anima (Bari, 1947). Poems in the text are
taken from the *Canti*.

316. 43. *in estranie contrade*: in Russia, 1812, under Napoleon.

317. A. Mai (1782–1854), Librarian first of the Ambrosiana,
    then (1819) of the Vatican Library. Dante and Petrarch
    are referred to in lines 61–75, Columbus in lines 76–87,

Ariosto in lines 106–10, Tasso in lines 121–50, Alfieri (155. *Allobrogo*, Piedmontese: cp. Parini's ode *Il dono*, line 1) in lines 151–70.

329. 51. Leopardi's original note to this line is: 'Parole di un moderno al quale è dovuta tutta la loro eleganza.' The 'moderno' referred to was Leopardi's cousin, Terenzio Mamiani (1799–1885), poet and philosopher.

Giuseppe Giusti (page 443)

Born at Monsummano in Tuscany. Studied law at the University of Pisa. Spent most of his life at Pescia, where his family had settled, and at Florence. In 1845 went to Milan, where he met Manzoni (see No. **332** in the text). Gained popularity by his political satires. Held office in the Tuscan Legislative Assembly, 1848. Died in Florence. A critical edition of all his works was published by F. Martini (Firenze, 1924). The same editor also collected his *Epistolario* (Firenze, 1932, 4 vols.).

330. *La terra dei morti*, Lamartine's phrase for Italy. This poem was written in 1842 and was dedicated to *Gino* Capponi (see line 95). 34. Giovanni Battista *Niccolini* (1782–1861), the poet. 37. *compieta*, the last canonical hour. 38. *Lorenzo* Bartolini, the sculptor (see No. **333** in the text). 41. Gian Domenico *Romagnosi* (1761–1835), the philosopher.

331. Written in 1833. 33. *Canosa*, Antonio Capece Minutolo, Prince of Canosa, chief Minister of State first to Ferdinand I of Naples, then to Francesco IV d'Este, Duke of Modena, who is referred to in the following line as *un Tiberio in diciottesimo*.

333. *La fiducia in Dio*, a statue by L. Bartolini (1777–1850). The sonnet was written in 1836.

Goffredo Mameli (page 452)

Born at Genoa. Fought against the Austrians in Lombardy, 1848. Died in action in Rome, 1849. His songs were immensely popular during the Risorgimento. See A. Codignola, *G. Mameli, la vita e gli scritti* (Venezia, 1927, 2 vols.). The song in the text was written in 1847.

Luigi Mercantini (page 454)

Born at Ripatransone, north of Ascoli. After 1848 he went into exile first to the Ionian Islands, then to Piedmont. Was secretary to the Piedmontese Governor of the Marche in 1860, Professor of History at Bologna, and from 1865 to the end of his life, Professor of Italian Literature at the University of Palermo. His *Canti* (edited by G. Mestica (Milano, 1885)), particularly the *Inno di Garibaldi*, brought him great popularity during the Risorgimento. The ballad in the text refers to the Pisacane expedition, 1857.

Niccolò Tommaseo (page 455)

Born at Sebenico, in Dalmatia; studied law at Padua. Lived in poverty at Milan, where he became a friend of Manzoni (see his *Colloqui col Manzoni*, edited by T. Lodi (Firenze, 1929)), and at Florence, where he wrote for the *Antologia*, a periodical edited by G. P. Vieusseux, and had friendly relations with Gino Capponi (see his *Carteggio* with G. Capponi, edited by I. Del Lungo and P. Prunas (Bologna, 1911–32, 4 vols.)). Was obliged to leave in 1832 because of political allusions in his writings which led to the suppression of the *Antologia*. Went into exile to France where he wrote *Dell' Italia* (Paris, 1835; see also the edition by G. Balsamo Crivelli (Torino, 1920, 2 vols.)). In 1839 he settled in Venice, where he published a collection of Corsican, Tuscan, Greek, and Slavonic popular songs (see his *Canti Illirici*, edited by D. Bulferetti (Milano, 1913), and *Canti del popolo greco*, edited by G. Martellotti (Torino, 1943)), his *Memorie poetiche e poesie*, edited by G. Salvadori (Firenze, 1916), and his chief work in prose, *Fede e bellezza*, a novel. In 1848–9 he took an active part in the revolutionary movement and in the provisional government at Venice (see his *Venezia negli anni 1848–1849*, edited by P. Prunas and G. Gambarin (Firenze, 1931–50, 2 vols.)). When Venice surrendered to the Austrians he went into exile first to Corfù, then to Turin. In 1861 he settled in Florence, where he spent his last years. R. Ciampini's *Studi e ricerche su N. Tommaseo* (Roma, 1944) and *Vita di N. Tommaseo* (Firenze, 1945) are fundamental. The same scholar has also edited a very interesting *Diario intimo* by Tommaseo (Torino, 1946). Poems in the text are taken from Tommaseo's *Poesie* (Firenze, 1923).

Aleardo Aleardi (page 457)

Born at Verona. Went to Paris in 1848 to ask the French to aid Venice. Was imprisoned by the Austrians in 1852, and again in 1859. Professor of Aesthetics and History in the Istituto di Belle Arti at Florence, 1864. In the same year he published his *Canti* (from which comes the poem in the text). Senator of the Italian Kingdom, 1873. Died at Florence. Studies of his poetry were written by B. Croce, *Letteratura della Nuova Italia* (Bari, 1914), vol. i, pages 73–91, and by C. De Lollis, *Saggi sulla forma poetica italiana dell' ottocento* (Bari, 1929), pages 207–39.

339. This *canzone*, first published in 1857, was intended to outline the history of the Italian maritime cities during the Middle Ages, viz. of Venice (iii and iv, lines 1–35), Amalfi (iv, lines 36–51), Genoa and Pisa (v). Reference is also made in vi to the Tuscan merchants. The decay of Italy after the 16th century is portrayed in vii. Enrico Dandolo, the Venetian Doge who played a leading part in the fourth Crusade, is referred to in iii, line 40; King Henry VI in vi, line 29.

Giovanni Prati (page 469)

Born at Dasindo, near Trento. Studied at Padua. In 1841 he published his *Edmenegarda*, a sentimental love-tragedy in five cantos which brought him great fame. Went to Milan, then (1843) to Turin. Returned to Padua in 1846. Meanwhile he had published no less than six volumes of lyrics. Was imprisoned and banished by the Austrians in 1848. Lived in Piedmont. Went to Florence in 1864, to Rome in 1871. Senator of the Italian Kingdom, 1876. Wrote an enormous quantity of verse (*Opere varie* (Milano, 1875, 5 vols.); *Psiche* (Padova, 1876); *Iside* (Roma, 1878)). A valuable study of his poetry was published by G. Gabetti (Milano, 1912); see also C. De Lollis, *Saggi sulla forma poetica italiana dell' ottocento* (Bari, 1929), pages 55–78, 177–85. The poem in the text is taken from his *Armando* (Firenze, 1868), an imitation of Goethe's *Faust*.

Giacomo Zanella (page 472)

Born at Chiampo, near Vicenza. Took holy orders. Taught literature at Venice, Vicenza, and Padua. Spent his last years in a villa near Vicenza called Astichello (hence the title of one of his collections of poems). As a critic he was particularly interested in English literature (see his *Paralleli letterari* (Verona, 1885)). An edition of all his poems was issued by E. Bettazzi (Firenze, 1928).

Giosuè Carducci (page 475)

Born at Valdicastello in Tuscany. Studied at Florence (1849–52) and Pisa (1853–6). Published his first collection of *Rime* at S. Miniato in 1857. Was appointed Professor of Italian Literature at the University of Bologna in 1860; Senator of the Italian Kingdom in 1890; was awarded the Nobel prize for literature in 1906. Died at Bologna. His works (latest edition Bologna, 1935–40, 30 vols., supplemented by the edition of his *Lettere*, 13 vols.) include the following collections of poems: *Juvenilia, Levia gravia* (first edition 1868), *Giambi ed epodi* (first edition under the title *Decennalia*, 1871), *Rime nuove* (first edition 1887), *Odi barbare* (first edition 1877, *Nuove odi b.* 1882, *Terze odi b.* 1889), *Rime e ritmi* (first edition 1899).

He also wrote admirable prose. A study of his life was written by G. Chiarini (Firenze, 1920); studies of his poetry and prose by B. Croce (Bari, 1946) and A. Galletti (Milano, 1948) (see also G. L. Bickersteth, *Carducci* (London, 1913)). Poems in the text are taken from *Rime nuove* (Nos. 342–5), *Odi barbare* (Nos. 346–51), *Rime e ritmi* (No. 352).

342–3. Carducci's brother, Dante, committed suicide in 1857. Carducci's only son, also called Dante, died at the age of three in 1870.

344. Carducci lived at Bolgheri and Castagneto in the Tuscan Maremma from 1839 to 1849. The *Idillio maremmano* was written in 1872.

346. The bronze 'Victory' of Brescia was discovered in 1826. The poem was written in 1877.

347. *Napoleone Eugenio*, son of Napoleon III, died fighting for England in Zululand (12 July 1879). 5. *l'altro*, the Duke of Reichstadt, son of Napoleon I. 33. *Letizia*, mother of Napoleon I.

352. *La Chiesa di Polenta*, a Byzantine church near Cesena. The poem was written in 1897. 12. *Guido*, da Polenta, ruler of Ravenna (died 1310).

Giovanni Pascoli (page 494)

Born at San Mauro di Romagna. In 1867 his father was murdered; his mother died a year later; his elder brother, who had taken charge of the family, died in 1876. While studying at the University of Bologna, he led a gloomy and difficult life. Joined the Socialist party and was imprisoned for three months in 1879. Took an academic degree in 1882. Became a teacher of Greek and Latin at a secondary school, first at Matera, then at Massa (1884–7) and Livorno (1887–95). Won popularity as a poet by his first collection of lyrics, *Myricae* (1891). Was Professor of Classical Philology at the universities of Bologna (1895–7), Messina (1898–1902), and Pisa (1903–5). Succeeded Carducci as Professor of Italian Literature at Bologna in 1905. Died at Bologna.

In addition to *Myricae* he published the following collections of poems: *Canti di Castelvecchio* (1903), *Primi poemetti* (1897–1904), *Poemi conviviali* (1904), *Odi e inni* (1906), *Nuovi poemetti* (1909), *Poemi italici* and *Canzoni di Re Enzio* (1908–1911). His *Poemi del risorgimento*, a collection of *Poesie varie* and another of *Traduzioni e riduzioni* were published after his death by his sister Maria. He also wrote excellent Latin poems

(*Carmina* (Bologna, 1930, 2 vols.)). His works in prose include
Pensieri e discorsi (1907) and three studies of Dante's *Comedy*
(*Minerva oscura*, 1898; *Sotto il velame*, 1900; *La mirabile
visione*, 1902).

For a critical appreciation of his poetry readers are referred
to the studies by B. Croce (Bari, 1920) and A. Galletti (Milano,
1948). Poems in the text are taken from *Myricae* (Nos. 353–7),
Primi poemetti (Nos. 358–60), *Canti di Castelvecchio* (Nos.
361–2), *Poemi conviviali* (No. 363), *Traduzioni e riduzioni*
(No. 364: cp. Shelley's *Time Long Past*).

Vittoria Aganoor (page 507)

Born at Padua, of an old Armenian family. Was taught
literature and poetry by Zanella. Lived at Venice and Naples.
In 1901 she married Guido Pompili, a distinguished member
of the Italian Parliament; settled at Perugia. Died in Rome.
Her husband committed suicide a few hours after her death.
An edition of her *Poesie complete* was published by L. Grilli
(Firenze, 1927).

Gabriele d'Annunzio (page 509)

Born at Pescara; was educated at Prato, in Tuscany (1874–
81). Published his first collection of poems, *Primo vere*, in
1879, a second, *Canto novo*, and his first collection of short
stories, *Terra vergine*, in 1882. In the same year he went to
Rome, studied at the university, and entered journalism. From
time to time he retired to Francavilla, near Pescara. Went to
Naples in 1891, lived there for two years. He established his
reputation, as a writer, by publishing many volumes of lyrics
(*Intermezzo*, 1884; *L'Isotteo e la Chimera*, 1890; *Elegie romane*
and *Odi navali*, 1892; *Poema paradisiaco*, 1893), short stories
which were collected under the general title, first of *San Panta-
leone* (1886), then of *Novelle della Pescara* (1902), and his
novels: *Il piacere* (1889), *Giovanni Episcopo* (1892), *L'innocente*
(1892), *Il trionfo della morte* (1894).

In 1895 he travelled to Greece, in 1896 he published another
novel, *Le vergini del rocce*. In the same year he met Eleonora

Duse at Venice (see his novel *Il fuoco*, 1900) and began to write for the stage (*Sogno di un mattino di primavera*, 1897; *Sogno di un mattino di autunno, La città morta, La Gioconda*, all 1898; *La gloria*, 1899). In 1897 he became a member of the Italian Parliament, but was not re-elected in 1900. In 1898 he settled in Tuscany, where he wrote some of his chief works: *Francesca da Rimini* (1902), a tragedy; *Maia, Elettra, Alcione* (1903), three books of lyrical *Laudi; La figlia di Jorio* (1904), another tragedy. After that the decline of his inspiration became apparent, both in such plays as *La fiaccola sotto il moggio* (1905), *La nave* (1908), *La Fedra* (1909), and in his last novel *Forse che sì forse che no* (1910). In 1910, owing to his debts, he was forced to leave Italy and he settled in France. On the outbreak of the Libyan War he again turned to poetry and wrote the *Canzoni della gesta d'oltremare* (1912, edited under the title *Merope* and as the fourth volume of his *Laudi*). In 1915 he returned to Italy and took part in the political movement which led to the intervention of Italy in the First World War. During the war he served in the Army, particularly in the Air Force, with great distinction, and wrote the *Notturno* (first edition 1921), in which he developed a new style of prose which he had already attempted in his *Contemplazione della morte* (1912) and particularly in his *Leda senza cigno* (1916). His war poems were later collected under the title *Canti della guerra latina*.

In 1919 he marched from Ronchi to Fiume at the head of some Italian troops, occupied the town, which should have been handed over to Yugoslavia, and ruled it for fifteen months. In January 1921 he was compelled to surrender Fiume to the Italian Government. In 1922 he retired to Gardone on the Lake of Garda, where he spent the last years of his life. In 1924 the title of Prince of Monte Nevoso was conferred on him. In 1937 he became President of the Accademia d'Italia.

A complete edition of his works was published in 1927–36, 49 vols. It includes *Versi d'amore e di gloria, Prose di romanzi, Tragedie, misteri e sogni,* and *Prose varie*. Full bibliography by E. Falqui (Firenze, 1941, see also J. G. Fucilla and J. M. Carrière, *D'Annunzio Abroad* (New York, 1935–7)). Readers are referred to the studies of his work by B. Croce (*Letteratura della Nuova Italia*, vol. iv, pages 7–70; vol. vi, pages 249–63),

NOTES

G. A. Borgese (Milano, 1932), F. Flora (Messina, 1935), A. Gargiulo (Firenze, 1941), and P. Pancrazi (Roma, 1944).

Poems in the text are taken from *Canto novo* (Nos. 368–9), *Poema paradisiaco* (Nos. 370–1), *Alcione* (Nos. 373–4); No. 372 is the *commiato* of *Francesca da Rimini*.

372. 14. *Aronta*: cp. Dante, *Inferno* xx, 46–51.   42. *Onoria*, sister of the Roman Emperor Valentinian III.   44. *la caccia*: cp. Boccaccio, *Decameron* v, 8, and D'Annunzio's tragedy (Act III, scene ii).   48. *Il cavalier britanno*, Byron and *contessa* Guiccioli.   52–3. Montagna de' Parcitadi, beheaded by Malatestino in D'Annunzio's tragedy (Act IV, scenes i and iii).   56. *cittade*, Rimini.   65. *il sire*, Sigismondo Pandolfo Malatesta (1417–58).   67. *Isotta*, Sigismondo's third wife. 72. *il Tempio*, Malatestiano at Rimini, built by Leon Battista Alberti (see line 75).   119. Sigismondo distinguished himself in the battle of Piombino (1448) against King Alfonso of Naples.   120. *medaglia*, by Pisanello.

Guido Gozzano (page 527)

Was born at Agliè Canavese in Piedmont and died there, of tuberculosis. Lived in Turin. Travelled to India, 1912–13 (see his *Verso la cuna del mondo*, in prose). Published his masterpiece, *I colloqui*, a collection of lyrics, in 1911. Complete edition of his works, Milano, 1935, 5 vols. See L. Fontana, *L'umanità e l'arte di G. Gozzano* (Livorno, 1936), and C. Calcaterra, *Con G. Gozzano e altri poeti* (Bologna, 1944).

375. *Paolo e Virginia*, Bernardin de Saint-Pierre's novel (1787).

Sergio Corazzini (page 533)

Was born in Rome and died there of tuberculosis. Was the leader of a school of young poets, called *Crepuscolari*. His *Liriche* were published by F. M. Martini (Napoli, 1935). See a study of his life and work by F. Donini (Torino, 1949).

NOTES

Carlo Michelstaedter (page 534)

Was born and died at Gorizia. Studied at Florence (1905–9). His writings (edited by V. Arangio-Ruiz (Genova, 1912–13, 2 vols.)) include philosophical essays and a few poems (latest edition, Milano, 1949). The poem in the text was written shortly before he committed suicide.

INDEX OF WRITERS

[The figures refer to the numbers of the poems]

* Not in the 1st edition

INDEX OF WRITERS

INDEX OF FIRST LINES

[The figures refer to the numbers of the poems]

* Not in the 1st edition

INDEX OF FIRST LINES

INDEX OF FIRST LINES

INDEX OF FIRST LINES

INDEX OF FIRST LINES

INDEX OF FIRST LINES

INDEX OF FIRST LINES

INDEX OF FIRST LINES

INDEX OF FIRST LINES

INDEX OF FIRST LINES

PRINTED IN GREAT BRITAIN
AT THE UNIVERSITY PRESS, OXFORD
BY CHARLES BATEY, PRINTER TO THE UNIVERSITY